UM JEITO DE FAMÍLIA

TONY PARSONS

UM JEITO DE FAMÍLIA

Tradução de
RYTA VINAGRE

E D I T O R A R E C O R D
RIO DE JANEIRO • SÃO PAULO
2007

CIP-Brasil. Catalogação-na-fonte
Sindicato Nacional dos Editores de Livros, RJ.

P275j

Parsons, Tony, 1953-
Um jeito de família / Tony Parsons; tradução de Ryta Vinagre. – Rio de Janeiro: Record, 2007.

Tradução de: The family way
ISBN 978-85-01-07741-7

1. Romance inglês. I. Vinagre, Ryta. II. Título.

07-1082

CDD – 823
CDU – 821.111-3

Título original inglês:
THE FAMILY WAY

Impresso no Brasil

ISBN 978-85-01-07741-7

PEDIDOS PELO REEMBOLSO POSTAL
Caixa Postal 23.052
Rio de Janeiro, RJ – 20922-970

Para Jasmine

parte um:

o mundo é seu biscoito

um

— Seus pais estragam a primeira metade da sua vida — disse a mãe de Cat quando ela contava 11 anos de idade — e seus filhos estragam a segunda metade.

Isso fora dito com o menor dos sorrisos, como uma daquelas piadas que na verdade não são uma piada.

Cat era uma criança excepcionalmente inteligente e queria examinar essa proposição. Como exatamente ela tinha estragado a vida da mãe? Mas não havia tempo. Sua mãe estava com pressa para sair dali. O táxi preto esperava.

Uma das irmãs de Cat estava chorando — talvez as duas. Mas não era essa a preocupação da mãe de Cat. Porque dentro do táxi que esperava havia um homem que a amava, que sem dúvida a faria se sentir bem consigo mesma e que certamente a faria acreditar que havia uma vida que não era estragada em algum lugar lá fora, provavelmente para além da porta do apartamento alugado em St. John's Wood.

O volume do choro da criança aumentou enquanto a mãe de Cat pegava as malas e bolsas e seguia para a porta. Sim, pensando nisso agora, Cat tinha certeza de que as duas irmãs estavam chorando, embora Cat estivesse com os olhos secos e paralisada de choque.

Quando a porta bateu às costas da mãe e só restou o vestígio de perfume — Chanel nº 5, porque a mãe das meninas era uma mulher de gostos previsíveis, tanto nos perfumes como nos homens —, Cat de repente teve consciência de que era a pessoa mais velha na casa.

Onze anos de idade, e era responsável por tudo.

Ela olhou o caos cotidiano de que a mãe estava fugindo. Brinquedos, comida e roupas espalhados pela sala de estar. A bebê, Megan, uma pequena Buda de cara gorducha, 3 anos de idade que na verdade não era mais de um bebê, estava sentada no meio da sala, chorando porque tinha mordido os dedos enquanto comia um biscoito. Onde estava a babá? Megan não podia comer biscoitos antes das refeições.

Jessica, uma menina pálida e tristonha de 7 anos que Cat desconfiava fortemente ser a preferida do pai, estava enroscada no sofá, chupando o polegar e berrando porque... Bem, por quê? Porque era isso o que a bebê-chorona da Jessica sempre fazia. Porque a bebê Megan tinha atirado a Barbie Comissária de Bordo de Jessica pela sala, quebrando a bandejinha de bebidas. E talvez sobretudo por sua mãe ter achado fácil ir embora.

Cat pegou Megan e escalou o sofá onde Jessica chupava o polegar, pensou Cat, como se ela fosse a bebê da casa. Cat pegou a irmã mais nova no colo.

— Vamos lá, pateta — disse à outra. Elas chegaram bem a tempo.

As três irmãs apertaram o rosto na janela do lar recém-desfeito exatamente no momento em que o táxi arrancou. Cat se lembrou da silhueta do homem — um homem de aparência bem comum, mal valia toda aquela confusão — e sua mãe virando-se para olhar pela última vez.

Ela era tão bonita.

E ela fora embora.

A mãe tinha partido e a infância de Cat expirou silenciosamente. Pelo resto do dia e pelo resto de sua vida.

O pai fez tudo o que pôde — "o melhor pai do mundo", escreviam Cat, Jessica e Megan anualmente nos cartões de Dia dos Pais, os coraçõezinhos jovens cheios de sentimento —, e muitas de suas babás eram muito mais bonitas do que o necessário. Anos depois de elas terem ido para casa, chegavam cartões de Natal da ex-empregada em Helsinque e da ex-babá em Manila. Mas, no fim, até as babás mais amadas voltavam para sua vida real, o melhor pai do mundo parecia passar muito tempo trabalhando e o resto do tempo tentando entender o que exatamente o havia atingido. Para além de sua fachada contida e impecável de boas maneiras, para além de toda a gentileza e charme — "Ele é tão parecido com o David Niven", diriam estranhos estarrecidos às meninas à medida que elas cresciam —, Cat sentia o turbilhão, o pânico e uma tristeza que não tinha fim. Ninguém jamais está preparado para criar os filhos sozinho, e, embora Cat, Jessica e Megan nunca duvidassem de que o pai as amava — daquele jeito silencioso, sorridente e reservado dele —, ele parecia mais despreparado do que a maioria das pessoas.

Como a mais velha, Cat aprendeu a preencher os hiatos deixados pela procissão de babás e empregadas. Ela cozinhava e cuidava das menores, fazia alguma limpeza superficial e muita faxina (muitas das babás se recusavam a fazer qualquer coisa remotamente doméstica, como se isso contrariasse as regras do sindicato). Cat aprendeu a programar a máquina de lavar, sabia como desativar o alarme contra ladrões e, depois de alguns meses de comida congelada e sanduíches, aprendeu sozinha a cozinhar. Mas havia uma coisa que ela aprendera acima de todas as outras: antes que completasse 10 anos, Cat Jewell tinha noção de como podia se sentir sozinha neste mundo.

E assim as três irmãs cresceram.

Megan — bonita e roliça, voluptuosa, como as irmãs diziam, mas a única que sempre teria que cuidar do peso, academicamente brilhante — quem adivinharia? — com toda a impetuosidade das irmãs mais novas.

Jessica — a sonhadora de olhos de corça, a sensível, com uma tendência ao riso e às lágrimas e que, das três, acabou se transformando no ímã inesperado dos rapazes, procurando por aquele grande amor atrás dos abrigos de bicicletas e nos pontos de ônibus de seu bairro de subúrbio, acalentando em silêncio o desejo de ter um lar feliz.

E Cat — que rapidamente ficou da altura do pai, mas nunca desenvolveu o corpo de seios pequenos e pernas de dançarina que tinha quando menina e nunca superou a raiva indizível de ser abandonada, embora aprendesse a distinguir suas cicatrizes com a autoridade de filha mais velha.

Elas se agarraram umas às outras e ao pai que nunca estava presente, sentindo falta da mãe, mesmo quando as coisas ficavam ruins e elas a odiavam, e depois de algum tempo o fato de que Cat tinha renunciado à infância parecia a menor das preocupações.

Cat amava o pai e as irmãs, mesmo quando eles a deixavam louca, mas, quando chegou a hora, ela escapou para Manchester e para a universidade com um suspiro de felicidade — "Assim que alguém deixou a porta entreaberta", ela costumava dizer aos amigos. E enquanto Jessica casou-se com o primeiro namorado sério e Megan foi morar com o primeiro namorado de verdade, Cat se perdeu nos estudos e depois no trabalho, sem pressa para formar um lar, começar uma família e voltar à tirania da domesticidade.

Ela já conhecia tudo isso. Família significava nada na geladeira, uma mãe ausente, Jessica chorando e a bebê Megan guinchando por "bicoto, bicoto".

A vida de família era seu pai trabalhando fora, a empregada transando com o namorado novo na estufa de plantas e nem um maldito "bicoto" na casa.

Mais do que as irmãs, Cat tinha visto a realidade do trabalho de uma mulher. O golpe duro, o trabalho ingrato, a luta interminável para manter as barrigas alimentadas, as caras lavadas, os bumbuns asseados, os olhos secos e a roupa limpa.

Que Jessica e Megan construíssem seus ninhos. Cat queria voar longe e continuar voando. Mas ela era sensata o suficiente para saber que isso não era uma filosofia, era uma ferida. Como estudante, encorajada por um período na universidade, Cat enfrentou com raiva a mãe sobre tudo o que fora roubado dela.

— Que tipo de mãe você é? Que tipo de ser humano?

— Seus pais estragam...

— Ah, muda o disco. — Cat gritava deliberadamente.

Megan encarou com surpresa a irmã mais velha. Jessica estava prestes a cair em prantos. Elas estavam numa *pâtisserie* elegante em St. John's Wood, onde as pessoas atrás do balcão falavam mesmo francês e davam de ombros à maneira gaulesa.

— Você era a nossa mãe — disse Cat. — Tínhamos o direito a uma mãe que cuidasse de nós. Não estou falando de amor, mamãezinha querida. Só de um pouco de decência humana. É pedir demais?

Agora Cat estava gritando.

— Não se preocupe, querida — disse sua mãe, fumando calmamente um cigarro e espiando o garçom jovem que colocava um *pain au chocolat* ainda quente diante dela. — Um dia você terá os seus próprios filhos de merda.

Nunca, pensou Cat.

Jamais.

Quando teve certeza de que o marido estava acomodado diante do futebol, Jessica entrou sorrateira no estúdio dele e olhou todas as fotos que ele tinha de Chloe.

Estava se transformando em um santuário. As poucas favoritas, cuidadosamente escolhidas, estavam em porta-retratos de prata, mas havia outras nas prateleiras e um lote novo escapava de um envelope da loja de revelação e se abria em leque na mesa, enterrando uma restituição de imposto de renda.

Jessica estendeu a mão para o envelope e depois hesitou, escutando. Ela podia ouvir Bono e o U2 cantando, "É um lindo dia". Ele estava vendo o futebol. Na próxima hora mais ou menos, só um incêndio tiraria Paulo do sofá. Assim, Jessica pegou as fotos mais recentes de Chloe e as folheou com a testa franzida.

Havia Chloe no parque, no carrinho de bebê, um dente que parecia perverso cintilando na base da boca larga e viscosa. E aqui estava Chloe parecendo um bolinho com olhos de conta no banho noturno, enrolada em uma versão infantil de uma daquelas roupas atoalhadas com capuz que os boxeadores usam quando vão para o ringue. E aqui estava Chloe nos braços fortes e apaixonados do pai, o irmão mais novo de Paulo, Michael, parecendo ridiculamente satisfeita consigo mesma.

Chloe. A bebê Chloe.

A maldita bebê *Chloe*.

Em algum lugar por dentro, Jessica sabia que devia ficar grata. Outros homens deixavam-se absorver furtivamente em websites com nomes como *Putas Totalmente Quentes*, *Holandesas Picantes Devem Ser Castigadas* e *Adolescentes Tailandesas Querem Homens Ocidentais, Gordos e de Meia-idade Agora*. Jessica tinha certeza de que a única rival no coração de Paulo era a bebê Chloe — a filha de Michael e Naoko, a esposa japonesa. Jessica sabia que devia ficar feliz. E no entanto cada foto de Chloe era como um punhal no coração. E a cada vez que Paulo admirava aquele santuário à sobrinha Jessica tinha vontade de estrangulá-lo, ou gritar, ou as duas coisas. Como um homem tão gentil e inteligente podia ser tão insensível?

— Michael disse que Chloe está naquela fase de colocar tudo na boca. Michael disse... olha só essa, Jess... que ela acha que o mundo é um biscoito.

— Hmmmm — disse Jessica, olhando friamente uma foto de Chloe em que ela parecia completamente indiferente à papinha que sujava todo o seu rosto. — Pensei que os bebês eurasianos fossem bonitos. — Pausa cruel para dar efeito. — Bem se vê, não é?

Paulo, sempre ansioso por evitar uma briga, nada disse, só recolheu em silêncio as fotos de Chloe, evitando os olhos da esposa. Ele sabia que deveria ter escondido aquelas fotos em uma gaveta baixa, enquanto Jessica sabia que isso também o magoava — o irmão mais novo tornando-se pai antes dele.

Mas não o magoava da mesma forma que magoava a ela. Não devorava Paulo vivo.

Jessica se detestava por falar dessa forma, por negar o encanto indiscutível de Chloe, por se sentir assim. Mas não podia evitar. Havia uma grande parte dela que amava Chloe um pouquinho. Mas Chloe era um lembrete brutal do próprio bebê de Jessica, um bebê que ainda não nascera, apesar dos anos em que havia tentado e que a transformaram em uma pessoa que ela não queria ser.

Jessica largara o emprego para ter um filho. Ao contrário das duas irmãs, a carreira nunca fora o centro de seu mundo. O trabalho era só uma forma de pagar as contas e, mais importante, de talvez conhecer o homem com quem viveria. Ele dirigia um táxi na época, nos tempos antes de criar uma empresa com o irmão e, quando ele parou para ajudar Jessica com o carro dela, ela pensou que ele ficaria cheio de gracinhas. "Vai para onde, querida?" Era o que ela esperava. Mas na realidade ele era tímido demais e mal conseguiu olhá-la nos olhos.

— Posso ajudar?

— Meu pneu furou.

Ele assentiu, procurando pela caixa de ferramentas.

— Nesse meio — disse ele, e pela primeira vez ela viu aquele sorriso de derreter gelo — chamamos de pneu *chato*.

E logo eles foram longe.

Em seu último dia no trabalho, antes de ela partir para sua nova vida de mãe, os colegas na agência de publicidade do Soho onde ela trabalhava se reuniram com balões, champanhe e bolo, e um grande cartão com uma cegonha, assinado por todos do escritório.

Foi o melhor dia da vida profissional de Jessica. Ela ficou parada reluzente entre os colegas, alguns que nunca lhe disseram uma palavra na vida, e continuou sorrindo mesmo quando alguém disse que talvez ela devesse pegar leve na bebida.

— Sabe como é. No seu estado.

— Ah, eu não estou grávida *ainda* — disse Jessica, e a festa de despedida não foi mais a mesma.

Os colegas de Jessica trocaram olhares espantados e constrangidos enquanto ela brilhava de felicidade, a futura mamãe jovem e orgulhosa — como Jessica imaginava — examinando o cartão com a cegonha, cercada pelos balões e champanhe, em meio a todo aquele rosa e azul.

Isso fora há três anos, quando Jessica tinha 29. Já estava casada com Paulo havia dois anos e a única coisa que os impedira de tentar ter um filho no momento em que o padre disse "pode beijar a noiva" foi que Paulo e o irmão estavam tentando começar uma empresa. Não era hora de ter um filho. Três anos depois, quando de repente os negócios deram dinheiro e Jessica estava prestes a deixar para trás a casa dos 20 — essa foi a hora de ter um bebê. Só que ninguém contou ao bebê.

Três anos tentando. Eles pensavam que seria fácil. Agora nada era fácil. Nem o sexo. Nem conversar sobre o que havia de errado. Nem imaginar o que podiam fazer. Nem sentiremse um fracasso completo quando vinha a menstruação, com uma dor que nem todo analgésico do mundo podia mitigar.

Aquelas regras paralisantes e indescritíveis. Era quando ela se sentia só. Como podia descrever aquela dor medonha para o marido? Por onde começar? O que ele tinha de comparável? Era esse tipo de dor. Havia outras. Armadilhas em toda parte.

Até o que devia ser um pequeno e simples prazer, como ver fotos da sobrinha, atormentava Jessica. Um dia ela se viu chorando nos banheiros do quinto andar da John Lewis, o piso onde eram vendidas as coisas de bebê, e pensou: Estou ficando louca? Mas não, não era loucura. Enxugando os olhos na toalha, Jessica percebeu que nunca fora ferida antes.

Ela fora magoada no passado — muito magoada, muito antes de Paulo. Mas nenhum rapaz nem nenhum homem podia magoá-la como o bebê que não nascera.

Jessica acreditava que a concepção era um mero detalhe técnico no caminho para uma maternidade feliz e satisfatória. Agora, depois de todo aquele tempo tentando, a ovulação parecia a cobrança do aluguel que ela não tinha.

Agora, quando o Teste de Ovulação Clear Plan determinava que o momento era correto, Jessica e Paulo — que imaginavam que seriam amantes jovens e entusiasmados para sempre — transavam carrancudos como contraventores prestando serviço comunitário.

Naquela mesma manhã Jessica tinha urinado em seu pequeno oráculo de plástico e ele decretara que estava aberta sua janela de fertilidade de 48 horas. Aquela noite era a noite. E a noite seguinte também — embora Paulo já tivesse feito sua melhor tentativa, como sempre. Parecia um cruzamento de namoro com destino e uma consulta com o dentista.

Paulo estava sossegado com o campeonato do norte de Londres, uma Peroni gelada na mão. Ele olhou para Jessica quando ela entrou na sala e, ao ver o rosto dele, o coração dela viveu uma agonia antiga e familiar. Embora sua vida sexual agora fosse uma espécie de obrigação entorpecente, como uma forma de faça-você-mesmo particularmente cansativo, mais próximo de montar um móvel juntos do que criar uma nova vida, Jessica ainda amava o rosto moreno e gentil do marido. Ela ainda amava o seu Paulo.

— Não sei o placar — disse Paulo, bebendo a cerveja italiana. — Se você sabe quem ganhou, não me conte, Jess.

Ela sabia que dera empate sem gols. Um típico jogo do impiedoso campeonato do norte de Londres. Mas guardou a informação para si mesma.

— Vou para a cama agora — disse Jessica.

"Ah, que coisa!", disse o homem na televisão.

— Tudo bem — disse Paulo.

Jessica assentiu para a cerveja.

— Vai devagar nisso aí, tá?

Paulo corou.

— Claro.

— Porque... deixa você cansado.

Ela disse isso com um sorriso mínimo. Como uma daquelas piadas que na verdade não são uma piada. Do jeito, pensou Jessica, como minha mãe sempre deixava escapar uma verdade intolerável. A velha vaca imprestável.

— Eu sei — disse Paulo, baixando a cerveja. — Vou subir daqui a pouco.

"É de admirar o espírito destes rapazes", disse outro homem na TV. "Eles não vão desistir."

Alguma coisa disse a Jessica que ela devia endurecer o coração se quisesse passar por essa coisa. Porque, o que aconteceria se o bebê nunca viesse? E depois? Ela não sabia como poderia suportar, ou que tipo de vida teria com Paulo, que queria filhos tanto quanto qualquer homem, quase certamente não tanto quanto a própria Jessica, ou como este casamento poderia suportar a decepção que rondava sua casa como um hóspede maligno.

— Te vejo daqui a pouco — disse Jessica.

— Até já, Jess — disse Paulo, sem olhar para ela.

Antigamente ela o deixava louco. Agora ele agia como se o sexo fosse um exame para o qual ele não estava preparado.

"Ah, meu Deus", disse o comentarista da TV. "Desse jeito ele não vai muito longe."

Um cone de luz dourada caía em Megan em sua mesa abarrotada.

Ela desviou os olhos da tela do computador para a clarabóia no teto da pequena sala. Para Megan, parecia uma janela no tipo de prisão onde trancavam a pessoa e jogavam a chave fora. A luz e o barulho que se filtravam indicavam outro mundo lá fora, mas parecia muito distante. E no entanto ela adorava esta sala — seu primeiro consultório em seu primeiro emprego de verdade. Toda manhã ela sentia um tremor de prazer quando entrava na salinha. Sorrindo para si mesma, Megan se levantou da mesa e subiu na cadeira. Agora estava ficando boa nisso.

Três vezes por dia, ela ficava precariamente de pé na cadeira giratória, com a almofada gasta e puída por todos os traseiros que se sentaram ali antes dela, e subia até o caixilho da clarabóia, esticando o pescoço. Se ficasse na ponta dos pés, podia ver a maior parte do pátio da escola que ficava atrás do prédio. Megan adorava ouvir o som das crianças na hora do recreio. Havia umas pequenininhas, tão barulhentas e de pele lisa como bebês. Pareciam um bando de aves em êxtase. Ela percebeu que não tinha muita experiência com crianças pequenas. Estava acostumada demais a ser a mais nova.

— Doutora?

Megan girou, quase caindo da cadeira.

Uma mulher amarfanhada estava na soleira da porta, mexendo nervosa em uma folha de papel-toalha úmida. Uma criança com uma espécie de minicamisa de futebol dava agudas gargalhadas ao lado dela. A mulher observou com os olhos vermelhos enquanto Megan descia da cadeira.

— Me disseram que entrasse, doutora. A moça na mesa. — A mulher parecia acanhada do chão. Ela vira tantos rostos recentemente, e tantos corpos. A mulher tinha um nome e data de nascimento, e ela deu uma olhada nas anotações. Depois tudo começou a voltar à mente.

A mulher viera aqui havia algumas semanas com esta mesma criança, que na ocasião estava com uma camiseta verde encardida e mastigava um sanduíche de geléia.

O pestinha tinha passado as patas grudentas na papelada de Megan enquanto ela examinava a mãe, confirmando sua gravidez. A mulher — Sra. Summer, embora, pelo que Megan podia dizer, ela não fosse casada e nem tivesse um parceiro chamado Summer — recebera a notícia como se fosse a última intimação do coletor de impostos. Não muito mais velha do que Megan, que tinha 28, a Sra. Summer já estava abatida pela maternidade. O aprendiz de *hooligan* com o sanduíche de geléia era o quarto de uma rica variedade de homens.

— Como posso ajudá-la? — perguntou Megan, aliviada que o pestinha hoje parecesse mais calmo.

— Estou com um pouco de sangramento, Dra. Jewell.

— Vamos dar uma olhada em você.

Era um aborto prematuro. A mulher tinha ficado deprimida com a notícia da gravidez, mas esta era infinitamente pior. De repente, pegando Megan de guarda baixa, a Sra. Summer parecia estar sufocando.

— O que eu fiz de errado? Por que isso aconteceu?

— Não é você — disse Megan. — Um quarto de todas as gestações termina em... Pegue. Por favor.

Megan empurrou a caixa de lenços de papel pela mesa. O papel-toalha da Sra. Summer estava dilacerado, e ela também. Megan saiu de detrás da mesa e passou os braços em volta da mulher.

— É verdade, não é você — disse Megan novamente, desta vez com mais delicadeza. — O corpo passa por uma série de testes. Parece uma anormalidade no embrião. Por que aconteceu? A resposta sincera é... não sei. Um aborto espontâneo acontece inesperadamente e é horrível, eu sei. A idéia do que podia ter sido. — As duas mulheres se olharam. — Eu lamento por sua perda — disse Megan. — Lamento muito.

E Megan lamentava mesmo. Ela até meio que compreendia como a Sra. Summer podia estar apavorada com a perspectiva de outro bebê, e no entanto arrasada quando o bebê fora arrancado dela abruptamente. Um quinto filho teria sido um desastre. Mas perdê-lo era uma tragédia, uma morte na família que ela sequer podia prantear adequadamente, a não ser por estas lágrimas envergonhadas em um consultório médico do tamanho de um armário de vassouras.

Megan falou baixinho com a Sra. Summer sobre anormalidades cromossomiais e genéticas e como, embora fosse difícil de aceitar, elas simplesmente eram incompatíveis com a vida.

— A senhora e seu parceiro precisam decidir se querem mais filhos ou não — disse Megan. — E, se não quiserem, precisam começar a praticar sexo seguro.

— Eu pratico, doutora. Mas é ele. É meu... parceiro. Ele não acredita em sexo seguro. Ele diz que é como tomar banho com capa de chuva.

— Bem, a senhora terá de discutir isso com ele. E as camisinhas não são a única possibilidade, se é a isso que está se referindo.

Megan sabia perfeitamente bem que era de camisinhas que ela estava falando. Mas de vez em quando sentia a necessidade de adotar um tom professoral para reafirmar sua autoridade, para manter a cabeça acima da lamentável confusão humana que insistia em se imiscuir na sua medicina.

— E a pílula?

— Eu larguei. Engorda. Dá trombose. Coágulos. Tive que parar.

— Coito interrompido?

— Tirar antes?

— Exatamente.

— Ah, acho que não. A senhora não o conhece. Eu tentei, doutora. Tentei tudo de sexo seguro. Como é que vocês chamam? A seção de tabelinha.

— O método da tabelinha, sim.

— Tentei quando a doutora disse que era a pílula que estava me fazendo inchar. Mas é quando estou dormindo. Ele simplesmente não consegue evitar.

— Evitar?

— Pular em cima de mim e ir até o fim. Depois começa a roncar assim que termina. A senhora nunca colocaria uma camisinha nele, doutora. Eu nem gostaria de tentar. Sinceramente, não gostaria.

Aquele era outro mundo. As casas que se esparramavam em volta da clínica. Onde um bebê ainda era um pãozinho no forno e os homens ainda se ajudavam quando uma pobre vaca entrava em colapso no final de outro dia atarefado.

— Bem, diga-lhe que ele não pode deixar de usar. É um comportamento ultrajante. Vou falar com ele, se quiser.

— A senhora é legal, é mesmo — disse a mulher a Megan, e a agarrou em um pesado abraço de urso. Megan a afastou delicadamente e falou das glórias do dispositivo intra-uterino.

As mulheres gostavam dela. Ela era a médica mais nova na clínica, uma recém-formada a apenas um mês do seu último ano de treinamento profissional, e no entanto tranqüilamente a mais popular.

Ela passara os últimos sete anos se preparando para este trabalho — seis deles na faculdade de medicina e o último ano como residente em dois hospitais de Londres. Agora, em uma clínica onde os outros três médicos eram homens, finalmente ela estava em condições de fazer uma diferença.

Quando as mulheres apareciam se queixando de dores menstruais que lhes davam vontade de se atirar debaixo de um trem, Megan não lhes dizia simplesmente para tomar um analgésico e agüentar. Quando jovens mães entravam dizendo que se sentiam tão deprimidas que choravam toda noite antes de dormir, ela não lhes dizia simplesmente que a depressão pós-parto era perfeitamente natural. Quando uma ultra-sonografia dizia que a possibilidade de síndrome de Down era alta, Megan discutia todas as opções, ciente de que essa era uma das decisões mais difíceis que qualquer mulher teria de tomar.

Quando a Sra. Summer partiu, o Dr. Lawford enfiou a cabeça pela porta. Nos confins da sala minúscula, Megan podia sentir o cheiro dele — cigarros e um toque de queijo e picles. Ele expôs os dentes no que imaginava ser um sorriso cativante.

— Enfim, sós — disse ele.

Lawford era o orientador de Megan — o médico sênior que devia agir como professor e mentor durante o ano antes de ela ter o registro pleno do Conselho. Alguns médicos juniores veneravam seus orientadores, mas, depois de um mês sob a tutela dele, Megan concluíra que o Dr. Lawford era um canalha cínico e opressor que odiava tudo nela.

— Tem que cortar, Dra. Jewell. Sua última paciente ficou aqui por uns bons trinta minutos.

— Tem certeza?

— Trinta minutos, Dra. Jewell. — Batendo no relógio. — Procure atendê-las em sete, seja uma boa camarada.

Ela olhou para ele carrancuda. Ser criada com duas irmãs mais velhas tornara Megan combativa quando tinha de se defender.

— Essa paciente acabou de ter um aborto espontâneo. E não estamos trabalhando no McDonald's.

— Certamente — disse rindo o Dr. Lawford. — O velho e querido Ronald McDonald pode esbanjar muito mais tempo com seus clientes do que nós. Venha, vou lhe mostrar uma coisa.

Megan seguiu Lawford até a sala de espera lotada.

Pacientes estavam sentados em vários graus de sofrimento e desânimo. Uma mulher grandalhona, com várias tatuagens nos braços brancos e nus, gritava com a recepcionista. Havia tosses secas, choro de crianças, olhares furiosos de exasperação. Megan reconheceu alguns rostos, descobriu que podia até atribuir uma doença a eles. Ela é cistite, pensou. Ele é hipertensão. A garotinha é asma — como muitas crianças que respiravam o ar desta cidade. Meu Deus, pensou ela, quantas destas pessoas estão esperando para me ver?

— Vai ter uma manhã ocupada, não vai? — disse o Dr. Lawford, respondendo à pergunta dela. — Uma boa metade destes pacientes está esperando para vê-la. — Disciplinada, Megan seguiu Lawford de volta à sala.

— Aqui é Hackney, e não a Harley Street — disse ele. — Sete minutos por paciente, está bem? E não importa se eles pegaram peste negra ou queimaram a bunda. Sete minutos, entrar e sair. Até que Deus nos dê 48 horas por dia, ou nossos empregos no setor privado, é só o que podemos fazer.

— É claro.

Lawford olhou para ela de um jeito furioso e deixou-a só.

Para conseguir aquela salinha, Megan tivera de trabalhar muito, mas ela se perguntava se podia chegar até o final do ano com Lawford vigiando cada movimento seu. Ela soube que o único motivo para que os consultórios recebessem um médico recém-formado era porque isso significava que conseguiam um médico a troco de nada. Mas nenhum dos velhos charlatães, independentemente do quanto fossem mesquinhos ou cínicos, queria uma recém-formada bolchevique que ia tornar a vida ainda mais difícil. Eles ficariam melhor sem ela. Megan sentia que Lawford estava esperando que ela fizesse alguma idiotice para poder cortar suas perdas e se livrar dela.

E isso era uma ironia, porque Megan desconfiava de que já havia feito uma idiotice. Algo tão imbecil que mal podia acreditar.

De manhã, durante uma de suas reuniões comuns de café da manhã com Lawford — Megan era obrigada a se reunir com ele duas vezes por semana para que discutissem seu progresso, ou a falta dele —, ela pedira licença rapidamente e correra para vomitar o croissant de amêndoa e o cappuccino no banheiro da cafeteria que cheirava a desinfetante de limão.

Mas a caminho de seu pequeno apartamento, com os pés e as costas doendo, foi que Megan realmente percebeu que tinha feito uma idiotice.

Ela sabia que era impossível, sabia que era cedo demais. Mas sentia que era demasiado real.

O chute por dentro.

dois

— Ah, você é nova demais para ter um bebê, querida — disse a mãe de Megan a ela. — E certamente eu sou nova demais para ser avó.

Megan calculava que a mãe agora devia ter 62 anos, embora oficialmente estivesse na casa dos 50 nos últimos seis anos.

Na clínica, Megan via com freqüência avós da área de Sunny View que eram da mesma idade de Cat e até de Jessica — todas aquelas "vós" em meados ou no início dos 30 anos, que começaram a ter filhos no que a Mãe Natureza, se não a classe média metropolitana, teria considerado a época de ter filhos. Mas era verdade — Olivia Jewell não pareceria avó para ninguém. E Megan pensou em por que deveria. Ela nem mesmo tinha jeito para ser mãe.

Olivia Jewell ainda chamava a atenção. Não devido à modesta fama de que desfrutara no passado — que tinha evaporado mais de vinte anos antes —, mas por sua aparência. A massa de cachos pretos, a palidez de Branca de Neve, os enormes olhos azuis. Como Elizabeth Taylor, se tivesse vencido a batalha contra a gordura, ou Joan Collins, se nunca tivesse tido sucesso em Hollywood. Uma rosa da Inglaterra idosa, agora murchando, é verdade, mas ainda com um certo brilho.

— Eles tomam conta da sua vida — disse Olivia, embora sua voz tivesse se suavizado ao contemplar a filha mais nova. — Querida. Você não quer ninguém tomando conta da sua vida, quer?

Quando seus pais se conheceram na Academia Real de Artes Dramáticas, o bom partido era Olivia. Jack era um ator alto e convenientemente bonito, uma vara reta depois de dois anos de serviço na RAF e dois empregos como modelo masculino (cigarros, principalmente — o jovem Jack sabia sorrir de um jeito afetado, vestindo um blazer com o nariz enorme).

Mas Olivia era uma beleza delicada de porcelana, como aquela outra Olivia, a Srta. de Havilland, o que já era um retrocesso naqueles anos de austeridade pós-guerra, quando de repente as louras de seios grandes passaram a ser o máximo.

Olivia provocara síncopes nos professores, nos colegas de turma e, mais tarde, nos críticos, que a adoraram como uma Cordélia petulante em Stratford. Muitos previram que Jack sempre trabalharia, mas que Olivia estava destinada ao verdadeiro estrelato. Com o passar zombeteiro do tempo, tudo acontecera de forma muito diferente.

Depois de alguns anos em que ele se arrastava ao fundo de filmes britânicos nostálgicos da Segunda Guerra Mundial — interpretando o capitão que fumava cachimbo, vestia suéter e era derrotado por seus companheiros de barco, ou o prisioneiro de guerra de joelhos nodosos que leva um tiro nas costas de um bárbaro enquanto tenta escapar, ou o líder de esquadrão da RAF com a perna ferida, ansiosamente varrendo os céus azuis de Kent —, Jack Jewell topou com o papel de toda uma vida.

Por quase vinte anos ele interpretou um pai viúvo no drama de pescadores da BBC *All the Fish in the Sea* — interpretado por tanto tempo que Megan, a filha mais nova, tinha poucas lembranças do pai presente quando ela estava crescendo, tão ocupado ele ficava bancando o pai bobo para os filhos da telinha. Na época em que chegaram à adolescência, o rosto gentil e sagaz de Jack Jewell tinha se tornado um dos ícones mais adorados da nação, enquanto os grandes papéis estelares de Olivia jamais se materializaram.

— Papai ficaria encantado — disse Megan, provocando-a deliberadamente. — Ele ficaria feliz em ser avô.

Olivia encarou a filha.

— Não contou a ele, contou?

— É claro que não. Mas ele ficaria feliz, posso apostar.

Olivia Jewell riu.

— Isso porque ele é um cretino molenga. E porque ele não se importa com o que isso faria com a sua vida. Para não falar de seu adorável corpo jovem, querida.

Megan e a mãe estavam em uma cafeteria na Regent Park, cercadas por todas as casas Nash brancas, as mais lindas construções de Londres, pensou Megan, como uma arquitetura feita de sorvete de creme. Estavam em um de seus encontros — tomando chá e vendo os cisnes negros atravessarem o lago, sentindo o aroma da grama recém-aparada e o ranço animal do Zoológico de Londres, perto dali.

Megan era a única das filhas que Olivia via regularmente. O contato com Jessica era esporádico — Jessie se magoava muito facilmente para ter um relacionamento sustentável com alguém tão egoísta como Olivia —, e Cat não falava com a mãe havia anos.

É preciso fazer um esforço com ela, Megan sempre pensava. O que as irmãs nunca conseguiam. Sua mãe era ótima se você fizesse um esforço.

— No início dos anos 60, havia um maltês baixinho e adorável na Brewer Street que costumava cuidar de meninas que tinham problemas. — Megan ainda se surpreendia um pouco toda vez que ouvia a voz da mãe. Tinha um sotaque cuidadosamente lapidado, o tipo de sotaque que fazia Megan pensar em homens da Broadcasting House lendo o noticiário, vestidos de smoking. — Meu Deus... Qual era o nome dele mesmo?

— Isso não importa, eu vou ficar bem — disse Megan, colocando um guardanapo no meio da mesa. Olivia cobriu as mãos da filha e gentilmente as afagou, como se precisassem ser aquecidas.

— Bem... se eu puder fazer alguma coisa, querida.

Megan assentiu.

— Obrigada.

— O corpo de uma mulher nunca fica igual depois de dar à luz. Eu tinha um corpo como o seu quando era nova. Não era mignon como a Jessica. Nem magrela como a Cat. Mais parecida com você. Toda curvas. — Olivia olhou a filha atentamente. — Talvez não tão *roliça*.

— Muitíssimo obrigada.

— Sabia que uma vez Brando me deu uma cantada?

— Acho que já contou isso. Umas dez mil vezes.

— O querido Larry Olivier admirava minha Cordélia. O vestido que usei para a estréia de *Carry On, Ginger* causou uma sensação. Eu era a Liz Hurley da minha época.

— Então isso faz do papai o Hugh Grant.

— Mais para Hughie Green. Aquele homem. Eu sonhava com Beverly Hills. Ele me deu Muswell Hill.

Era estranho, pensou Megan. Fora a mãe que terminara o casamento. Fora a mãe que dormira com um canastrão de segunda em um apartamento alugado. Fora a mãe que deixara a tarefa de criar as meninas ao pai, ou a quem quer que ele pudesse contratar, e a Cat. E no entanto era a mãe que agia com mais amargura. Talvez ela não conseguisse perdoar seu pai por se tornar um nome maior do que ela jamais seria.

A carreira de Olivia fora um exemplo peculiarmente inglês. Se Olivia Jewell precisasse de uma descrição de emprego, então *coisinha suculenta* teria combinado perfeitamente. Na casa dos 50, ela esbravejara por meia dúzia de filmes da Hammer Horror — enforcada de camisola em uma masmorra da Transilvânia, o médico louco cambaleando na direção dela com experimentos perversos em mente — e depois passou ao teatro provinciano quase em ruínas que teria sido dela quando mudassem os tempos e os sotaques, e o público quisesse atrizes mais da classe trabalhadora e do norte (os dramas de pia de cozinha), ou exóticas e estrangeiras (James Bond e seu harém de biquíni).

Embora só tivesse 22 anos quando a década de 1960 começou, Olivia Jewell parecia pertencer a outra época. Mas ela nunca aceitaria os longos anos de teatro de repertório e descanso. Em sua conversa, e talvez até em sua cabeça febril, ela era tudo o que seus professores na Academia de Artes Dramáticas e o crítico Kenneth Tynan previram que ela seria.

A estrela de Olivia brilhou mais um ano depois de ela sair de casa para sempre. A fama fugaz, quando chegou para a mãe, chegou tarde. Ela estava na casa dos 40 — e só admitia ter 32 — quando caiu no papel da vizinha elegante e abelhuda no seriado da ITV da década de 1970, *More Tea,*

Vicar?. O homem no banco traseiro do táxi era o protagonista, interpretando um jovem pastor acanhado que tinha um efeito eletrizante nas paroquianas e, no verão sufocante de 1976, enquanto Londres parecia derreter de calor e Cat cozinhava para as irmãs e tentava em vão encontrar no rádio aquela banda nova, os Sex Pistols, Olivia e seu vigário sórdido apareciam juntos na capa da *TV Times*.

Em seguida a estrela desbotou e poucos anos depois o humor de *More Tea, Vicar?* parecia ter vindo de uma Inglaterra mais antiga que agora era constrangedora, racista e ridiculamente obsoleta.

Os personagens do seriado — o jamaicano que revirava os olhos, o indiano agraciado-por-deus, o irlandês cheio de si e, sim, a velha atraente da casa ao lado, que deve ter sido meio promíscua em sua época — estavam todos sendo varridos por uma maré furiosa de piadas sobre a Sra. Thatcher e traseiros.

Por fim o homem no banco de trás do táxi deixou Olivia sozinha no apartamento alugado de St. John's Wood e foi para casa, para a esposa e os filhos. Mas de certa forma Olivia não parecia intimidada pela época e pela experiência. A grandeza arrogante que dominara nos anos 50 nunca a abandonou. Megan acreditava nela.

— O que estou fazendo, mãe?

— Está fazendo o que é certo, querida.

— Estou mesmo? Estou, não é? O que mais posso fazer?

— Você não pode perder sua liberdade, Megan. Tem toda a vida pela frente. E se você conhecer um lindo rapaz? Um cirurgião bonito? — Os olhos de Olivia brilharam de prazer com a idéia daquele bonitão da Harley Street. Depois fechou uma carranca, pegando um cigarro furiosamente, com raiva da filha mais nova por jogar fora um par perfeito. — Ele não vai querer assumir o filho de outro, vai?

— Ainda não é um bebê — disse Megan, mais para si mesma do que para a mãe. — Jessica não entenderia isso. É por isso que não posso contar a ela. Nem a Cat. Ainda tem cauda, pelo amor de Deus. Parece mais um camarão do que um bebê. Confesso que cresceria...

Sua mãe suspirou.

— Querida, não pode ter uma maquininha gritona de fazer cocô prendendo você. Foi isso que deu errado comigo. Sem ofensas, meu bem. Mas você não pode ter esse fedelho.

Os olhos de Megan se encheram de lágrimas inesperadas.

— Não posso, não é?

— Agora não, querida. Não depois de passar em todas aquelas provas. E de ser uma garota tão inteligente na faculdade de medicina. E de esvaziar comadres naqueles hospitais horrendos do East End. — Sua mãe parecia aflita. — Ah, Megan. Um bebê? Agora não, mocinha.

Megan sabia exatamente o que a mãe aconselharia. Foi por isso que quis vê-la. Para ouvir que não tinha absolutamente nenhuma alternativa. Para ouvir que não havia outra saída. Que não havia nada em que pensar. Talvez o motivo para Megan ser a mais próxima da mãe fosse por ser a menos parecida com ela.

O último encontro de Olivia e todas as filhas acontecera havia mais de 15 anos. Megan era uma menina de 12 anos ainda pueril e de olhos brilhantes; Jessica, uma menina tímida de quase 16, pálida e silenciosa depois de se machucar em uma excursão de esqui da escola — pelo menos, foi o que disseram a Megan —, e Cat, aos 20, claramente uma jovem mulher, incentivada por dois anos na universidade, abertamente amarga e disposta a confrontar a mãe junto às pizzas requintadas.

Quando a mãe informou casualmente que não iria ao dia de entrega de prêmios na escola de Megan — Megan sempre fora a mais dotada nos estudos — porque tinha um teste para interpretar uma dona-de-casa em um comercial de molho ("Velha demais", disseram eles quando ela saiu, "elegante demais"), Cat explodiu:

— *Por que não pode ser como a mãe de todo mundo? Por que não pode ser normal?*

— *Se eu fosse normal, vocês três também seriam normais.*

Megan não gostara de ouvir aquilo. A mãe fazia com que a normalidade fosse assustadora. Talvez, se ela fosse normal, a escola não seria tão fácil para ela. Talvez ela não colecionasse prêmios do diretor da escola. Talvez ela fosse tão lenta e estúpida como todas as outras crianças.

— *Mas eu* quero *ser normal — dissera Jessica chorando, e a mãe riu como se fosse a coisa mais engraçada do mundo.*

— Como está a minha pequena Jessica? — disse Olivia.

— É uma época difícil para ela — disse Megan. — Está tentando ter um filho há tanto tempo. Ela se sentiria horrível com isso... você entende.

— Com seu aborto, sim.

— Meu procedimento.

Olivia nunca se mostrava curiosa em relação a Cat, embora às vezes desse uma opinião não solicitada e nada lisonjeira sobre a filha mais velha.

— Tentei falar com Jessica por telefone há pouco tempo. Pablo disse que ela estava dormindo. Pelo visto, um probleminha com a barriga.

— *Paulo*. O nome dele é Paulo.

— É claro. O adorável Paulo com aqueles cílios lindos. Quase de uma mulher. Soube que andaram falando em tirar o útero dela ou coisa assim.

— Não é isso. Ela só precisa de uns exames. A menstruação dela é excruciante. Meu Deus, mãe, não sabia disso?

Olivia parecia distante.

— Eu nunca tive muito a ver com o *ciclo* de Jessica, querida. Mas é claro que você tem razão... Não pode falar com ela de seu, digamos, problema.

Megan olhou o lago.

— Isto devia estar acontecendo com Jessica. Devia estar acontecendo com ela. Ela seria uma mãe sensacional.

— Quem é o pai? — disse Olivia, acendendo um cigarro.

— Ninguém que você conheça.

E Megan pensou — ninguém que eu conheça, aliás. Como pude ser tão idiota?

— Minha menina — disse Olivia, e tocou o rosto da filha. Ao contrário das irmãs, Megan não duvidava de que a mãe a amava. De seu jeito especial. — Livre-se dessa porcaria, está bem? Você não é como Jessica. Aquela mulherzinha que não pode se sentir realizada enquanto não tem uns fedelhos gritões mamando nos peitos até que despenquem. Você não é assim. E você não é como Cat... Decidida a ser uma solteirona, perdendo seu tempo com um homem inadequado. — A mãe sorriu em triunfo. — Você é mais parecida comigo.

E Megan pensou: é isso mesmo que eu sou?

Paulo não esperava pelas revistas. Elas foram uma surpresa. Quem teria pensado que o Serviço Nacional de Saúde lhe daria um pouco de pornografia para ajudá-lo a encher o potinho de plástico?

Sua tentativa de ter um filho tinha sido tão esmagadoramente pouco sensual, tão despida de tudo que lembrava paixão ou luxúria — economizando seu esperma como se fossem pontos na Sainsbury's, só fazendo quando o exame de ovulação determinava, as lágrimas da esposa quando se descobria que o ato tinha sido em vão —, que Paulo ficou atordoado com a visão das revistas obscenas.

Corando como um adolescente, ele pegou uma de nome *Fifty Plus* (Mais de cinqüenta) e seguiu para o cubículo, se perguntando se se tratava do tamanho do busto, da idade ou do QI delas.

O médico garantira a Paulo que o seu teste de esperma não era realmente um teste.

— Não quero que se sinta sob pressão. Ninguém espera que você realmente *encha* o potinho de plástico.

Mas, como qualquer outro teste, o de esperma tinha a promessa ou do sucesso, ou do fracasso. Ou não seria um teste, não é?

Então Paulo se preparou. Mas, em vez de praticar retornos ou estudar o Código Highway, ele fez de tudo para aumentar o número de possíveis nadadores vivos dentro dele e tudo o que pôde para garantir que eles seguiriam na direção certa.

Calças largas. Banhos frios. Zinco, vitamina E e selênio, todas compradas em drogarias onde os funcionários e a clientela pareciam uniforme e espetacularmente saudáveis.

Ele leu toda a literatura. E havia uma quantidade incrível dela. A raça humana estava se esquecendo de como se reproduzir. Digite "esperma" na ferramenta de busca e você quase se afoga naquilo tudo.

As vitaminas, as calças largas, os banhos frios de enrugar — aparentemente tudo isso era bom para o número de espermatozóides e para sua motilidade, a capacidade de se arrastar da forma necessária. Mas qual era a nota mínima para passar? Quantos milhões você precisava fazer para conseguir a aprovação?

Certamente, pensou Paulo, quando o espermatozóide chega ao óvulo, só se precisa de um.

A sala de exame era o banheiro de um hospital do Serviço Nacional de Saúde, o NHS. Paulo tinha ouvido boatos de que, se seu exame de esperma fosse feito na Harley Street, sua mulher teria permissão para entrar e dar uma mãozinha.

Mas no enorme hospital do NHS, que mais parecia uma indômita cidade de fronteira do que um lugar de cura, onde pacientes de câncer com seus camisolões fumavam avidamente cigarros do lado de fora da recepção e homens tatuados com ferimentos na cabeça costumavam atacar as enfermeiras novas que cuidavam deles para que não cuidassem com rapidez suficiente, você só entrava nos banheiros e fazia um amor melancólico em um potinho de plástico.

E no entanto o acontecimento parecia importante para Paulo. Isso era uma coisa nova. Era masturbação para um bem maior. Depois de anos de transas atrás de portas fechadas — e como ele se lembrava da vergonha e do medo de que seus pais o pegassem com a mão vermelha saindo do banheiro com um exemplar do jornal de domingo enfiado por baixo da camisa —, ele estava mesmo sendo incitado a bater uma punheta. O mundo estava dizendo, vá em frente, Paulo. Masturbe-se, idiota.

Havia uma lista de instruções — como se algum homem precisasse de conselhos sobre como mexer em si mesmo —, mas basicamente eram apenas você, seu potinho e um pouco de pornografia providenciada pelo Estado.

Tanto estava em jogo nesse ato ridículo. Não parecia que era o seu esperma a ser testado. Parecia que era o seu futuro e o futuro que podia ter com Jessica. Ele abriu as calças, depois as fechou imediatamente, respirando fundo.

Ele achava fácil. Sabia disso. Tinha que ejacular em um potinho de plástico e podia fazer isso na privacidade de um banheiro do NHS. Jessica teve de passar por tantos exames que disse sentir como se suas partes íntimas agora fossem de domínio público.

Todos aqueles exames, todos aqueles julgamentos — como se não competisse aos dois se eles se amavam, mas a um poder muito superior, antigo e cruel.

Paulo folheou as páginas da *Fifty Plus*. Não via esse tipo de coisa há anos. Na escola, havia um garoto conhecido como Cara de Batata, um masturbador habitual e tagarela — óculos grossos, rosto vermelho, sempre rindo de um jeito desanimado no canto do campo durante os jogos — que costumava levar para a turma o que ele declarava ser "boa forragem para punheta".

Paulo, um menino tímido que preferia revistas sobre motores, sempre ficava em sua carteira, lendo a última edição da *Car*. Mas um dia o Cara de Batata chamou Paulo ao grupo animado e malicioso que sempre cercava suas revistas obscenas durante o intervalo.

— Ei, Baresi, vem aqui ver isto, seu panaca. Tem uma coisa aqui que você não pode conseguir com os carros.

Paulo tinha dado uma olhada na revista e quase desmaiou — um asiático barbudo sem roupa nenhuma estava fazendo alguma coisa inacreditável com uma cabra que claramente não podia acreditar na sua sorte. Enquanto todas as outras cabras da vizinhança sem dúvida estavam sendo espancadas e maltratadas, esta estava pagando um boquete. Essa cabra devia ter achado que ganhou na loteria das cabras.

Foi pornografia suficiente para durar toda a vida de Paulo. Ele não gostara na época e não gostava disso agora. Havia algo de meio ginecológico nisso para o seu gosto honesto.

Paulo fechou o exemplar da *Fifty Plus*. Embora achasse que estava semi-aposentado da vida sexual — fazer amor e fazer bebês eram evidentemente duas coisas diferentes —, as mulheres na *Fifty Plus* não o animavam nem remotamente.

Paulo fechou os olhos. Pegou em si mesmo. E pensou na esposa.

O que fazia dele um homem diferente de todos os onanistas dali.

Megan descobriu que o namorado estava dormindo com outra quando o pegou com a mão no traseiro dela. E Megan não podia dizer que ele não parecia familiarizado com o território.

Will e Katie estavam subindo no elevador do Selfridges quando Megan estava descendo — perfeitamente posicionada para uma visão da mão de Will explorando casualmente o vale do traseiro da putinha. Katie teve a decência de arfar quando viu Megan. Will ficou lívido, a mão congelada no traseiro de Katie, como alguém pego com a mão na cumbuca.

Megan pensou: o que vou fazer? Acabo de perder meu namorado.

*

— O destino biológico de uma mulher é ter um filho — disse Will. — O destino biológico de um homem é plantar sua semente no máximo de mulheres que ele puder. Mas isso não quer dizer que eu não ame você.

Foi o que ele disse a ela. Ele disse a ela todas as coisas também — que não significava nada, que ele a amava, que eles estavam juntos havia muito tempo para acabar com tudo só por causa de um erro. E eles estavam juntos havia muito tempo. Megan e Will tinham sido namorados na faculdade de medicina, moraram juntos quando a maioria dos contemporâneos estava brincando de médico e enfermeira a cada oportunidade que tinha, mas o que levou tudo a um fim foi que ele tinha dormido com Katie porque a sobrevivência da raça humana dependia disso.

— O que eu posso fazer? Estou programado para espalhar minhas sementes. É o imperativo biológico.

— Isso está em seu disco rígido, não é? Grudar o seu pau infeliz em estranhas?

— Katie não é uma estranha. Você a conhece desde a faculdade.

— Ela era uma vagabunda lá também. Muitos médicos recém-formados praticaram biologia avançada com Katie.

— Ficamos muito próximos trabalhando em acidentes na emergência de Homerton. Essas coisas acontecem. Fomos levados a isso.

— Quer dizer... *Ah, não, escorreguei! E agora o meu pênis ficou preso na Katie! Como diabos isso foi acontecer?* É isso que quer dizer, seu canalha podre?

Megan pensou que devia ter esperado alguma coisa assim. Tinha percebido um declínio repentino no impulso sexual de Will quando ele estava fazendo aquele treinamento profissional de seis meses no Homerton, enquanto ela estava fora fazendo sua residência de seis meses em pediatria no Royal Free.

Ela pensava que Will testemunhara ferimentos a faca constantemente, porque o Homerton fica em Hackney, e a emergência de lá fica ocupada toda noite o ano todo. Agora Megan achava que devia ter imaginado que Katie estava sacudindo o rabo na mixórdia de médicos durante os intervalos para o chá. Uma das primeiras coisas que todo estudante de medicina aprende é que o hospital tem os hábitos sexuais de um bordel quando a tropa chega. Todos aqueles médicos e enfermeiras muito jovens trabalhando por todas aquelas horas do dia e da noite em um ambiente altamente estressado, a maioria também ocupada demais para ter um relacionamento adequado — isso provocava alguma coisa nos hormônios.

Como parte do treinamento profissional, Megan também cumprira seis meses na emergência de Homerton, e não adiantara nada para sua libido. Parecia-lhe que estava vendo o mundo como ele realmente era pela primeira vez na vida. Mas talvez ela tivesse mais imaginação do que Will e Katie.

Ele tentou abraçá-la, mas ela o afastou, quase arreganhando os dentes. Ele realmente não entendia que tinha acabado. Como poderia entender? Ele não era igual a Megan. Os pais dele tinham permanecido juntos.

Ninguém saíra da casa dele. Ninguém decidira que queria reduzir os danos e fugir. Ele nunca vira o resultado podre e tumultuado da merda que ficara em volta.

Will fora criado como o filho mais novo de uma família unida e amorosa do subúrbio de Hampstead Garden. Essa era uma das coisas que ela adorava nele. O mundo intacto e seguro de onde ele vinha, os longos almoços de domingo, o humor delicadamente zombeteiro e os anos de felicidade inquebrantável. Nos fins de semana e no Natal, ele a levava para a casa dos pais e eles a faziam se sentir como se fosse da família, e ela queria fazer parte desta outra família, desta outra vida, deste mundo melhor.

Esses filhos de famílias nucleares a faziam rir. Will achava que sempre seria perdoado, pensava que a confiança nunca podia ser rompida e o amor nunca acabaria. Como todos os simplórios de lares felizes, Will acreditava que tinha o direito a um final feliz.

Mas ela fechou a mala, ergueu-a da cama e a colocou aos pés dele.

— Megan? Ah, qual é. Por favor.

Agora ela o via como a figura verdadeiramente patética que ele sempre fora. Will era um daqueles caras baixos de boa aparência que estão destinados a uma vida de insatisfação. Bastante doce, mas em quem não se pode confiar, inteligente mas preguiçoso, socialmente encantador mas academicamente apático, ele verdadeiramente não fora talhado para uma carreira na medicina. Ele queria isso, desesperadamente, e os pais dele — um pai cirurgião grisalho de olhos penetrantes e uma mãe pediatra loura e bem-conservada — queriam desesperadamente que ele fosse, mas durante os longos anos de formação o filho bonito tinha lutado a cada estágio.

Will fizera parte da minoria infeliz de estudantes de medicina que tinham de refazer as provas finais, passando por pouco e descobrindo que lidar com morte, doença e sangue diariamente lhes dava dor de barriga e uma pequena depressão. Até essa depressão era fria. Agora uma parte de Megan queria estrangulá-lo. Mas ela também lamentava por ele. Pobre Will. Ele era inadequado para esta vida. Assim como era inadequado para ela.

E havia outra coisa em que ele era inadequado. Era verdade que ela não primava por uma parte de sua anatomia, como o pênis de Will aparentemente o arrastava por aí como um guia turístico louco, levando-o a lugares que ele não pretendia visitar nem em um milhão de anos.

Mas havia vezes em que o desejo de Megan por esse tipo de contato humano era simplesmente urgente. Havia dias em que seu anseio — de amor, de sexo, de algo melhor do que os dois — era muito mais forte do que qualquer coisa que Will pudesse ter sentido quando se deitou com Katie na sala escura dos médicos às três da manhã. Megan tinha o próprio imperativo biológico.

A grande diferença era que o desejo de Will era determinado por um pepino rosinha que ficava a postos 24 horas por dia, vulnerável aos caprichos de qualquer coisa de minissaia que se salientasse para ele. E, quando acontecia, o desejo de Megan era determinado por algo muito mais poderoso do que isso.

Foi numa daquelas noites de desejo, umas duas semanas depois de ter mandado Will para a casa de seus pais amarguradamente decepcionados em Hampstead Garden, que Megan foi a uma festa pela primeira vez em séculos e conheceu um jovem australiano que, depois de dar um giro pelo mundo, estava prestes a voltar para casa, para o sol e o surfe de Sidney e para a namorada.

Qual era mesmo o nome dele? Isso agora não importava. Ela nunca o veria novamente.

Enquanto Will era baixo, moreno, com malares que na verdade pertenciam a uma mulher, o homem da festa era alto, atlético, com um nariz que se quebrara duas vezes jogando rúgbi na faculdade e uma vez numa queda de um banco de bar em Earls Court.

Não era na verdade o tipo de Megan.

Mas veja só o que o tipo de Megan fizera com ela.

Cat Jewell adorava a vida que tinha.

Toda vez que entrava em seu apartamento na margem do Tâmisa, a Tower Bridge reluzindo pouco além de suas janelas, parecia que estava tirando férias do mundo.

Quase vinte anos depois de sair de casa, ela finalmente encontrara um lugar de tranqüilidade e silêncio e uma vista fabulosa do rio, um lugar que parecia o lar pelo qual ansiara por todos aqueles anos.

Na garagem do subsolo estava seu Mercedes-Benz SLK prata e, embora o cunhado Paulo, que entendia dessas coisas, brincasse delicadamente com ela — "Isso não é um carro esporte, Cat, é um secador de cabelo" —, ela adorava disparar pela cidade em um carro que, como a própria vida, fora feito para dois. No máximo.

Era verdade que seu apartamento era o menor da quadra à beira do rio e que o carro tinha cinco anos e alguns pontos de ferrugem. Mas essas coisas enchiam-na de um orgulho tranqüilo. Pertenciam a ela. Tinha trabalhado por elas. Depois de escapar da prisão de sua infância, Cat tinha sua própria vida.

Quando Cat voltou a Londres depois da universidade, a mulher que lhe dera seu primeiro emprego adequado disse a ela que era possível conseguir qualquer coisa nesta cidade, mas às vezes era preciso esperar um tempo por um bom apartamento e o verdadeiro amor. Aos 36 anos, ela finalmente tinha o apartamento. E acreditava que também tinha o homem.

Ao longo dos anos, Cat tivera sua parcela justa de bêbados desleixados, ejaculadores precoces e os secretamente casados — em uma ocasião memorável, todos no mesmo encontro —, mas agora tinha Rory e não conseguia se imaginar com outro.

Cat o conhecera quando ele estava ensinando caratê Wado-Ryu a Megan. Ele estava de pé no canto em uma festa que comemorava o término da faculdade de medicina de Megan, e Cat teve pena dele. Podia-se dizer que ele não sabia como entabular uma conversa com ninguém.

Para Cat ele parecia um praticante improvável de artes marciais — de fala mansa, socialmente deslocado, sem nenhuma arrogância. Depois, enquanto a festa degenerava rapidamente no que Megan disse ser típica da faculdade de medicina, cheia de enfermeiras bêbadas e médicos jovens com a cara cheia de Ecstasy, Rory explicou a Cat como fora parar nas artes marciais.

— Eu era maltratado na escola. Os meninos durões não gostavam de mim por algum motivo. Sempre ficavam me empurrando. E aí, um dia, eles foram longe demais. Tive uma concussão, quebrei costelas, uma bagunça danada.

— Então decidiu aprender... o que é mesmo?... kung fu?

— Caratê. Caratê Wado-Ryu. E gostei. E eu era bom nisso. E logo ninguém me empurrou mais.

— E você fez patê dos valentões?

Ele sorriu, franzindo o nariz, e ela percebeu que gostava daquele homem.

— Isso não funciona desse jeito.

Trinta anos depois ainda era possível ver o menino maltratado que um dia ele fora. Apesar do emprego que tinha, todos aqueles dias ensinando as pessoas a chutar, socar e bloquear, havia uma delicadeza verdadeira nele. Um homem forte, mas gentil. O tipo de homem com quem se podia querer ter filhos, se você fosse o tipo de mulher que quer ter filhos.

O que Cat Jewell certamente não era.

Rory tinha um corpo em boa forma e rígido devido às horas intermináveis de caratê Wado-Ryu, mas não disfarçava nada da prudência de um homem divorciado em seus 40 anos. Ele tinha feito o papel da família feliz por muito tempo, não dera certo e ele não tinha pressa para fazer tudo novamente. Ele tinha estado lá, havia feito e ainda estava pagando a pensão alimentícia. E isso era ótimo para Cat.

Rory era mais de dez anos mais velho do que ela, morava do outro lado da cidade, em Notting Hill, com um filho que aparecia para ficar, em geral quando discutia com a mãe e o padrasto.

Desde o divórcio, Rory namorara muitas mulheres que pareciam ter os alarmes tocando em seus relógios biológicos — mulheres no início dos 30 que ainda não tinham conhecido o Sr. Perfeito, mulheres no final dos 30 que tinham conhecido o Sr. Perfeito e descobriram que na verdade ele era o Sr. Perfeito Calhorda. Era demais. A última coisa que um homem queria ouvir no terceiro encontro era o quanto a mulher queria um marido e um filho. Isso desanimava qualquer um. Em especial um divorciado. Depois de tudo isso, Cat era um doce alívio.

Ela não o queria como marido nem como pai. Ela adorava a própria vida e não precisava de nenhum príncipe encantado envelhecido para mudar isso. Se seu relacionamento não fosse a parte alguma, tudo bem. Porque os dois eram felizes no ponto a que haviam chegado.

E isso também era ótimo, porque Rory não estava em condições de dar um filho a uma mulher. Cat soube tudo na noite em que eles dormiram juntos pela primeira vez, um mês depois da festa de Megan.

— Vou usar camisinha, se você quiser, Cat. Mas não é realmente necessário.

Ela o olhou do outro lado da cama, sem confiar nele e se perguntando que mentira ele estava contando.

— Quer dizer, vou usar camisinha, se você quiser. É claro que vou. Mas você não precisa se preocupar com a gravidez.

Ele não ia prometer tirar antes de gozar, ia? Ah, tá. E o cheque vem pelo correio.

— Fiz o corte — disse Rory.

— O quê?

— O pique, o corte, a operação. Sabe o que é. Uma vasectomia.

Por algum motivo ela sabia que ele estava dizendo a verdade. Havia alguma coisa na forma como ele curvava a cabeça, sorrindo pesaroso, dizendo as palavras que ela sabia que deviam ter sido ensaiadas.

— Eu fiz logo depois que meu casamento acabou. Minha mulher e eu... Bom, as coisas estavam ruins. Nós dois estávamos envelhecendo. Sabíamos que não queríamos ter mais filhos. Então eu fiz. E depois ela engravidou do professor de tênis. — O sorriso de pesar. — Então o senso de oportunidade foi mesmo perfeito.

— Doeu?

— Um pouco, como colocar as bolas em um quebra-nozes.

— Tá legal. Não precisa mais falar sobre isso. Vem cá.

Foi estranho no começo — a sensação de um homem dentro dela, e sabendo que não tinha de se preocupar. Cat passara tantos anos tentando evitar a gravidez, suportando as várias indignidades de anel, tampão, camisinha, pílula e coito interrompido, que era como tirar um fardo da cabeça e um peso de seu ciclo menstrual poder parar de se preocupar com tudo isso. Rory era um amante cuidadoso e experiente, e no entanto não era um daqueles homens que insistiam em que a mulher gozasse primeiro, como se o contrário revelasse modos desagradáveis. Eles até tinham as próprias piadas sobre os arranjos de contracepção ou a ausência deles.

"Como quer os ovos, madame?", perguntaria Rory, e Cat gritaria: "Não fertilizados!"

Ela começou a ver a incapacidade dele de ter filhos como outra das boas coisas em sua vida perfeita. Como o apartamento com vista para a Tower Bridge, o carrinho esporte batido e seu emprego como gerente do Mamma-san, um dos restaurantes da moda de Londres, onde a oferta de mesas era tão pequena, que, quando você ligava para fazer uma reserva, eles riam de você e depois desligavam.

Desimpedida — essa era uma palavra de que Cat gostava.

Ela estava livre para ficar deitada o domingo todo de camisola, lendo os jornais, ou para entrar em um avião e ir a Praga para passar o fim de semana, ou ficar na casa de Rory quando tinha vontade. Desimpedida — e era exatamente assim que ela queria. Porque depois que a mãe fora embora, sua infância fora impedida ao máximo. Ela jamais quis ser amarrada daquele jeito, aquela domesticidade de novo.

Ela não queria ter filhos e podia passar, ah, meses sem sequer pensar no assunto — até que alguém implicasse que havia alguma coisa de anormal em querer se prender a uma vida que ela adorava —, e ela era bem-sucedida demais, e realizada demais, para achar que estava perdendo alguma coisa. Cat não se considerava sem filhos, ela se considerava livre de filhos. Uma grande diferença.

Ela não era igual às outras mulheres. Não era igual à irmã Jessica. Cat não precisava de um bebê para fazer com que a vida, e todo o seu mundo, valesse a pena.

De onde isso vinha, esse vício na idéia da maternidade, essa necessidade de ser necessária? Cat sabia de onde vinha — vinha dos homens que não as amavam o bastante. Homens que deixavam um buraco na vida de uma mulher que ela só podia preencher com uma adorável e chorona máquina de quatro quilos de fazer cocô.

Assim, ela ficou deitada no escuro com Rory dormindo ao seu lado, e pensou para si mesma: é perfeito, não é? É uma vida boa e desimpedida. *Desimpedida* — a mais bela palavra de nosso idioma.

Por que alguém iria querer mais?

três

Paulo e Michael foram criados numa das partes mais violentas de Essex, o pai deles era engenheiro da Ford em Dagenham, e seus sonhos de criança eram cheios de carros.

Mais da metade dos homens no bairro em que moravam trabalhavam na fábrica. Os carros eram tudo ali. Carros significavam empregos, um envelope salarial, um vislumbre da liberdade. Era com os carros que o menino se transformava em homem. O primeiro Ford Escort de um adolescente era um rito de passagem tão importante quanto qualquer cicatriz tribal. E no entanto, embora adorassem carros, os irmãos os adoravam de maneiras muito diferentes.

Paulo tinha obsessão por motores V8, eixos excêntricos e a vida de Enzo Ferrari. O interesse de Michael voltava-se mais para o que ele chamava de “ímã de boceta”.

Paulo adorava os carros por eles mesmos. Michael os adorava pelo que podiam lhe propiciar, as doces ilusões que eles projetavam e os sonhos que tornavam realidade.

Michael gostava de garotas tanto quanto de carros. Sua especialidade, mesmo quando ainda era um virgenzinho sardendo, dividindo um quarto com o irmão um pouco maior, era "o que as deixa loucas".

Enquanto Paulo aprendia sobre Modena e Le Mans, Michael lia revistas de adultos e absorvia truques sexuais ("Não coloque todo para dentro — isso as deixa loucas, diz aqui") e como localizar o ponto G ("Coloque um dedo umedecido dentro e depois mova-o como se estivesse chamando alguém — isso as deixa loucas, Paulo, ao que parece").

Os dois cobriram as paredes de fotos de Ferraris, mas Michael tinha Sam Fox espremida entre os Maranellos e Spiders. Até o dia em que a mãe religiosa a viu.

— Não quero a Prostituta de uma Babilônia na minha casa — disse ela, arrancando o pôster com uma das mãos e puxando a orelha de Michael com a outra. Ela sabia que Paulo não colocaria fotos da Prostituta da Babilônia na parede. — Coloque Nossa Senhora.

— Sem peitões nas paredes, meninos — disse-lhes o pai em voz baixa mais tarde. — Eles irritam sua mãe.

E os irmãos pensaram: peitões? O que o velho sabia a respeito de peitões?

Seus pais vieram de Nápoles quando crianças, chegando separadamente com um intervalo de um ano, embora nunca se pudesse saber. O pai, outro Paulo, parecia um londrino da classe trabalhadora em cada centímetro, todo paradas glóticas, fala de West Ham e cães de Romford, enquanto a mãe, Maria, nunca perdera o sotaque e as atitudes do país natal.

Maria — que era chamada de "Ma" pelo marido e pelos filhos — não dirigia, nunca vira uma conta e nunca tivera um emprego. "Minha casa é o meu emprego", dizia ela. E no entanto ela era a imperadora volátil e inconteste da pequena casa com varanda, dando aos filhos o que ela chamava de "um peteleco na orelha" com a mesma freqüência com que os beijava no rosto com uma paixão feroz e os olhos marejados. Os meninos não se lembravam de ter visto o pai sequer elevando a voz.

Quando criança, Paulo se sentia mais italiano quando visitava a casa dos amigos. Era quando via que a família dele era especial não porque comparecessem à missa, porque comiam *ziti* assado ou porque os pais conversavam numa língua estrangeira, mas porque eles pareciam o tipo de família que estava morrendo neste país.

Alguns amigos moravam só com a mãe, um deles morava só com o pai, muitos estavam em estranhas famílias de colcha de retalhos, compostas de novos pais, meios-irmãos e madrastas. A família deles era muito mais simples e antiquada, e ele era grato por isso. Era o tipo de família que Paulo queria para si mesmo um dia.

Eram apenas dez meses de diferença entre os irmãos e muita gente os tomava por gêmeos. Eles foram criados extremamente próximos, sonhando em um dia montar um negócio juntos — alguma coisa com carros. Correr com eles, consertá-los, vendê-los. Qualquer coisa. Foi o que aprenderam com o pai e todos aqueles longos anos na Ford. "Não dá para ficar rico trabalhando para os outros", dizia o velho, repetidamente, pouco antes de dormir diante do noticiário das dez horas.

Depois de deixar a escola aos 16 anos, os irmãos dirigiram táxis por dez anos, Paulo em um táxi londrino preto depois de passar no exame de habilitação e Michael trabalhando em táxis de cooperativa, até que finalmente tiveram o bastante para garantir um empréstimo do banco.

Agora eles vendiam carros italianos importados em uma loja na Holloway Road, no norte de Londres. Eles compravam em pequenas quantidades a partir de encomendas de Turim, Milão e Roma, levavam eles mesmos os carros usados para o Reino Unido e faziam a conversão para a mão direita em sua oficina, ou compravam carros de segunda mão nos bairros de Islington, Camden e Barnet. No alto da modesta loja, uma fila de bandeiras italianas verdes, vermelhas e brancas ondulava na fraca luz do sol do norte de Londres, acima do nome da empresa — Baresi Brothers.

Eles ganhavam um bom dinheiro, o bastante para sustentar as famílias, embora, como muitos pequenos empresários, achassem que ou não trabalhavam o bastante, ou trabalhavam mais do que podiam suportar.

Agora, quando os negócios estavam meio parados, Michael pegara as últimas fotos da filha, Chloe, e as espalhara pela capota vermelha reluzente de um Ferrari Modena usado. Se o casamento com Naoko acalmara Michael, pensou Paulo, então o nascimento de Chloe parecia tê-lo domesticado.

Enquanto eles admiravam os últimos retratos de Chloe, Ginger, a recepcionista da loja, juntou-se a eles. Ginger era casada e estava no final dos 30, e Paulo não conseguia deixar de perceber que os seios de Ginger pareciam subir e descer em câmera lenta enquanto ela suspirava ao ver a bebê Chloe em toda a sua glória de gengivas.

— Ah, ela é *linda*, Mike — disse Ginger.

E Michael sorria, orgulhoso, completamente encantado com a filha. Ginger parecia toda sonhadora enquanto ia colocar a chaleira no fogo.

— Elas adoram quando você tem filhos — disse Michael ao irmão ao ficarem sozinhos.

Paulo sorriu.

— Acho que é um sinal de que seu casamento está em perfeita ordem, você é um bom provedor e tudo isso. Sabe como é... um bom parceiro.

— É, todas essas besteiras de antigamente — disse Michael, enquanto ponderava sobre a beleza da filha. — Isso as deixa loucas, não é?

Megan não se lembrava muito da festa. Uma casa vitoriana em ruínas, grande o bastante para servir de lar a meia dúzia de estudantes de medicina. O cheiro doce e enjoativo de maconha. Todas aquelas pessoas que ela conhecia agindo como se fossem dez anos mais novas do que realmente eram. E toda aquela música horrível — ou pelo menos uma música que ela não conhecia.

E então, de repente, lá estava aquele cara — Kirk, é claro que era Kirk —, e ele era diferente de todos os outros ali.

Para começar, ele não era de aparência pouco saudável como todos os jovens médicos. Ele não bebia muito, nem fumava muito. Não tinha a conversa cínica que os contemporâneos de Megan desenvolveram como uma forma de lidar com o desfile de doentes e pobres que de repente passaram pela vida deles, esperando para ser salvos.

Ele só estava parado ali, um australiano em boa forma e bonito — mais reservado do que se esperaria de um cara assim —, sorrindo educadamente enquanto os intelectos mais brilhantes de sua geração ficavam chapados e bêbados, conversando sobre compras.

— Todo mundo é tão inteligente — disse ele, e isso a fez rir.

— É o que você acha? Pensei que isso só servisse para passar nas provas.

— Não, são realmente inteligentes. É preciso ser inteligente para ser médico, não acha? Na metade do tempo, eu não entendo do que estão falando. Todos aqueles termos médicos. Alguém estava falando de um paciente que tinha BCC.

Megan sorriu.

— Isso só significa *Bebum — Caiu de Cara* — disse ela.

Ele franziu a testa.

— É mesmo?

Ela assentiu e o apresentou à linguagem secreta dos estudantes de medicina. Falando num tom mais alto do que a música, enquanto ele curvava a linda cabeça para ela, Megan lhe contou sobre grana de cinzas (dinheiro pago a um médico para assinar formulários de cremação), vermelho casa (sangue), CCE (crianças de cara engraçada), MB (mamães bonitonas) e o grande diagnóstico de reserva SDS (só Deus sabe) — todo o jargão de brincadeira que os protegia do mero pavor de seu trabalho.

— Mas você ainda tem que ser inteligente, eu acho — insistiu ele.

Que coisa aberta e sincera de se dizer, pensou ela. E tão diferente de todas as pessoas que ela conhecia, que não abriam a boca sem tentar fazer uma piadinha cínica. Ela olhou para ele — olhou realmente para ele — pela primeira vez.

— O que você faz?

— Sou instrutor — disse ele. Era a última coisa que ela esperava. — Eu ensino as pessoas a mergulhar. Sabe como é... mergulho.

Ela gesticulou com o copo, apontando para a festa, o apartamento, a cidade.

— Não por aqui.

O sorriso branco e largo dele. Megan adorou aquele sorriso.

— Em lugares que têm sol. Já mergulhou?

— Não, mas consegui um certificado de natação quando mal tinha saído das fraldas. Não é a mesma coisa, é?

Ele riu.

— Já é um começo.

Ele gostou dela. Ela sabia. Acontecia muito. Ela sabia que não era bonita como Jessica, que tinha uma beleza perfeita, nem alta como Cat, que tinha pernas compridas e esguias de dançarina, mas os homens gostavam de Megan. Eles gostavam de todas aquelas curvas e de um rosto que, por algum acaso genético, parecia um pouco mais novo do que era. Eles gostavam do contraste. *Um rosto de menina num corpo de mulher*, Will sempre dizia excitado, indo direto para os seios de Megan.

Ela sorriu para Kirk e ele deu a ela a honra de corar. Parecia bom ter esse tipo de contato depois de ficar com Will por tanto tempo e ter de se certificar de que ela não estava mandando os sinais errados. Esta noite ela podia mandar o sinal que quisesse.

Depois, de repente, enfim tocaram uma música que ela conhecia e adorava — uma em que Edwyn Collins canta "Well, I never met a girl like you before".

— Essa pode ser a nossa música — disse Kirk, sorrindo timidamente, e em geral uma cantada canhestra dessas a teria desanimado. Mas ela deixou que ele passasse com essa porque também gostou dele. Exatamente naquele momento, ela gostou muito dele. Ele não fazia parte do mundo dela e isso era ótimo. Ela estava pronta para dar um tempo do próprio mundo.

E depois houve aquele momento em que ela quase esquecera de todos os anos em que fora namorada de alguém — o olhar de reconhecimento nos olhos de uma pessoa que você não conhece ainda —, e de repente o rosto dele era um objeto irresistível, os dois tombaram a cabeça um pouco de lado e por fim estavam se beijando.

Ele beijava bem e também era gentil. Entusiasmado, mas não tentava limpar suas amígdalas com a língua. Beijava muito bem, pensou Megan — o nível certo do toma-lá-dá-cá. Ela também gostou disso. Mas o que mais lhe agradou foi que ele podia ter transado com qualquer mulher naquela festa, mas claramente queria transar com ela.

E Megan pensou: está com sorte, amigo.

E então eles se viram em um dos quartos e Megan começou a relaxar um pouco quando viu que tinha uma chave na porta, e logo ela estava satisfazendo seu destino biológico em cima de uma pilha de casacos, enquanto embaixo Edwyn Collins cantava "I never met a girl like you before"*, e, sim, de certa forma parecia que era só para eles.

Megan sorriu para si mesma enquanto a irmã passava pela roleta.

Jessica estava linda andando pela multidão, como uma mulher despreocupada no mundo em meio a um grupo de usuários de metrô. Homens de todas as idades viravam-se por um segundo para olhar — verificando as pernas magras, o corpo tamanho 38 conseguido sem esforço e a cara redonda de garota que sempre faziam com que estranhos acreditassem que ela era a mais nova das irmãs.

Olhando para Jessica, Megan sentiu-se esmolambada e gorda. Esse era o problema das curvas. É preciso cuidar de-

---

*Eu nunca conheci uma garota como você. (*N. da E.*)

las, ou elas saem de controle. Megan de repente ficou ciente de que só tinha passado os dedos nos cabelos pela manhã e que tinha que parar de manter barras de chocolate Mars na mesa.

Elas se abraçaram na área dos bilhetes.

— Olhe só para nós — disse Megan, dando o braço à irmã. — Grace Kelly e uma puta de primeira.

Jessica avaliou a irmã.

— Você parece exausta, Dra. Jewell. Isso não é ótimo? *Dra. Jewell, Dra. Jewell.*

— Eu ando muito ocupada. Parece que todas as mulheres do East End querem que eu veja sua perereca.

— Ah, eu sei como é. Ainda pode almoçar? Podemos fazer isso outro dia.

— Você está ótima, Jess.

— E eles lhe *dão* um intervalo de quatro horas de almoço, não dão? — disse Jessica.

Ela estava com os olhos arregalados de preocupação. Havia uma inocência nela que faltava às duas irmãs, como se ela tivesse sido poupada da maioria das bordas afiadas da vida. A filha do meio, amortecida pela presença da irmã mais velha e da criancinha.

Megan limitou-se a sorrir. Era verdade que seu trabalho pela manhã terminava ao meio-dia e o consultório à tarde só começaria às quatro. Mas o trabalho da manhã em geral se atrasava por quase uma hora — ela simplesmente não conseguia atender às consultas no tempo necessário — e antes que começasse o trabalho da tarde ela devia fazer a ronda de visitas domiciliares.

— Reservei uma mesa para a gente no Sheekey's — disse Jessica. — Peixe está bom para você?

Peixe e algumas taças de algo branco teriam sido ótimos para Megan. Mas ela realmente não tinha tempo para um almoço elaborado no West End. Na verdade, só tinha tempo para pegar um sanduíche no Prêt à Manger mais próximo, mas não queria cancelar o almoço com uma das irmãs.

— O intervalo não é realmente *todo* de almoço, Jess — disse Megan delicadamente. — Preciso ver alguém em casa antes de ir para o consultório à tarde.

— Quer dizer, gente doente?

— Gente doente, é isso. Preciso ver uma mulher esta tarde. Bom, a garotinha dela.

— Você visita gente doente na casa delas? Puxa, que trabalho terrível, Meg. Achei que só faziam isso na Harley Street.

Megan explicou que os doentes com médico na Harley Street não precisavam que alguém fosse vê-los. Aquelas pessoas tinham carro, táxi, cônjuges que dirigiam, até motoristas. Os pacientes dela em Hackney em geral sofriam do que era conhecido como *sem meios*. Sem carro nem dinheiro para o táxi. Muitos ficavam presos no alto de um prédio com um bando de crianças berrando, e todas as coisas na cabeça sobre ficar pior caso se sentassem na sala de espera de um médico. Então as visitas domiciliares eram na verdade muito mais comuns na base da pirâmide.

Megan não contou a Jessica que os médicos homens e mais velhos da clínica odiavam fazer visitas domiciliares, e assim alocavam a maioria delas para Megan. Apesar de ser quatro anos mais nova, Megan sempre sentira a necessidade de proteger Jessica da terrível verdade sobre o mundo.

— Um lugar mais perto, então — disse Jessica, tentando não demonstrar a decepção.

— Um lugar mais perto seria bom.

Elas pegaram a última mesa na Pâtisserie Valerie e, depois de fazerem os pedidos, as irmãs sorriram uma para a outra. Devido ao novo emprego de Megan, passara-se algum tempo desde que elas se viram. As duas perceberam que não importava onde estavam almoçando.

— Como estão Paulo e os negócios dele?

— Tudo bem... A empresa cresceu 80% no ano passado. Ou será 8%? — Jessica mordeu o lábio inferior, olhando pensativamente para o mural na parede da Pat Val. — Não consigo me lembrar. Mas eles estão importando um monte de novos carros da Itália. Masseratis, Ferraris, Lamborghinis, tudo isso. As pessoas aqui os encomendam. Então Paulo e Mike os conseguem. Como está Will?

— Will meio que saiu da foto.

Jessica recuou.

— Ah, eu gostava dele. Ele era mesmo bonitão. Para um cara baixinho.

— Ele não era tão baixo!

— Meio baixo. Acho que é difícil manter um relacionamento quando os dois trabalham tanto.

— Will nunca teve um dia que fosse de trabalho na vida. Na verdade é difícil manter um relacionamento quando um dos dois é um galinha.

— Ah. Ah, eu sinto muito.

— Não sinta. É melhor descobrir essas coisas antes... Sabe como é. Antes que seja tarde demais. Antes que você faça alguma idiotice.

— Mas você amava Will, não é?

— Acho que fiquei grata que alguém parecesse tão interessado em mim — disse Megan. — Em especial um baixinho tão bonito. — Elas riram. — Não se preocupe com isso. Sério. Nunca foi um grande caso de amor. Não como você e Paulo.

— Ainda assim... É triste quando as pessoas terminam. Detesto isso. Por que as coisas não podem sempre ficar na mesma?

Megan sorriu para a irmã. Jessica — a última das grandes românticas. Ela era exatamente a mesma da adolescência. Jessie sempre tinha Andrew Ridgeley na parede e um garoto inatingível por quem alimentava uma paixão inútil.

— Você parece bem, Jess.

— E você parece cansada. Ninguém pensaria que a doente sou eu.

— Você não está doente!

— Pense naquele exame de sangue que vou fazer. Em que eles abrem um buraco na base da barriga, pelo amor de Deus.

— A laparoscopia. Quem vai fazer isso?

Jessica deu o nome do obstetra e o endereço na Wimpole Street.

— Ele é bom — disse Megan. — Você vai ficar bem. Está tudo bem com o esperma de Paulo?

Uma executiva na mesa ao lado virou-se para olhar as duas. Megan a encarou até que ela desviasse os olhos.

— Ele tem um leve problema de motilidade.

— Problema de motilidade. Isso não é o fim do mundo. Só significa que alguns deles são preguiçosos como malandros. Ficaria surpresa com o que podem fazer com espermatozóides preguiçosos hoje em dia.

A executiva as encarou, sacudiu a cabeça e pediu a conta.

— Não estou tão preocupada com Paulo. — Jessica passou os dedos indolentemente pelo açúcar derramado na mesa diante dela. — O que me preocupa sou eu e o que eles vão descobrir quando me abrirem.

Megan tinha as próprias idéias a respeito do que poderiam descobrir quando olhassem dentro da irmã. Mas ela sorriu, pegando as mãos sujas de açúcar de Jessica nas dela, sem dizer nada.

— Eu sinto que tem alguma coisa errada comigo, Meg.

— Você é maravilhosa. Não há nada de errado com você. — Megan sacudiu a cabeça. Ninguém com a aparência da irmã devia ficar triste. — Olhe para você, Jess.

— Eu me sinto defeituosa. — Jessica se soltou delicadamente da mão de Megan e olhou os pequenos cristais de açúcar que ficaram presos na ponta dos dedos. — Que não funciono como deveria. — Ela colocou com cautela os dedos na boca e fez uma careta, como se o sabor não fosse tão doce.

— Você e Paulo terão um lindo bebê e você será a melhor mãe do mundo.

Os garçons chegaram com a massa de Jessica e a salada de Megan, e foi nesse momento que veio uma onda de náusea. Megan recuou a cadeira, andou pelo restaurante apinhado, batendo de lado em um garçom genuinamente francês, e chegou ao banheiro pouco antes de vomitar.

De volta à mesa, Jessica não tinha tocado no almoço.

— Qual é o seu problema, Megan?

— Nenhum.

Jessica a encarou com uma teimosia que Megan conhecia desde a infância.

— O que *é*?

— Eu só estou cansada, é só isso. Trabalhando demais, eu acho. Não é nada. Coma sua massa.

Megan não podia contar à irmã.

Jessica tinha de ser protegida deste segredo mais do que jamais precisara ser protegida de qualquer coisa.

Como poderia contar a Jessica? O bebê de Megan só a magoaria.

E depois ela não pretendia tê-lo.

— Vou te contar, doutora... Estou tão derrubada hoje que nem tive energia para acender a luz.

Megan logo entendeu por que os outros médicos relutavam em fazer visitas domiciliares.

Dificilmente eram a doença e a invalidez que exigiam que um médico viesse à casa deles. O pensionista aleijado de artrite, a mãe solteira com uma criança deficiente, a mulher de meia-idade que acabara de saber que tinha células de câncer por todo o corpo — essas pessoas conseguiam enfrentar a sala de espera abarrotada da clínica.

Aquelas que chamavam você eram invariavelmente as mais ruidosas, que falavam muito de seus direitos, as que conseguiam ser ao mesmo tempo amarguradas e egocêntricas. Como a Sra. Marley.

Ela era uma mulher grandalhona em um pequeno apartamento no centro árido de Sunny View, um dos conjuntos habitacionais mais famosos de Londres. Se você não mora nesses viveiros de concreto, não se aventure a entrar em Sunny View a não ser que vá comprar drogas, vender drogas ou fazer um documentário. Tirando o verão, quando os tumultos anuais aconteciam, até a polícia ficava bem longe de Sunny View. Megan não tinha essa opção.

Ela ficara assustada antes. Durante o ano de residência no hospital, passara seis meses presa a um médico no Royal

Free e depois seis meses trabalhando com vítimas de acidentes no Homerton.

O Royal Free foi um alívio — o médico-chefe, um pediatra, era um homem gentil e generoso, e as crianças de Highgate, Hampstead e Belsize Park se comportavam lindamente como criancinhas que queriam que Megan lesse *Harry Potter* para elas. Mas o Homerton era outro mundo.

Depois do primeiro turno, Megan achava que tinha visto mais do que queria do mundo — adolescentes esfaqueados, esposas espancadas, corpos desfigurados por acidentes de carro. Carregadores de carne com ganchos na cabeça, bêbados de pubs que foram atingidos por garrafas na hora de fechar, negociantes de drogas que levaram um tiro no rosto de um rival nos negócios.

Era responsabilidade de Megan avaliar o nível das lesões quando os pacientes chegavam se arrastando, mancando ou eram levados para lá. Ver aqueles ferimentos e aquela miséria e ter de fazer uma avaliação imediata sobre o que precisava ser feito — foi sumamente assustador para ela. De certa forma, andar por Sunny View para ver a Sra. Marley e sua filha doente era pior. Como podia ser assim? Hormônios, pensou Megan. São só seus hormônios enlouquecendo.

Ao pé da escada para o apartamento da Sra. Marley, havia um grupo de adolescentes vadiando. Com a pele branca de outro mundo e as blusas com capuz, eles pareciam saídos de um pesadelo de Tolkien. Não disseram nada quando Megan passou por eles, só deram um sorriso afetado e olharam de banda com o desdém e o ódio de sempre. Eles fediam a fast food e maconha — um cheiro adocicado de podre que vinha de debaixo do capuz.

— Você parece meio nova para mim, querida — disse a Sra. Marley, cheia de desconfiança. — Tem certeza de que é uma médica adequada?

Megan ficou impressionada. A maioria das pessoas nunca questionava sua autoridade.

— Sou recém-formada em treinamento.

— E o que é isso?

— Tenho que cumprir um ano sob supervisão antes de ter o registro do Conselho.

A Sra. Marley estreitou os olhos.

— Da próxima vez, quero um charlatão adequado. Eu conheço meus direitos.

— Qual é o problema? — disse Megan.

O problema era a filha da mulher. Um menina incrivelmente bonitinha de 3 anos de idade — como adultos repulsivos geravam filhos tão lindos? — que estava deitada apaticamente no sofá, vendo um DVD de Mister Man. Mister Happy estava tendo um sorriso arrancado da cara por todos os outros moradores de Mister Town. Megan conhecia essa sensação.

Ela examinou a menina. A temperatura estava alta, mas todo o resto parecia normal. Megan viu que ela usava pequenos brincos imitando diamantes nas orelhas. Eles mal podiam esperar para que seus filhos crescessem em Sunny View, embora, com as roupas informais, as drogas recreativas e a música alta, os adultos de Sunny View parecessem presos a uma adolescência perpétua.

— Qual é o seu nome? — disse Megan, empurrando o cabelo da menina de sua testa molhada.

— Daisy, senhorita.

— Acho que você está com um pouco de febre, Daisy.

— Eu tinha um gatinho.
— Isso é legal.
— Eu tinha um cachorrinho.
— Que bom!
— Eu tinha um dinossauro.
— Eu só quero que você pegue leve por uns dias. Vai fazer isso por mim, Daisy?
— Vou, senhorita.
— E os movimentos intestinais dela estão normais, Sra. Marley?
— Caga feito um cavalo, essa aí — disse a mãe, passando a língua gorda e rosada na borda de um papel de cigarro. Megan se levantou e olhou a mulher. Quando falou, ficou surpresa em descobrir a voz trêmula de emoção.
— Não está usando drogas na frente dela, está?
A Sra. Marley deu de ombros.
— É um país livre, né?
— Este é um erro de interpretação comum. Se eu souber que a senhora está usando drogas na frente desta criança, vai descobrir até que ponto este país é livre.
— Está me ameaçando com a assistência social?
— Estou apenas lhe dizendo que não faça isso.
A beligerância natural da mulher de repente murchou. Ela baixou os papéis de cigarro e começou a remexer em Daisy como se estivesse se preparando para ser a mãe do ano.
— Está com fome, lindinha? Quer que mamãe descongele sua papinha?

Megan resolveu sair. Essa mulher, pensou ela. Se Daisy fosse minha, eu a alimentaria com uma boa comida nutritiva e leria *Harry Potter* para ela, nunca furaria as orelhas dela e nunca deixaria que ela usasse bijuteria barata e...

De repente seus olhos se encheram de lágrimas. Daisy não era filha dela. Era só sua paciente e Megan tinha mais três para ver em Sunny View antes de começar o turno da tarde na clínica.

Megan passou pelos adolescentes encapuzados ao pé da escada. Desta vez eles não riram, embora o grupo tivesse crescido com várias criaturas de capuz, que pareciam elfos em *mountain bikes*.

Essa gente, pensou Megan. O modo como procriam. Como coelhos.

Era uma sorte que ela estivesse ali para salvá-los.

A chefe de Cat era uma mulher que tinha tudo.

Brigitte Wolfe tinha um negócio que construíra do nada, um namorado que conhecera em um dos resorts mais exclusivos no Quênia e, acima de tudo, independência.

Se o sonho de Cat de sair de casa era pura libertação desimpedida, certamente Brigitte estava mais perto de realizar esse sonho do que qualquer pessoa que Cat tivesse conhecido. Não havia marido a quem dar satisfações, nenhum filho para impedir que ela entrasse num avião para qualquer lugar a que tivesse vontade de ir. Ninguém era dono de Brigitte. Ao contrário da maioria das pessoas no planeta, Brigitte não estava presa ao passado.

Então Cat ficou surpresa ao entrar na sala de Brigitte no Mamma-san no sábado à noite e descobrir a chefe alimentando um picotador de papel com fotografias que enchiam uma caixa de sapatos.

Brigitte ergueu a mão, pedindo silêncio. Cat ficou de pé ali e a viu apagar uma caixa cheia de lembranças.

Brigitte escolhia uma foto da caixa, sorria friamente para ela e depois alimentava o picotador. Um cesto de papel transbordando de faixas coloridas indicava que Brigitte estava trabalhando havia algum tempo. Cat percebeu que todas as fotos eram de Brigitte e do namorado. Se é que um empreiteiro de 45 anos chamado Digby podia ser racionalmente chamado de namorado.

Tinha havido uma fila de homens no passado, todos um pouco mais velhos e um pouco mais ricos do que Brigitte. Ela tendia a grudar neles por dois ou três anos e depois se livrava deles. "É como os carros", dizia ela a Cat. "Você compra um novo antes que o velho passe pela vistoria."

Digby ficou com ela por mais tempo do que a maioria. Brigitte sempre dizia que ele podia ficar até que ela descobrisse um vibrador que gostasse de ir a galerias de arte. Agora Digby estava claramente de fora, mas não parecia que tinha acabado como as coisas costumavam acontecer a Brigitte no passado.

Brigitte ensinara a Cat tudo o que sabia sobre o ramo de restaurantes e muito do que sabia sobre a vida.

Assim, enquanto Brigitte alimentava o picotador de papel com seu relacionamento, Cat ficou parada ali em um silêncio paciente, como se pudesse aprender alguma coisa.

Cat devia sua carreira àquela mulher.

Quando conheceu Brigitte Wolfe, Cat era uma jornalista freelance de 25 anos que vivia de um salário mínimo escrevendo críticas de restaurantes para uma revista moderninha. Escreva sobre o que você conhece, todos diziam a ela, e, depois de alimentar as irmãs mais novas com milhares de refeições quando elas eram crianças, o que Cat entendia era de comida.

E agora ela também entendia de restaurantes, porque todos os rapazes de boa criação das escolas particulares que ela conhecera na universidade a levavam para um jantar regado a vinho antes de tentar levá-la para a cama. Era um mundo diferente do que ela conhecia — os restaurantes que tinha visto ocasionalmente com o pai e seus amigos atores pareciam mais preocupados com a bebida do que com a comida —, mas ela aprendeu de imediato. Em geral a comida era melhor do que o sexo. O que ela mais gostava era que não precisava cozinhar.

Quando conheceu Cat, Brigitte Wolfe tinha quase 30 anos e era dona, contadora e chefe de cozinha do Mamma-san, um pequeno restaurante de talharim na Brewer Street onde jovens faziam fila na calçada estreita para comer uma tigela de *soba* e talharim *udon* de Brigitte.

Nos dez anos seguintes, Londres se encheria de restaurantes asiáticos que não eram de asiáticos e nem eram gerenciados por eles — lugares iluminados e modernos, com cardápios que serviam curry tailandês, talharim vietnamita, *dim sum* chinês e sashimi japonês, como se o continente fosse na verdade um só país, com uma cozinha que era perfeita para jovens bonitos que se importavam com a dieta e com a aparência. O Mamma-san estava entre os primeiros.

Cat entrou na fila do talharim da Brewer Street e escreveu uma crítica apaixonada para sua revistinha. Quando voltou, dessa vez não a trabalho, Brigitte ofereceu a Cat o emprego de gerente.

Como as revistas pagavam a seus colaboradores de um jeito muito informal, Cat aceitou o emprego. A revista faliu logo depois disso. O Mamma-san cresceu no mercado e saiu do Soho, embora Cat acreditasse que a clientela ainda era a mesma, uma garotada de roupas surradas que fazia fila na Brewer Street por todos aqueles anos antes de ir dançar no Wag, só que dez anos mais velha e, com uma década de carreira profissional, muito mais abastada. Brigitte parecia gostar de seu restaurante tanto quanto eles.

— Certa vez um grande homem disse: "*Organize sua vida de modo a que você não consiga diferir entre trabalho e prazer.*"

— Shakespeare? — disse Cat.

— Warren Beatty — disse Brigitte.

Foi amor à primeira vista. Cat nunca conhecera ninguém que pudesse citar Warren Beatty, embora sua mãe afirmasse que ele uma vez pegara em sua bunda nos bastidores do London Palladium. Brigitte era a pessoa mais divertida que Cat jamais vira. Depois da trabalheira doméstica de sua infância, aqui estava a vida que ela devia viver.

Quando a maior parte da cidade ainda estava dormindo, as duas mulheres davam um giro pelos mercados — Smithfield para a carne do restaurante, Billingsgate para o peixe, New Spitalfields para os vegetais. Homens de cara vermelha com capotes manchados gritavam uns com os outros no brilho que antecede o amanhecer. Cat aprendera a contratar uma boa equipe de cozinha e a demitir os funcionários ruins quando ficavam bêbados ou chapados, ou quando não conseguiam tirar as mãos das garçonetes.

Cat aprendera a conversar com o negociante de vinhos, o homem dos impostos, o fiscal de vigilância sanitária e a não se deixar apavorar por nenhum deles. Embora fosse só quatro anos mais velha, Brigitte parecia o mais próximo de uma mãe que Cat conhecera na vida.

Brigitte era uma daquelas européias que pareciam ter descoberto o estilo de vida de que gostavam em meados dos

20 anos e depois se prendiam a ele para sempre. Ela nunca se casara. Trabalhava mais do que qualquer pessoa que Cat conhecesse e se divertia muito também — duas vezes por ano ia fazer trilha no Himalaia, mergulhar nas Maldivas ou viajar de carro pela Austrália.

Às vezes ela levava Digby e às vezes o deixava em casa — mais como um móvel preferido do que como um homem. Brigitte gostava da vida que tinha e durante anos foi a estrela-guia de Cat, orientando seu caminho, mostrando a ela como fazer. Aquela vida desimpedida.

Mas agora olhava uma fotografia de Digby e de si mesma numa praia branca e ofuscante. Maldivas? Seychelles? Uma última olhada e ela colocou a foto no picotador de papel.

— O que ele fez? — disse Cat.

— Ele quer ficar com alguém que possa trazer alguma coisa nova a um relacionamento.

— Tipo o quê?

— Tipo, por exemplo, um par de tetas de 24 anos.

Cat ficou sem fala. E ultrajada. Os homens não tratavam Brigitte desse jeito. Era ela quem os largava.

— Uma putinha peituda deste escritório. — Brigitte alimentava calmamente o picotador de papel com uma polaróide de Digby e ela no alto de camelos, as pirâmides brilhando ao fundo. Sem lágrimas nos olhos, percebeu Cat com admiração. Mesmo agora, Brigitte parecia no controle da situação. Do chão abaixo delas podia-se ouvir o estardalhaço e o alarido da noite de sábado no Mamma-san.

— Eu só queria lhe dizer que tem uns jogadores de futebol lá embaixo. Eles não fizeram reserva.

— Sozinhos?

— Com duas mulheres. Elas parecem strippers. Mas, é claro, podem ser as esposas deles. O que digo a eles?

— Diga para telefonar da próxima vez.

— Pode ser boa publicidade. Tem uns fotógrafos lá fora.

— Vai ser uma publicidade melhor ainda se a gente os dispensar.

— Tudo bem.

Cat virou-se para sair. A voz de Brigitte alcançou-a na porta.

— Sabe quanto vou fazer este ano?

Cat sacudiu a cabeça.

— Quarenta. Eu tenho 40 anos. Como posso competir com um par balançante de tetas de 20 anos?

— Vinte e quatro. E você não precisa competir. Você é uma mulher forte e livre que viu a vida, viveu a vida e essas coisas. Não precisa se prender a um homem para provar que existe. *Ela* é que está competindo com *você*.

Brigitte começou a rir.

— Ah, minha querida Cat.

— Ela não é o bom partido — disse Cat, aquecendo-se para seu tema —, você é que é!

Brigitte olhou pensativamente a foto de Digby e dela em uma festa cheia de gente — véspera de Ano-novo? — e depois a colocou no picotador.

— O problema, Cat, é que à medida que as mulheres envelhecem, o número de parceiros potenciais fica menor. — Ela colocou no picotador uma foto tirada em uma ponte de Paris. — Então, como ficam mulheres como nós?

E enquanto o rugido da noite de sábado bombava sob seus pés, Cat pensou: mulheres como nós?

quatro

Este era o momento preferido da semana para ele.

Quando as ruas da cidade estavam começando a se esvaziar e as luzes se apagariam em toda Londres, Cat relaxaria seu longo corpo no carro dele, fechando os olhos assim que sua cabeça tocasse o banco do carona.

— Cara — disse ela. — Estou arrasada.

— Vamos chegar em casa logo — disse ele.

Ele sempre a pegava no restaurante no final do expediente de sábado. Quando o Mamma-san fechava, os últimos clientes bêbados tinham sido colocados em táxis e o pessoal da cozinha e as garçonetes tinham sido alimentados, hidratados e colocados em uma frota de táxis de cooperativa, e quando Cat trancava o Mamma-san sempre eram as primeiras horas da manhã de domingo.

Aquelas noites de sábado e manhãs de domingo estavam entre seus momentos preferidos. Eles beberiam um drinque na casa dele, tomariam banho juntos e fariam o familiar sexo preguiçoso antes de desmaiar nos braços um do outro.

Domingo significava um brunch na Fulham Road, cercados dos jornais e de *bagels* frescos em uma pequena cafeteria que lhes parecia seu segredo particular, onde podiam observar o mundo passar e fingir que era Chelsea nos agitados anos 60. Naquelas horas de luxuoso nada fazer, seus sonhos coincidiam. Cat descobria a liberdade por que ansiava desde a infância e Rory descobria a vida tranqüila que procurara desde o fim de seu casamento.

Mas não esta noite. Rory seguiu para o apartamento e havia luzes e música que não deviam estar ali. Luzes fortes, música alta.

— Jake deve ter entrado — disse Rory.

Jake era o filho de 15 anos de Rory. Em geral ficava com a ex-mulher de Rory, Ali, todo fim de semana, e com Rory durante os feriados. As exceções a essa regra eram as noites em que as brigas, aos gritos histéricos, terminavam com Jake baixando na casa do pai. Rory franziu a testa. O que tinha sido desta vez? Ele se virou para Cat com um sorriso de desculpas.

— Espero que você não se importe — disse Rory.

— Está tudo bem — disse Cat.

Ela ansiava por ficar sozinha com Rory e se desligar do mundo. Mas o que podia dizer? Seu homem tinha um filho e, se eles iam ficar juntos, Cat tinha de conviver com a realidade. Além disso, ela gostava de Jake. Quando o conhecera, três anos antes, ele era um menino de 12 anos tímido e de natureza doce que reagira ao divórcio dos pais como se o céu tivesse desabado. Cat o adorou de imediato e viu ecos de suas próprias feridas de infância no menino. Jake era agarrado a Rory e caía em lágrimas facilmente, e seria necessário ter um coração de pedra para não se aproximar dele. Mas Cat tinha de admitir que era difícil equiparar aquele menino de 12 anos e rosto radiante com o adolescente desajeitado que Jake se tornara.

— Que música é essa? — Rory deu um sorriso luminoso, enquanto entrava na sala com Cat. — Nirvana?

Jake — sardento, magricela e encapuzado, os hormônios num turbilhão — estava todo jogado no sofá com um cigarro enrolado à mão pendurado dos lábios.

— Nirvana? — bufou ele. — *Nirvana?*

Havia outro jovem ao lado dele, usando um gorro de lã. Cat pensou: por que eles usam roupas de sair dentro de casa? Está tão frio assim?

— Nirvana — ecoou o jovem. — Nirvana!

— É White Stripes — disse Cat. — Alguma coisa de *Elephant*, não é? "Ball and Biscuit", né? Que vergonha, Rory. Oi, Jake.

— Parece um pouco com o Nirvana — disse Rory timidamente.

Jake revirou os olhos para o teto.

— *Não* parece *nada* com essa porra de *Nirvana*.

— Modere um pouco a língua — disse Rory. — E por favor, abra a janela se vai fumar essa coisa.

— Mamãe não liga.

— Mamãe não mora aqui. Não vai cumprimentar Cat?

Jake grunhiu.

— Oi, Jake, como vai? — disse Cat naquela voz afável que ela parecia reservar só para ele.

O amigo de Jake se chamava Jude. Jude pretendia passar a noite na casa de Jake, até que houve uma discussão com a mãe de Jake. Os detalhes não ficaram claros. Pelo que Cat pôde deduzir, tinha algo a ver com uma pizza de três dias, meias sujas e tratar o lugar como um hotel. Então Jake e o amigo fugiram para a casa do pai.

Cat lamentava por Jake. Ela sabia como era ter mãe e pai morando em lugares diferentes e vivendo vidas diferentes. Ela sabia como um adolescente podia se sentir preso. Ela lutou para se lembrar de que Jake ainda era a mesma criança vulnerável que ela conhecera havia não muito tempo.

Mas sua noite de sábado foi pesada, e era difícil superar a sensação de que seus pais estragam a primeira metade da sua vida e depois os filhos de alguém estragarão a segunda metade.

Como sua mãe teria rido disso.

Não houve um sexo preguiçoso para Rory e Cat naquela noite, e a taça de vinho que eles dividiram na cozinha parecia mecânica, como um ritual que estava envelhecendo.

Eles beberam o vinho rapidamente, enquanto na sala White Stripes dava lugar a um hip-hop aos berros na TV. Ela tentou ao máximo esconder de Rory sua decepção, porque ele era de longe o homem mais delicado e mais gentil que ela conhecera na vida e ela achava que o amava.

Ela estava morta de cansaço. Quando eles se enroscaram debaixo do edredom de Rory, ajeitando-se em concha, ela logo caiu em um sono espasmódico, apesar da barulheira de tiros-e-vagabundas que vinha do aparelho de TV.

Quando acordou, nas primeiras horas, estava desesperada por água e, só de calcinha e um quimono de caratê branco pego na roupa suja, ela se arrastou até a cozinha pelo apartamento agora silencioso.

Ao acender a luz, Cat arfou. Jake e Jude estavam de cueca samba-canção, comendo torrada.

— Ah, me desculpe — disse Cat, pegando uma garrafa de Evian na geladeira e decidindo não pegar um copo, porque ir ao armário onde estavam guardados significaria chegar mais perto daqueles membros brancos e desajeitados dos dois adolescentes.

Enquanto fechava a porta do quarto, ela ouviu a voz do amigo de Jake, Jude, e seu riso tumular.

— Nada mau para uma coroa — disse ele.

Michael abriu o sorriso para a cara suja da filha.

— Ela é uma porquinha de brinquedo — disse ele. — E é uma gorduchinha. Ela é, é, sim! Quem é a minha gorduchinha? Quem é a gorduchinha do papai? É Chloe, Chloe é a gorduchinha do papai!

Chloe encarou o pai com o olhar vago.

Depois ela arrotou, e o arroto evoluiu para um pequeno vômito em jato, um fluxo leitoso de vegetais orgânicos amassados que saiu de sua boca e escorreu pelo queixo de covinha.

E Jessica pensou: quem não vomitaria sendo obrigada a ouvir aquela tagarelice idiota?

— Aaaah, a gorduchinha do papai ficou com a barriguinha agitada? Ficou? Ficou?

Não pode ser bom para ela, pensou Jessica. Falar com um bebê como se você tivesse acabado de sofrer uma lobotomia frontal não pode ser bom para o desenvolvimento dela.

Mas, pensou Jessica, o que eu sei sobre isso?

Nada, é o que eu sei.

Enquanto Naoko limpava a bile do rosto e das roupas da filha, Michael correu para pegar a câmera digital de mil dólares que tinha comprado para registrar o vômito de Chloe para as gerações futuras.

Naoko ergueu Chloe da cadeirinha e a colocou delicadamente de pé. Chloe estava andando. Bem, não exatamente andando. Mais parecido com um cambalear, pensou Jessica, enquanto observava a sobrinha arrastar os pés com o propósito implacável de um bêbado tentando estabelecer a sobriedade, os pais de cada lado dela como policiais gentis e preocupados.

— Ela vai ficar linda quando tiver cabelo e dentes — disse Jessica.

Michael, Naoko e Paulo dardejaram os olhos para ela, como se ela tivesse pronunciado uma blasfêmia imperdoável.

— Ainda mais linda — acrescentou ela rapidamente.

— Ela tem cabelo e dentes — disse sorrindo Naoko, afagando a penugem castanho-clara no alto da cabeça da filha. — Não tem, Chloe?

Chloe sorriu, revelando quatro dentinhos brancos, dois em cima e dois embaixo, no meio de sua boca rosada e úmida. E depois ela caiu no chão com o bumbum coberto pela fralda, os olhos castanhos arregalados do choque. Quatro adultos correram para ampará-la.

— Vem com o titio Paulo.

Mas Chloe não queria ir com o titio Paulo. Ela se agarrou na mãe e berrou de ultraje, encarando Paulo como se ele tivesse acabado de pular da janela com uma serra elétrica.

Chloe estava mudando. Alguns meses antes, quando ainda era inquestionavelmente um bebê, ela não ligava para quem a pegava no colo e a ninava. Mas agora, a um mês de seu primeiro aniversário, com a fase de bebê ficando para trás, ela estava se agarrando aos pais e considerando qualquer outra pessoa com desconfiança. Havia não muito tempo ela ficava satisfeita em se deitar de costas e ser admirada. Mas estava se tornando rapidamente uma pessoinha com vontade própria, avara com o afeto e cautelosa com o mundo.

Paulo ficou arrasado. Ele tinha imaginado ternamente que Chloe cresceria amando-o, assim como ele a amava. Mas ela já o estava rejeitando.

Jessica ficou feliz que agora os carinhos de Chloe fossem interditados. Quando ela teve de segurá-la quando era recém-nascida, uma coisa estranha aconteceu dentro dela. Era muito mais do que querer ter o próprio filho. Era o conhecimento terrível de que Jessica tinha nascido para dar à luz, mas podia jamais cumprir o seu destino.

Para Jessica, havia mil humilhações em qualquer visita a Michael, Naoko e Chloe. Ela não conseguia suportar a piedade dos cunhados. Eles eram pessoas de bom coração, mas já era bastante ruim se sentir uma mulher defeituosa, sem ter de lidar com todos aqueles olhares de preocupação e solidariedade para com sua falta de fertilidade. O fato de que a solidariedade era autêntica, e significava o bem, só tornava as coisas piores.

Ela podia entender o deleite deles com a filha — se Chloe fosse filha dela, Jessica certamente sempre estaria a seu lado. Mas onde terminava a alegria desenfreada, e compreensível, e começava a presunção insuportável e intolerável?

E no entanto ela precisava ser uma boa visita — expressando surpresa em ver o quanto Chloe tinha crescido desde a última vez que a vira (sete dias atrás). Ouvindo com um interesse arrebatado enquanto Michael discutia os desenvolvimentos nos movimentos intestinais de Chloe, ou Naoko falava (sem parar) dos hábitos alimentares da filha e das mudanças aparentemente extravagantes do paladar.

Dá um tempo, pensou Jessica. Já é bastante ruim que eu não possa ter um filho. Eu realmente tenho que aplaudir de pé o bebê dos outros?

Jessica sabia que Naoko era uma boa mulher e que Paulo era tão próximo de Michael quanto ela própria era das irmãs. E, objetivamente, ela podia ver que Chloe era um bebê maravilhoso — bem-humorada, forte e adorável. De uma forma careca, banguela e com a incontinência de uma velhota.

Jessica na verdade não queria mais ir à casa deles para o almoço de domingo. Era difícil demais.

— Com licença — disse ela, com o sorriso fixo que usava como proteção perto dos bebês dos outros.

Ela fugiu da sala, com Naoko segurando a cara vermelha e chorosa de Chloe e Michael afagando a cabeça (quando se pensa nisso) alarmantemente grande da filha, e Paulo mantinha uma distância respeitosa, como um adulador de menor importância. Ninguém sequer percebeu que ela saíra da sala.

Jessica precisava desesperadamente ir ao banheiro, mas havia aqueles malditos portõezinhos de bebê em toda parte. Agora que Chloe estava andando, o desastre tinha de ser evitado em cada andar e cada escada da casa. Por causa de uma criança de onze meses que podia estar prestes a passar do sofá para a mesa de centro (os vários controles remotos eram uma fonte de fascínio interminável para os dedos grudentos de Chloe), a casa vitoriana teve de se transformar num presídio de segurança máxima.

Chloe certamente não ia passar por esses portões. Eles já eram bastante difíceis para um adulto. Era preciso encontrar o botãozinho no alto, apertar para baixo e erguer o portão ao mesmo tempo. Depois era necessário pular a base do portão sem cair de cara no chão. Jessica conseguiu passar pelos portões e se trancou no banheiro, onde confirmou o que já sabia. Sua menstruação tinha começado.

Mais um mês de fracasso. Mais um mês sentindo-se como se devesse ser recolhida por quem a tinha fabricado. Mais um mês vendo o olhar de decepção do marido, nenhum dos dois ousando dizer o que estava em seu coração — que este casamento podia ficar sem filhos para sempre.

E, só para enfatizar as coisas, sua menstruação viera com mais um surto de dor de trincar os dentes que teria feito um homem adulto implorar para que parasse.

Eu não estou chorando, pensou Jessica. Eles não vão me ver chorar.

Mas ela precisava sair dali. Tinha de encontrar um lugar onde pudesse retirar o sorriso fixo, tomar um banho e deixar que o marido cuidasse dela. Então ela quase correu para fora do banheiro, tropeçando na barra de metal de um portãozinho aberto e, com uma golfada de ar de choque, caiu de cara no chão.

Quando Jessica apareceu na sala de estar, Michael estava de joelhos brincando de esconde-esconde com Chloe, que agora estava sem lágrimas e guinchando de prazer — e ainda vem me falar em oscilações violentas de humor — e Naoko estava alertando Michael para os últimos boletins da cozinha.

— Experimentei com ela brócolis misturado com batata-doce, mas o engraçado é que ela se recusa a comer qualquer coisa verde e... Meu Deus, Jessica, você está bem?

Jessica riu jovialmente, um caroço do tamanho de uma bola de tênis se projetando da testa, um hematoma latejando no queixo, as palmas das mãos vermelhas e arranhadas do carpete.

— Ah, estou bem, bem, tudo bem — disse ela, virando-se animada para o marido. — Não está na hora?

Eles se sentaram no carro e Paulo a ouviu desabafar.

— Já percebeu que todo mundo tem um filho hoje em dia? — disse Jessica. — Gays, casais de lésbicas que não tocariam em nada com um pênis. Vovós italianas de 60 anos com um ovário fraco. Eu até li que podem começar a fazer bebês de fetos abortados... Que tal isso? Alguém que nem teria nascido pode ter um filho. Mas eu não posso.

Eles ficaram sentados na frente da casa de Michael e Naoko no Ferrari azul de Paulo. O carro era uma modormia da Baresi Brothers, mas também era uma necessidade. Michael sempre dizia a Paulo que não se podia vender carros italianos quando se vai trabalhar em um Ford Mundano. Michael dirigia um Maranello vermelho, assim como um BMW com uma cadeirinha de bebê na traseira.

— Eles não fazem isso para te magoar. Para magoar a nós dois. Eles não querem esfregar nada na nossa cara. Mas eles simplesmente estão tão felizes com o bebê, que não conseguem evitar. Eles não têm a intenção de nos magoar.

— Eu sei — disse ela, tombando a cabeça.

Nós seríamos iguais, pensou ele. Se Jessica e eu tivéssemos um filho, o amaríamos tanto que não ligaríamos se estávamos magoando alguém. Parecia a Paulo que ter um filho deixava as pessoas menos cuidadosas com o resto do mundo.

Porque o filho se tornava seu mundo.

— Sabe o que meu irmão me disse? Ele disse que não faz sexo com a Naoko há sete semanas.

Jessica o encarou.

— Você está me ouvindo?

— Eu estou ouvindo você. Só estou dizendo.

— O quê? O que está dizendo?

— Estou dizendo que ali não é perfeito. Eu sei que a Chloe é ótima. Sei o quanto você quer ter seu filho. Nosso filho. Mas só estou dizendo. Aconteceu alguma coisa com eles. Não sei como explicar. É como se, desde que Chloe nasceu, agora existisse alguma coisa entre eles.

— Ela é mais nova do que eu — disse Jessica, sem ouvi-lo. — Naoko. Quatro anos mais nova. A mesma idade de Megan. Quando Naoko tiver a minha idade, Chloe vai começar na escola.

— Não é perfeito lá — insistiu Paulo.

A conversa dele com Naoko o deixara chocado. Sua cunhada tinha doutorado da Universidade de Reading. Era arqueóloga quando conheceu Michael. E agora só do que falava era de como essa semana Chloe preferira papinha marrom a papinha verde.

Paulo amava a sobrinha. Ele a amou desde o momento em que a viu. Sabia que sempre a amaria. Mas em uma câmara secreta em seu coração ele tinha suas dúvidas.

Ele não se importava com as indignidades de fazer amor com um pote de plástico. Não se sentia menos homem porque aparentemente parte de seus espermatozóides eram cretinos preguiçosos que não conseguiam chegar a um dos óvulos de Jessica nem que tivessem um manual passo a passo.

O médico lhe dissera que eles só precisavam continuar a tentar. Havia muita gente que concebia bebês com chances muito piores. E o que quer que sua esposa tivesse de viver — os exames intermináveis, a laparoscopia, qualquer humilhação que eles enfrentassem — Paulo estaria bem ali ao lado dela. Ele sempre estaria presente. Ela era perfeita para ele. Ele soube disso no momento em que viu o rosto de Jessica.

Mas ele se perguntava se realmente seria bom nas brincadeiras de pai — os jogos intermináveis de esconde-esconde e as análises profundas do "popô" (meu Deus, o irmão dele — o garanhão, o grande mulherengo, o Don Juan de Dagenham — de repente estava falando como um garotinho), e vigiando-a — a bebê — a cada segundo acordado, de modo que ela

— a bebê — não se chocasse com a mesa de centro, nem se arrastasse para fora da janela, nem engolisse o controle remoto.

Era como se você tivesse gerado uma nova vida, mas sua vida tivesse acabado. A Mãe Natureza terminara com você.

E aqui estava a coisa engraçada. A vida sexual de Paulo com Jessica se tornara vazia e desesperada porque eles estavam tentando ter um filho. Mas a vida sexual de Michael com Naoko deixou de existir porque eles tinham uma filha.

Antigamente Michael era louco por Naoko. O único motivo para Michael abrir mão do futebol nas manhãs de domingo no parque era porque isso lhe dava mais noventa minutos debaixo do edredom com Naoko. Mas isso fora antes de eles terem o bebê.

Paulo ainda queria ter um filho com Jessica.

Mas o motivo mais premente para querer isso era que ele sabia que a faria feliz. E seria esse um bom motivo para trazer um bebê ao mundo?

cinco

O emprego era demasiado para ela.

Megan podia lidar com a carga de trabalho, mas não com o ritmo exigido. Seus pacientes ainda enchiam a sala de espera muito tempo depois de os outros médicos terem saído para almoçar, e havia mais quando ela voltava, atrasada, correndo das visitas domiciliares. Então não foi nenhuma surpresa quando Lawford entrou no consultório dela e disse:

— Houve uma queixa contra você.

Todos aqueles anos na faculdade de medicina. Todas aquelas noites histéricas e sangrentas na emergência do Homerton. Toda a carne frouxa que ela teve de apertar, todos os corações fracos com que teve de se atormentar, todas as luvas de látex a vestir para sondar um reto velho e decadente.

E agora os retos velhos com quem trabalhava a estavam expulsando.

Ela se perguntou qual dos médicos da clínica recebera a queixa. Que atrevimento o deles. Cretinos, pensou ela. Cretinos podres, é o que vocês são.

Não surpreende que as pacientes voassem para ela, para longe daqueles velhos com pêlos nas orelhas, manchas nas calças, desdém pelos pacientes e a conversa de "problemas no encanamento", como se o resultado de uma gravidez ectópica não fosse diferente de ter um cano vazando, como se as dores menstruais excruciantes fossem iguais, quando se pensava nisso, a ter um aquecedor quebrado.

Megan podia lidar com qualquer uma dessas coisas, todas essas coisas que nunca vivera, só estudara em uma sala de aula na faculdade de medicina. Mas não podia fazer isso nos poucos minutos que lhe eram exigidos. Ela precisava de tempo.

Ela estava prestes a dizer a ele que pegasse o emprego dela e o enfiasse na parte terminal de seu intestino grosso, quando ele falou.

— Acho que você faz um trabalho fantástico — disse Lawford.

— Como é que é?

— E os outros médicos também pensam assim.

— Mas a queixa...

— É de uma paciente.

— Uma paciente? Mas minhas pacientes me adoram!

— A Sra. Marley. Lembra dela? A grandalhona de Sunny View? Uma de suas visitas domiciliares.

— Eu me lembro da Sra. Marley. E de Daisy.

— O problema é Daisy. Você diagnosticou uma febre, correto?

— A temperatura dela estava um pouco alta. Ela estava apática. Pensei...

— Ela foi levada às pressas ao hospital no dia seguinte. Acontece que era um problema de tireóide. Daisy tem hipotireoidismo. Por isso a letargia.

Megan pôde sentir o coração martelando. Aquela pobre criança. Ela falhara com ela.

— Um problema de tireóide?

— Todos cometemos erros às vezes. Somos médicos, não deuses.

— Como ela está? O que eles vão fazer?

— Dê uns comprimidos de tiroxina e ela vai voltar ao normal.

— Mas ela terá de tomar isso a vida toda.

— Com toda a probabilidade.

— E tem algum efeito colateral?

— Efeito colateral? — Lawford de repente ficou impaciente. — Sim... Eles a farão se sentir bem.

Essa foi a reposta de um médico com grande experiência. *São estes os efeitos colaterais dos comprimidos, doutor? Sim, eles fazem você se sentir bem.* Megan arquivou isso para referência futura. Ela sabia que usaria a frase muitas vezes nos próximos anos. Se chegasse a conseguir um registro pleno do Conselho.

— Não se preocupe com a Daisy. Ela vai ficar bem. O problema é a Sra. Marley. Você não quer uma queixa de negligência em seu histórico. Não é nada bom.

— O que vou fazer?

— Vai se desculpar com a Sra. Marley. Humilhe-se um pouco. O quanto for necessário, na verdade. Admita que você é só humana. Como você sabe, este ano é um exame contínuo para você. Vou redigir uma avaliação final. Não quero um erro de diagnóstico em seu histórico, Megan.

Era a primeira vez que Lawford a chamava pelo prenome. Ela podia ver que ele estava tentando fazer com que ela saísse desse problema com a carreira intacta, e ela sentiu uma onda de gratidão.

— Você não vai se desculpar só porque a Sra. Marley vai voltar atrás — disse ele severamente. — Vai se desculpar porque é o que deve fazer.

— Claro que sim.

Lawford assentiu e foi para a porta.

— Obrigada, Dr. Lawford.

Ele se virou e a encarou.

— De quantos meses está?

Ela colocou a mão protetora na barriga.

— É assim tão óbvio?

— O vômito constante foi uma dica.

— Oito semanas — disse ela, encontrando dificuldade para respirar.

— Pretende ter o bebê?

— Não vejo como isso é possível. Nem consigo cuidar de mim mesma.

Eu não vou chorar, pensou Megan. Não vou chorar na frente dele.

— Eu quero ter filhos — disse ela. — Muito. Mas não agora.

Lawford assentiu novamente.

— Bom — disse ele, tímido de repente. — Então é isso. — Ele sorriu com uma delicadeza que Megan nunca vira antes. — Vou deixar você trabalhar.

Eu *quero* ter filhos, pensou Megan quando ele saiu. E um dia eu *vou* ter filhos e vou amá-los muito mais do que nossa mãe amou a mim e minhas irmãs.

Mas não agora, não quando acabei de começar a trabalhar, e não com um homem com quem trepei numa festa.

Sim, ela se desculparia com a Sra. Marley.

Mas Megan achava que na realidade devia se desculpar com Daisy.

E com essa vidinha que nunca nasceria.

Malditos médicos, pensou Paulo. Eles nunca lhe dizem no que você está se metendo. Se dissessem, sairiam da profissão.

Paulo dirigiu a Ferrari com cuidado pelas ruas do norte de Londres como se tivesse uma carga a bordo de cascas de ovo pintadas. Jessica estava dormindo no banco do carona, o rosto pálido e exausto dos acontecimentos da manhã.

Eles fizeram com que a laparoscopia parecesse rotineira como uma obturação dentária. Mas Jessica estava morta para o mundo — cheia de drogas, para que eles pudessem abrir um buraco em sua barriga e introduzir a câmera para descobrir o que havia de errado.

Ele dirigiu lentamente para casa com um olho na rua e outro na esposa, e ele sabia com uma certeza pura e completa que amava aquela mulher e que não deixaria de amá-la se eles não pudessem ter filhos. Ele a amaria mesmo que ela descobrisse ser impossível amar a si mesma. Ele a amaria o bastante para os dois.

Quando chegaram em casa, Paulo despiu Jessica e a colocou na cama, o rosto adormecido branco como os travesseiros.

Depois ele foi para o estúdio e retirou todas as fotos de Chloe.

Quando Megan saiu da clínica, um homem interrompeu seu caminho.

Ele era grandalhão e de boa aparência, de uma forma descuidada e rude, e a princípio ela pensou que era um daqueles agentes de caridade — pidões, como são chamados — que cada vez mais armam para você uma emboscada com suas pranchetas, valendo-se dos sem-teto para assaltar as pessoas com suas boas causas e formulários de débito automático. Ela tentou se desviar dele, mas ele se moveu rapidamente para interceptá-la. Ela o olhou com uma fúria autoritária fria, em geral reservada para os pacientes que se recusam a tomar a medicação receitada.

— Megan?

E de repente ela percebeu quem ele era. O homem da festa. O pai do filho dela.

— Ah... Oi, Kurt.

— É Kirk.

— É claro.

— É ótimo te ver, Megan. — Um sotaque adorável. Cheio de espaços abertos, vida saudável e Natais na praia. — Você está incrível.

— Obrigada. — Ela deu um sorriso rápido para ele. Ele era um cara legal, ela gostou muito dele e não se arrependia — além do fato de que uma médica que passa seus dias ensinando a mães adolescentes sobre anticoncepcionais não devia permitir que seu próprio planejamento familiar ficasse por conta própria. Mas não havia tempo para mais nada.

— É bom te encontrar, Kirk. Mas eu realmente devia...

— Eu tinha que ver você — disse ele, e por fim ela entendeu que aquele homem na verdade estava esperando por ela.

A cabeça de Megan girou com a insanidade da situação. Aqui estava ela, carregando o filho dele, e aqui estava ele, procurando obter um segundo encontro.

Ela não o conhecia. E ele não a conhecia. E no entanto, mesmo na luz fria de Hackney, sem um dos muitos drinques

Asahi Super Drys dentro dela, Megan podia se lembrar com muita clareza de como eles terminaram na cama, em uma pilha de casacos largados pelos convidados. Ele era alto, atlético, mas com uma espécie de inocência cordial. Os filhos dele serão bonitos, refletiu Megan, e o pensamento intruso lhe deu vontade de chorar.

— Pensei que ia voltar para Sidney.

— Eu ia. Eu vou. Mas queria ver você antes de ir.

Ela precisava ser forte. Ele podia fazer lindos bebês um dia, mas não seria com ela.

— Por que isso agora?

— Porque, bom... Eu gosto de você. Foi incrível, não foi? Foi ótimo, não foi?

— Foi legal.

— Foi inacreditável! — Ele sorriu, sacudindo a cabeça. — Em geral não faço esse tipo de coisa.

— Tenho certeza de que sua namorada está adorando isso.

Ele deixara escapar que tinha namorada no início da conversa, mas ela se esquecera calmamente quando ele começou a ler os sinais de Megan, entendendo — talvez — que ela estava interessada. Agora ele tivera a decência de corar. Ele corou um pouco demais para um homem tão bonito.

— Eu só queria me despedir. É só isso. E dizer que eu espero que a gente se veja novamente.

— Quantos anos você tem, Kirk?

— Vinte e cinco.

— Eu tenho 28. Sou médica. O que é que você faz mesmo?

— Eu dou aulas.

— De quê?

— De mergulho.

— Isso mesmo... Então você é um instrutor de mergulho que mora em Sidney, e eu sou uma médica recém-formada mais velha de Londres.

— Você não é tão velha.

— Eu só... Na verdade não vejo como pode sair alguma coisa disso. Você vê?

Ele tombou a cabeça e Megan teve de reprimir o impulso de tomá-lo nos braços, provar mais um pouco daqueles beijos bons e contar a verdade a ele.

— Eu só queria te ver. É só isso. Eu não costumo fazer coisas assim. Ficar de porre e ir para a cama com uma completa estranha.

— Pode falar um pouco mais alto? Acho que as senhoras no ponto de ônibus do outro lado da rua não ouviram você.

Kirk abaixou a cabeça loura tosquiada, entendendo por fim que ir ali não tinha sido uma boa idéia.

— Toma — disse ele, passando a ela um pedaço de papel com um número telefônico. Parecia de chamada de longa distância. De uma distância muito longa.

— Se um dia precisar de mim. Ou, sabe como é, quando for à Austrália.

— Obrigada.

— Como eu disse... Eu gosto de você.

— Tá, tudo bem. Eu também gosto de você.

— Bom... Como diz a música... Acho que te vejo na próxima vida.

— É — disse ela. — A gente se vê na próxima vida, Kirk.

Assim que desapareceu na esquina, ela começou a rasgar o número do telefone em pedaços minúsculos, os olhos toldados de lágrimas.

Jovem, burro e cheio de si, pensou ela. A caminho de casa e da namorada e seus lindos bebês sem que ela sequer contasse a ele, sem sequer saber, sem que ela fosse capaz de pedir a ele que assumisse a parte que lhe cabia do fardo. E ele tinha razão — foi divertido enquanto durou.

Mas ele devia se considerar um cara de sorte. Ela não queria uma família com aquele homem.

Megan já possuía uma família.

Em outra família, elas agora podiam ter ficado à deriva. No final de seus 20 e 30 anos, outras irmãs podiam ter achado as exigências do trabalho e da vida familiar se fechando sobre elas, exigindo atenção, tomando todo o seu tempo. Em outra família, os homens e os empregos podiam ter atrapalhado.

Mas embora Jessica tivesse seu marido, sua casa e seus sonhos em uma das partes mais verdes da cidade, e enquanto Megan e Cat tinham seus empregos exigentes do outro lado de Londres, elas agora se prendiam umas às outras como se haviam prendido quando crianças, crescendo em uma casa onde a mãe estava ausente.

Elas não conversavam sobre isso. Mas quando Cat começou a namorar Rory ele se surpreendeu ao descobrir que, independentemente do que acontecesse na vida delas, as irmãs se falavam ao telefone todo dia e tentavam se encontrar para o café da manhã uma vez por semana. "Essa proximidade é incomum, não é?", disse ele, com aquele sorriso gentil e ranzinza de Rory. Mas é claro que para Cat — e para Megan e Jessica — isso parecia perfeitamente normal.

Era nisso que Cat pensava — ninguém ama a mais família mais do que alguém vindo de um lar desfeito.

Elas sempre tentavam se encontrar em um restaurante que fosse eqüidistante para as três.

Quando Megan estava na faculdade de medicina Imperial College, e Jessica morava em Little Venice com Paulo, elas se encontravam no Soho, na opulência andrajosa do *club privé* de Cat, onde os freqüentadores eram tão surrados quanto o carpete.

Agora que Megan estava trabalhando em Hackney e Jessica morava em Highgate, o eixo mudara para o leste, para um restaurante perto do mercado de carne em Smithfield. Sugestão de Cat. Era um lugar onde jovens garçons estrangeiros vestidos de preto serviam comida tradicional britânica, como sanduíche de bacon, mingau e cafés da manhã fritos como se fossem iguarias exóticas, e toda bebida quente vinha em uma caneca, em vez de uma xícara com pires. Tudo era típico da classe trabalhadora, a não ser pelos preços estratosféricos.

Cat era a primeira a chegar e, pelas enormes janelas do restaurante, ela via os carregadores de capote branco que trabalharam a noite toda levando enormes peças de carne fresca para dentro de caminhões que esperavam.

Jessica aparecia em seguida, e juntas elas observavam os carregadores de Smithfield em seu trabalho.

— Daqui a dez anos isso provavelmente não vai existir mais — disse Cat. — Todos empurrados para os subúrbios, e Smithfield transformada em outra Covent Garden, cheia de lojas de roupas, artistas de rua e pequenas cafeterias.

— Ah, isso vai ser ótimo — disse Jessica, pegando o cardápio.

Cat a encarou.

— Vai ser uma merda horrorosa, Jess.

Jessica deu de ombros.

— Acho que você prefere que todos esses homens vivam de carregar vaca. Deve dar clima, não é?

Megan chegou, olhou o relógio, já apavorada de ter de correr de volta ao East End e à manhã na clínica. Ela pegou um cardápio bruscamente.

— Já tem os resultados? — perguntou ela a Jessica.

Jessica assentiu. O garçom de preto chegou e elas fizeram os pedidos, apontando para o cardápio quando ele não conseguia entender o que elas diziam. Quando ele saiu, Megan e Cat olharam para Jessica e esperaram que ela falasse.

— É endometriose — disse ela, pronunciando a palavra como se até recentemente fosse uma novidade para ela. — Os resultados da laparoscopia dizem que eu tenho endometriose.

— Isso explica a dor que você sente — disse Megan, pegando as mãos da irmã. — Aquela dor horrível todo mês.

— Endometriose — disse Cat. — Isso quer dizer... O quê? Tem a ver com sua menstruação, não é?

Megan assentiu.

— É um problema menstrual. Fragmentos de membrana semelhantes ao revestimento do útero que estão onde não deveriam... Na musculatura do útero, nas trompas uterinas, nos ovários. Basicamente, todos aqueles pedaços horríveis e inflamados que sangram quando você menstrua.

— Isso impede a gravidez — disse Jessica. — E dói que é um inferno.

— Tem cura? — disse Cat.

— Desaparece depois da menopausa — disse Megan.

— É uma coisa a se desejar — disse Jessica.

— Você pode controlar tomando a pílula. Ela interrompe a menstruação, você pára de sentir dor. E impede que o problema degenere. Mas a melhor cura para isso...

Jessica olhou para ela, sorrindo com amargura.

— Essa é a parte engraçada, Cat. Adoro essa parte.

— A melhor cura para a endometriose — disse Megan em voz baixa — é engravidar.

— Ela a impede de ter um filho — disse Jessica. — Mas só passa se você tiver um filho. Não é perfeito?

— Os sintomas desaparecem quando você engravida — disse Megan. — Mas é verdade... Os sintomas dificultam a concepção. Não é impossível, Jess. Por favor, acredite em mim.

Megan abraçou Jessica, e a irmã encostou a cabeça nela. Afagando a cabeça de Jessica, Megan olhou pela janela e viu as peças de carne sangrenta sendo carregadas para frotas de caminhões brancos. Todas as carcaças branco-amareladas e sem cabeça, e as peças de carne fresca. Os homens com os capotes brancos e sanguinolentos salpicados como os quadros de Jackson Pollock.

O café da manhã chegou naquele momento e Megan arfou, o vômito subindo pela garganta. Ela afastou a irmã e rapidamente disparou para fora da mesa. Quando voltou do banheiro, Cat estava cutucando o sanduíche de salsicha, mas Jessica não tinha tocado nas panquecas.

— O que há de errado com você, Megan?

— Não é nada. — Ela olhou o mingau e se sentiu enjoada novamente.

— Megan — disse Cat, a irmã mais velha e rigorosa exigindo a verdade. — O que está acontecendo?

Megan olhou para as irmãs e entendeu que era loucura achar que podia manter aquilo em segredo. Elas eram grandes amigas. Elas entenderiam.

— Estou grávida — disse Megan.

Cat baixou o pão.

— Há quanto tempo?

— Oito semanas.

— O que Will acha disso?

— Não é de Will.

— Tudo bem — disse Cat. — Tudo bem.

Jessica lutou para falar.

— Bom... Meus parabéns — disse ela por fim. Ela afagou o ombro da irmã, sorrindo através de uma camada fina de lágrimas. — Mesmo, Megan. Meus parabéns.

Cat olhou para Megan.

Megan sacudiu a cabeça.

— Não.

— Você vai ser uma mãe incrível — disse Jessica.

— Mas você não... — A voz de Cat falhou.

— Não — disse Megan. — Não vou ter.

Jessica olhou para ela.

— Não vou ter, Jess. Como poderia? Eu mal conheço o pai. E mesmo que conhecesse, ainda assim eu não teria. Não estou apaixonada por ele, Jess. E esta é a época errada. É uma época completamente errada para mim e para o bebê.

— A época errada?

— Eu acabei de começar a trabalhar. Fiz seis anos de faculdade de medicina... Seis anos!... E mais um ano de residência em hospitais. E só vou ter o registro pleno daqui a um ano.

— Você acaba de começar a trabalhar? — disse Jessica. — Espere um minuto... Você vai fazer um aborto porque começou a *trabalhar*?

— É isso mesmo — disse Megan, irritada por ter de se justificar.

— Sabe o que significa passar por um aborto? — disse Jessica.

— Jess — disse Cat, tentando detê-la. — Calma.

— Eu quase certamente entendo o procedimento melhor do que você — disse Megan.

— Eu não teria tanta certeza — disse Jessica. — Algumas coisas não se aprendem nos livros. Eles aspiram o bebê de você. É o que isso significa. Eles têm uma porra de aspirador e aspiram o bebê de você, depois jogam em uma caixa ou queimam, eles o jogam fora como se fosse *lixo*. É assim que eles se livram do bebê, Megan, só para você poder continuar com sua preciosa carreira.

— E *você* sabe o que significa passar por uma gravidez sem um pai? — disse Megan. — Ou ter uma vida de mãe solteira? Eu vejo isso todo dia na clínica... Mulheres com a vida arrancada delas. Você fica sentada em Highgate esperando que Paulo chegue em casa e não tem idéia do que as mulheres estão passando no mundo real. Desculpe, Jessica... Isso não vai acontecer comigo.

— Quanto egoísmo. Que maldito egoísmo. Acha que não estou no mundo real? O que faz você pensar que Hackney é mais real do que o lugar onde moro?

— Não tem nada a ver com você, Jess — disse Cat. — Não tem a ver com você, Paulo e seu filho. É uma decisão da Megan.

— Isso me deixa doente — disse Jessica. — Essas mulheres que tratam o aborto como outra forma de anticoncepcional.

— Essas mulheres? — disse Megan.

— Como se não fosse diferente de uma camisinha, uma pílula ou coisa assim. Por que deixou chegar a esse ponto? Por que teve que fazer um bebê? Por que teve que *fazer* isso?

— Não é um bebê — disse Megan. — Ainda não é. E não posso lidar com meu trabalho desse jeito... Não seria justo com o bebê.

— Você acha que *matá-lo* é justo para o bebê? Você não liga para ele, Megan. Só se importa com a sua carreira.

Jessica se levantou. Cat tentou detê-la, mas Jessica a afastou.

— Esse coitadinho, Megan. Esse coitadinho.

Jessica atirou algum dinheiro na mesa e saiu. Megan e Cat a deixaram ir. Alguns carregadores assoviaram para ela.

— É natural, não é? — disse Megan. — Não querer o filho?

Cat olhou pela janela para o mercado de carne. Tudo isso logo desapareceria. Ela de repente se sentiu exausta.

— É a coisa mais natural do mundo — disse ela.

seis

Bem acima do mar do sul da China, Kirk de repente sentiu o avião dar um solavanco, cair e seu estômago desabar.

O sinal para apertar o cinto de segurança zuniu e as comissárias de bordo começaram a passar pela cabine, acordando quem dormia e fazendo-os afivelar o cinto. A voz calma e tranqüilizadora do capitão do Aussie murmurou no sistema de som, suave como uma cantiga de ninar.

Kirk fechou os olhos e tocou a fivela do cinto de segurança. O avião estremeceu, dessa vez com mais violência, e novamente pareceu afundar no céu. Agora havia uns gritos de alarme moderados e a paranóia tácita do viajante moderno — *e se?* Kirk respirou fundo, os olhos fechados com força.

É só um pouco de turbulência, pensou ele. Já viajei muito pelo mundo.

Mas ele tocou novamente a fivela do cinto e fez o que sempre fazia quando achava que havia uma fraca possibilidade de poder morrer em um avião em poucos minutos. Tentou se lembrar de todas as mulheres com quem dormira.

Ele começara cedo, aos 14 anos, com a babá da família. Uma. Depois houve um período inativo de alguns anos até ele ter 17, e começou com sua primeira namorada de verdade. Duas.

Quando tudo terminou três anos depois, ele era instrutor de mergulho e todo dia no escritório havia mulheres de traje de banho. De três a dez.

Depois ele passou um verão nas Filipinas e descobriu as garotas de bar — de 11 a 19, ou foram vinte? Quando ele voltou a Sidney em setembro, havia uma mulher casada e mais velha cuja família era dona de uma floricultura. Ele a encontrava ali todo domingo de manhã entre as oito e as nove horas, enquanto o marido e os filhos dormiam no segundo andar, e ele estava vestido e tinha partido quando eles acordavam e começavam a se preparar para a igreja. Vinte ou 21.

E depois houve uma surfista de quem ele realmente gostara e a irmã de um amigo... Mas ele não tinha se esquecido de alguém? Ele sabia que tinha havido o breve encontro ímpar que às vezes lhe escapava da mente, mas rostos, corpos e camas pareciam se toldar e se fundir, e alguns nomes já estavam perdidos para sempre.

Aos 25, ele já não tinha certeza do número. Ele achava que passava de vinte. Não era tanto assim, quando se pensava que às vezes uma fase de monogamia durava anos, espremida entre surtos de promiscuidade desenfreada.

E agora ele chegou a pensar nisso enquanto se lembrava dos dias de loucura, quando, enquanto um relacionamento terminava, outro começava e de repente aparecia uma oferta ilimitada, ele tinha conseguido espremer três mulheres em um dia. Ele ainda não entendia como conseguira isso. Não foram as exigências físicas que cobraram um preço. Foi toda a distância percorrida.

Mas nos últimos dois anos ele fora fiel a sua namorada na Austrália. O que era uma realidade extraordinária, quando ele se lembrava de que suas viagens o levaram a bares em Bangkok, clubes em Tóquio e festas em meia dúzia de cidades européias, inclusive Varsóvia e Estocolmo, onde havia uma mulher bonita em cada canto. Ele fora fiel à garota australiana em todas essas tentações.

Até a noite em que conhecera Megan.

O que havia naquela mulher? Por que ela era especial?

Porque ele estava mais entusiasmado do que ela. Isso era um começo. Ela era nota dez — ela era gostosa, divertida e inteligente (embora "inteligente" não fosse um quesito que Kirk avaliasse). Mas o argumento definitivo era que ela simplesmente não se importava tanto quanto ele, e isso o conquistara.

Enquanto o avião tremia e se sacudia em algum lugar sobre a Indonésia, Kirk se fez todas as perguntas que agitam o amor no coração masculino.

Como posso conquistá-la? O quanto dela eu conheci?

E quando a verei novamente?

Digby entrou no Mamma-san de braço com Tamsin. Cat viu Brigitte bebendo com um casal de freqüentadores no bar e percebeu que ela recuara visivelmente, como se tivesse sido estapeada.

Cat olhou para Digby e pensou: como você pôde? Mas o mais terrível era que ela meio que entendia. Não como Digby podia vir aqui e esfregar no nariz de Brigitte seu novo relacionamento — essa crueldade casual estava além da compreensão de Cat —, mas ela podia entender como Digby tinha acabado com Tamsin. Cat vira Tamsin nos fundos do Mamma-san nos dias em que ela era só outra rata de festa esperando para esbarrar em um jogador de futebol no bar, e ela podia ver a provocação.

Se a linguagem corporal de Tamsin pudesse ser resumida em duas palavras, seriam *me fode*. Enquanto o comportamento natural de Brigitte — a orgulhosa, forte e glamourosa Brigitte — sugeria *vá se foder.*

Cat viu Digby e Tamsin no tanque de lagostas, escolhendo seu prato principal. Quando ela olhou novamente para o bar, Brigitte tinha fugido para a cozinha. Ela decidiu que não ia permitir que ninguém humilhasse a amiga. Não naquele lugar.

Digby, que Cat achava bonito mas com um charme tão oleoso que dava para fritar macarrão nele, tinha o jeito empolado e arrogante do homem mais velho com a mulher mais nova. Enchendo-se de coragem para os aplausos ou para os risos.

Tamsin também fazia sua parte para se adaptar a seu estereótipo sexual, agarrando-se ao braço dele como se *ele* fosse o gostosão, e não ela, como se um cartão American Express preto fosse superior à juventude dourada. Ela era esse tipo de idiota.

Saia muito curta. Peitos estranhamente imóveis. Impraticavelmente loura. Digby tinha trocado Brigitte por essa bonequinha de trepar? Era como preferir uma boneca inflável a uma mulher de verdade.

Cat atravessou o restaurante com um sorriso simpático, sabendo que a promessa de se manter amigos era impossível para um homem como Digby. Romper não era o bastante para um homem daqueles. Era preciso se certificar de que a ex fosse infeliz.

— Digby, que bom ver você.

— Já sei qual a que eu quero, Cat — disse Digby.

Tamsin se curvou, apertando o nariz arrebitado no aquário, a saia subindo nas coxas douradas. Os homens das mesas adjacentes prenderam a respiração, os hashis tremendo de cobiça. Um grupo de lagostas agitava as pinças para Tamsin em câmera lenta.

— Mas eu pensei que elas fossem rosa — disse ela.

— Só quando fervidas — disse Cat.

— Gosto delas quando estão frescas — disse Digby, apertando a cara carnuda no tanque, considerando as lagostas. — Vou ficar com aquela, Cat — acrescentou ele, apontando para o crustáceo maior.

— Vou cuidar para que fique como você gosta, Digby.

Depois de indicar ao chef a lagosta que eles tinham escolhido, Cat achou uma boa mesa para eles. Ela pegou os pedidos das bebidas — vinho branco para Tamsin e Asahi Super Dry para Digby. Cat os viu cochichando seus segredos com risinhos e Digby passou a língua na orelha de Tamsin, fazendo uma boa limpeza nela. Depois Cat foi para a cozinha para ver como estava Brigitte.

— Está tudo bem?

Brigitte tentou rir, mas não conseguiu grande coisa. Parecia mais que estava dando um pigarro. Cat ficou chocada em vê-la assim desfeita. A vida desimpedida devia ser indolor.

— Aposto que ela fode com o cérebro dele — disse Brigitte.

— Não sabia que ele tinha um. Com licença.

Cat saiu para falar com o chef.

E ela se certificou de estar parada por perto quando a lagosta, agora rosada da queimadura e pacificamente postada em um leito de rábano em fiapos, era servida a Digby e Tamsin em uma travessa de madeira japonesa.

Houve um momento em que nada aconteceu — quando os comensais e sua refeição de olhos de conta pareciam quase hipnotizados pela visão um do outro. Depois Cat viu os sorrisos em seus rostos desaparecerem enquanto, com um esforço considerável, a lagosta se erguia da travessa de madeira e começava a se arrastar pelo prato, as garras deixando rastros finos de lascas brancas no rábano.

Tamsin gritou. Digby pegou a faca de manteiga, como para defender a si mesmo e à bonequinha de trepar. A lagosta lentamente saiu da travessa de madeira e começou sua marcha lenta pela mesa em direção a Tamsin, que agora guinchava de pavor, e para os peitos inflados dela.

— Quer um pouco de wasabi nela? — disse Cat.

Era assustador ser desimpedida demais, pensou ela mais tarde. Toda essa história de ser desimpedida podia ir demasiado longe. Cat agora via isso. Era preciso conseguir o equilíbrio certo.

Uma pessoa precisava ser desimpedida, mas não ficar à deriva; livre, mas não perdida; e amada, mas não sufocada. Mas como conseguir tudo isso?

— Vamos para um *club* — disse Brigitte a Cat. — Tem o DJ Cake contra os Glitter Twins na Zoo Nation. Quer ir?

Era quase uma da manhã. O restaurante tinha fechado e os funcionários estavam limpando a comida com as caras cansadas e carrancudas. Os táxis já estavam alinhados junto à calçada, esperando para levá-los para casa. Uma parelha de garçonetes louras tingidas e de piercing adejavam com deferência atrás de Brigitte, olhando para Cat com expectativa.

— Ah, vamos — disse Brigitte empolgada. — Vai ser divertido.

Talvez alguns anos antes, pensou Cat. Talvez antes de eu ter alguém com quem me enroscar e me aninhar.

— Divirta-se você com os rapazes e o DJ Cake — disse ela. Pela janela de vidro laminado do Mamma-san, Cat pôde ver Rory encostando o carro. — Vou para casa.

— Leve o Rory.

— Ele é muito sossegado — disse ela.

Cat não lamentava por Brigitte. Ela sabia se divertir. Mas Cat não conseguiu pensar em nada de que gostaria menos do que estar em um buraco escuro ouvindo uma música vagabunda com uma gente drogada e 15 anos mais nova.

Cat pensou: é isso o que acontece? Se você não se acomoda quando o mundo lhe diz para se acomodar? Você termina se drogando em um club quando tem 40 anos?

Era tão desimpedido que doía.

Jake se mudara para a casa de Rory.

Uma solução temporária, até que as coisas se acalmassem com a mãe e o padrasto, que aparentemente — como sempre, a dura realidade sobre as desavenças domésticas eram meio obscuras — tinham pego Jake sacrificando virgens na estufa ou coisa parecida.

De muitas formas, Rory era o homem mais tranqüilo que Cat conhecera na vida. Ela entrava e saía do apartamento dele como bem entendesse, trabalhava até tarde sem dar explicações ou desculpas, não tinha vontade de informar seu paradeiro quando eles não estavam juntos.

Amada sem ser sufocada — não era exatamente o que ela queria? Ele não era tão possessivo como os outros homens foram, nem tão grudento como muitos deles, e não era tão fixado na história sexual de Cat como todos eles.

Ele queria que o relacionamento desse certo, que durasse e que ambos fossem felizes. Ela podia ver isso brilhando nos olhos tímidos e divertidos de Rory. Mas ela não podia fazer a menor crítica ao filho dele. Essa era uma coisa proibida.

Desde a última briga de Jake com a mãe, Cat nem mesmo pôde sugerir que Rory dormisse na casa dela. Jake — o Sr. Sensível — podia pensar que ela queria evitá-lo (como à peste, na verdade, porque ela chegara à conclusão de que o menino de 12 anos de rosto luminoso desaparecera para sempre). Rory se corroía constantemente com uma coisa chamada a auto-estima de Jake. Cat se perguntava se sua mãe tinha pensado alguma vez na auto-estima da filha ao dar as costas às três meninas e pegar um táxi para a nova vida.

— Oi, Jake, chegamos! — gritou Rory enquanto eles entravam no apartamento e encontravam Jake acariciando os seios de uma garota magra, caída no sofá. O lugar fedia a pizza rançosa, sexo adolescente e o que Cat identificou como a Vermelha Marroquina. A *Cannabis* não era do gosto de Cat, mas grande parte do pessoal da cozinha do restaurante dava uns tapas no intervalo do chá.

E o pessoal da minha cozinha era adulto, pensou ela. Não tinha acabado de passar pela puberdade.

— Não dá pra bater na porra da porta? — rebateu Jake, e Cat quase riu disso. A idéia de uma pessoa bater antes de entrar em sua própria casa. Ela tentou encontrar outra coisa para olhar enquanto a menina vestia o sutiã e puxava a camiseta para baixo, e Jake ajeitava a ereção na calça Levi's. Cat viu que a garota usava uma daquelas camisetas modernas e irônicas em que o mesmo *slogan* é repetido incessantemente.

Eu culpo os pais

Eu culpo os pais

Eu culpo os pais...

— Oi, Misty — disse Rory —, sua mãe sabe que você está aqui?

— Ela não liga, aquela piranha velha.

Os dois adolescentes reprimiram o riso com essa tirada.

— Bom, por favor, avise a ela que vai dormir aqui. Vai fazer isso?

O olhar chapado de Misty pareceu se dirigir a um ponto acima do ombro de Rory.

— Querem comer alguma coisa, crianças?

— Não estou com tanta fome — disse Jake, preferindo tomar isso como um insulto, como fazia com tudo o que o pai dizia.

— Bom... Boa noite, então.

Mas eles já estavam perdidos no materialismo banal de seu programa de TV. Carrões, mansões brancas, garotas de biquíni à beira da piscina. Pelo menos nós sonhávamos com a liberdade, pensou Cat. Quando é que os sonhos das crianças se transformaram nos sonhos dos homens de meia-idade?

— Drogas? — disse Cat. — Não sou uma puritana, Rory... Deus sabe, você encontra todo tipo de coisa em uma cozinha... Mas eles não são meio novos demais para se drogar?

— Eu queria que fosse verdade — disse Rory com tristeza. — Mas eles encontram as drogas quando chegam aos 15 anos. E Ali e eu concordamos que é melhor que ele pegue leve debaixo de nosso teto do que pegue pesado em outro lugar.

Ali e eu, pensou Cat, e isso fez seu sangue ferver. Eles estavam divorciados havia anos e Rory ainda falava como se fossem uma espécie de parceria. Por causa da criança crescida demais e cheia de caprichos.

— Odeio o modo como ele fala com você — disse Cat a Rory enquanto eles se despiam. Foi um despir-se apático. Eles não iam transar esta noite, ela sabia disso. — E odeio o modo como você fala com ele.

— Como eu falo com ele?

Mantendo o tom de voz neutro, sem querer brigar.

— Como se você pedisse desculpas por existir.

— É isso que faço? Não é minha intenção. Eu o amo, é só isso. Ele é meu filho. Talvez, se você tivesse filhos...

— Talvez. Mas não vou ter filhos com você, vou?

Ele virou a cabeça, melindrado, e ela lamentou de imediato pelo que dissera. Não queria magoá-lo. E não queria ter filhos com ele, nem com mais ninguém. Queria? Ao mesmo tempo, ela não queria terminar indo a clubs quando tivesse 40 anos. Ah, merda, às vezes ela não sabia o que queria.

— É verdade, Cat. Você não vai ter filhos comigo.

— Ah, Rory, você sabe que não quero ter filhos.

— Eu me preocupo com ele, é isso. Sempre me preocupei com ele. Antes de ele nascer, eu me preocupava que a mãe dele pudesse ter um aborto espontâneo. Depois, quando ele era bebê, eu me preocupava que ele sufocasse no berço. Eu não conseguia deixá-lo sozinho, era fisicamente doloroso deixar que ele dormisse ali sozinho. Depois, quando ele estava crescendo, eu me preocupava com motoristas bêbados e pervertidos sexuais e doenças letais. Essas coisas acontecem com crianças de verdade.

— Eu sei que sim — disse ela. Mas Cat tinha vontade de gritar, *mas o que isso tem a ver com a gente?*

— E agora estou preocupado com o divórcio e o que ele fez com Jake... O quanto o magoou, o que fará com os relacionamentos e a felicidade dele. Estou preocupado com o que o mundo pode fazer com ele, e me preocupo com o que eu tenho feito a ele. Quando um bebê nasce... Não, nove meses antes disso... Você pega um temor imenso, e isso nunca mais passa. Não quando se é pai.

Na sala, Cat podia ouvir os risos desumanos dos adolescentes. Ela não queria discutir com seu bom homem.

— Deixa pra lá — disse ela. — Tive uma noite ruim.

Ela contou a ele sobre Digby aparecendo no restaurante com Tamsin. Ele deu aquele sorriso pesaroso quando ela contou sobre a lagosta e a vingança dela.

— Digby se sente ameaçado por Brigitte — disse Cat. — Foi por isso que ele a deixou em troca daquela piranhazinha. Ele não consegue lidar com uma mulher bem-sucedida.

— Bom... Não é que Digby se sinta necessariamente *ameaçado* por Brigitte — disse Rory com cautela, sem ter certeza se queria entrar nesse assunto. — Às vezes os homens não querem uma réplica deles mesmos. Alguém que seja... Sabe como é... Bem-sucedido, motivado, obcecado por trabalho, todas essas coisas.

Cat começava a tirar a roupa.

— Mas Brigitte é formidável. E a educação, os ganhos, as realizações profissionais?

— Isso não é uma candidatura a emprego, Cat. Às vezes um homem quer uma mulher que possa trazer alguma coisa nova.

Ela atirou a camiseta nele.

— Ah, quer dizer, tipo um par de tetas de 24 anos?

Ela tirou as calças com um chute e foi para o banheiro da suíte.

— Só estou dizendo. — Ele começou a dobrar a camiseta dela. — É um erro pensar que os homens só querem uma cópia deles mesmos. Onde está a lei que diz que os homens só podem querer mulheres da idade deles?

Ela saiu do banheiro só de calcinha, a escova de dentes na mão. Ela sentiu os olhos dele percorrendo suas pernas longas e viu que ele prendeu a respiração.

— E o que você quer? — disse ela.

— Você sabe o que eu quero, Cat. Eu quero você.

Talvez eles afinal fossem transar.

Megan estava mudando.

O cabelo estava ficando menos oleoso, a pele tornava-se mais macia e os seios, sempre abundantes, ficavam mais cheios e mais redondos, quase um constrangimento de tão fartos. O enjôo crônico e exaustivo agora estava mais fraco, e no entanto se tornara mais seletivo. Ela não podia passar pela Starbucks ou pelo McDonald's sem ter vontade de vomitar. Uau, pensou ela. É um feto antiglobalização.

A médica que havia nela sabia que o bebê não era um bebê de todo — tão pequeno que quase não existia, apesar do aperto que sentia na cintura. Só três centímetros de comprimento da cabeça ao traseiro. Não era uma criança. Não era um bebê. Um problema que seria resolvido na manhã do dia seguinte. Certamente não era assassinato.

E no entanto...

Ela sabia que um exame mostraria dedos minúsculos nas mãos e nos pés. Os olhos já estavam se formando, e também o nariz, os braços e a boca. Os órgãos internos já estavam presentes. Era difícil se iludir de que estava se livrando de uma coisa que não era uma vida humana.

Ela ficou parada à janela de seu pequeno apartamento vendo as ruas de Hackney, ainda enxameando de gente que se dirigia a seus prazeres pós-meia-noite.

Os olhos de Megan de repente se encheram de emoção. E Megan pensou, Ah, meu Deus, por favor, me deixe acabar com isso. O que mais eu posso fazer?

Ela vestiu o pijama e abriu uma garrafa de vinho branco. E então Jessica tocou a campainha.

Megan abriu a porta para ela, surpresa de que a irmã não tivesse se livrado da bolsa Prada a que estava agarrada, e de certa forma não muito surpresa em vê-la. Era quase como se Megan estivesse esperando por ela.

Jessica sentou-se no sofá que tinha sido usado por incontáveis outros inquilinos, tentando não parecer desaprovadora. Megan encontrou outra taça e serviu uma bebida para ela.

— Você não devia... — Jessica se interrompeu e estendeu a mão para pegar a taça. — Obrigada.

Megan tomou um gole, cansada.

— Acho que beber enquanto estou grávida é bem acadêmico, não é? Não me passe sermões, Jess, por favor. Não estou com humor para isso hoje.

O rosto de Jessica estava pálido e lindo, seus traços um coro de perfeita simetria. Nossa mãe, pensou Megan. É por isso que Jessie é tão bonita. É ela que se parece com nossa mãe.

— Eu não vim aqui para te passar sermão — disse Jessica. — Só queria que você soubesse que está enganada em relação a mim. Você acha que eu tenho inveja de você.

Paulo e eu tentamos tanto ter um filho... E aí você engravida só de olhar para um cara.

— Houve um pouco mais do que isso — disse Megan delicadamente.

— Você entendeu o que eu quis dizer. Você acha que estou jogando minha decepção em você.

— Eu não a culparia. Sei que deve parecer injusto. E é injusto mesmo... Mas essa é a natureza aleatória de todas as coisas. As pessoas que querem filhos não conseguem ter, e quem não quer tê-los engravida em uma ficada. A Mãe Natureza é uma puta velha insensível.

— Vou beber a isso.

As irmãs bateram as taças.

— Mas há outro motivo para eu ficar tão aborrecida — disse Jessica. — Você acha que sou meio ingênua, não é? Casada, fazendo as unhas enquanto você está curando gente doente, sonhando com nada mais do que com meu próprio filho. — Jessica ergueu a mão manicurada, impedindo as objeções da irmã. — Sei que é diferente da sua vida. E da vida de Cat também. Mas não sou assim tão ingênua como pareço. — Jessica tomou um gole, respirou fundo. — Eu fiz um.

— O quê?

— Eu fiz um aborto. Há muito tempo. Quando tinha 16 anos. Meu Deus, eu era tão idiota.

— Eu nunca...

— É claro que não. Você tinha 12 anos. Você era uma garotinha. Cat sabia. Ela me ajudou. Veio de Manchester para me ajudar. Eu devia estar na excursão de esqui com a escola.

— Eu me lembro dessa viagem. Você ficou machucada. Seu joelho.

— Não teve viagem nenhuma. Eu estava em outro lugar. Me livrando do bebê.

— Meu Deus, Jess.

Jessica sacudiu a cabeça e Megan pôde ver que aquilo ainda era um ponto sensível. Não tinha passado tanto tempo assim para a irmã. Não era outra vida. Ainda estava acontecendo.

— O papai... Você podia contar qualquer coisa a ele. Ele era um bom pai, ele fazia o máximo, mas você sabe como ele era.

— Talvez, se ele tivesse filhos homens — disse Megan. — Talvez fosse diferente. Talvez ele fosse mais próximo dos meninos.

Ela ainda estava em choque. Jessica — grávida? Jessica — fazendo um aborto, e Cat ajudando-a, enquanto Megan fazia o dever de casa, brincava com suas bonecas e andava de bicicleta? Eu nunca soube, pensou Megan, eu nunca soube.

Ela queria ter ajudado a irmã na época e queria poder ajudá-la agora. Mas na época ela era uma criança, o bebê da família, e agora ela estava prestes a passar exatamente pela mesma coisa que Jessica. Ela ainda teria Cat a seu lado, cuidando dela.

— Não tenho certeza se eu poderia ter saído dessa com os dois pais presentes — disse Jessica. — Ou talvez eles tivessem toda essa confiança, talvez ninguém quisesse acreditar que essas coisas acontecem com sua garotinha.

— Quem foi?

— Um garoto que já tinha namorada. Um cara que eu achei que amava. Um garoto do time de futebol que pensava que era uma dádiva de Deus. Ele que se foda, Megan... Espero que tenha uma vida infeliz com uma esposa gorda. Ele não é importante. O que importa é que... Eu engravidei, não foi? Eu provei que posso. Mas agora, que eu quero... Não consigo.

— Não existe ligação entre o que você viveu aos 16 anos e o que está vivendo agora.

— Olha, eu acho que você está errada. Eles vendem o aborto como se fosse... Sei lá... Um procedimento clínico indolor. E não é assim de jeito nenhum. É como ter a melhor parte de seu corpo arrancada. Nós misturamos nossos corpos, Megan. Cortamos. Jogamos fora os bebês. Nós fazemos isso. E depois ficamos surpresas quando não conseguimos ter um quando queremos!

Megan se sentou no sofá e abraçou Jessica. Ela a apertou tanto que um osso estalou.

— O que mais você podia fazer, Jess? Você não podia ter um filho com esse garoto. Não podia se tornar mãe enquanto ainda estava na escola. Você deve saber disso.

— Eu sei, eu sei. Mas fazemos muito isso. Mutilamos nosso corpo porque ainda não estamos prontas, porque a época é errada, porque é o homem errado. E depois ficamos surpresas quando não conseguimos ter um filho na hora em que realmente o queremos.

Megan enxugou os próprios olhos com a manga do pijama. Depois enxugou os olhos da irmã.

— É uma época difícil para você. E para Paulo também.

— Eu só queria te dizer que não é inveja, nem mágoa. Eu me preocupo com você. Me preocupo com esta coisa que você vai fazer. E eu te amo.

— Eu também te amo, Jess. Não se preocupe. Você vai ter seu filho e, quando tiver, será uma mãe incrível.

— Você sabe o que eu realmente quero? Eu quero ser eu mesma de novo.

Megan ouvia aquelas palavras de pessoas doentes todo dia no consultório. *Esta não sou eu. Quero ser eu mesma de novo. Para onde foi meu verdadeiro eu? Eu quero a minha vida de volta.*

— É — disse Megan. — Eu também.

Jessica passou a noite lá.

Era tarde demais para ir para casa, e de qualquer forma ela disse que queria ir com Megan na consulta. Quando Megan tinha 12 anos, ela era nova demais para fazer parte do que Jessica vivera. Mas agora as irmãs eram adultas. Agora elas podiam ficar juntas. Agora elas podiam se ajudar.

Sem sequer precisar discutir o assunto, elas dormiram juntas na mesma cama, como faziam quando crianças.

Megan se aninhou nas curvas do corpo da irmã, abraçando-a até que o sono chegasse, quase como se a irmã mais nova sentisse a necessidade de proteger a mais velha de todas as coisas que estavam lá fora, movendo-se na escuridão.

Cat estava esperando na clínica.

Quando Megan chegou com Jessica, tudo voltou. Jessica aos 16 anos, seu mundo se desenredando. "Encrencada", como ainda chamavam na época. O garoto e os amigos dele no canto, sorrindo para as irmãs que passavam no Fusca enferrujado de Cat, a caminho da fictícia excursão de esqui de Jessica. A sala de espera exatamente como esta, tão anti-séptica e clínica quando a de um dentista. E Jessica depois, após o aborto, escondida no alojamento de Cat por uma semana como um animal ferido, anos mais nova do que Cat e as amigas dela, estilhaçada e trêmula, como se não fosse a vidinha minúscula dentro dela que tinha sido arrancada, mas a dela própria. Nova demais para essa experiência. Nova demais.

Cat pensou: por que estava voltando tudo? Isso era diferente. Megan era uma mulher adulta. Uma médica — ou prestes a se tornar médica. Megan estava com os olhos limpos e calma quando chegou. Não era vítima de ninguém. Uma mulher, não uma menina. Uma mulher que sabia o que tinha de fazer.

— Posso ajudá-la? — disse a senhora na recepção, e as três irmãs a ignoraram. Megan e Jessica se sentaram de cada lado de Cat, seus corpos tão próximos que podiam sentir o calor uma da outra.

— Apareceu uma mulher no meu consultório — disse Megan. — A Sra. Summer. De um daqueles conjuntos habitacionais. Sunny View... O pior de todos. Um bando de filhos e outro a caminho. Teria sido difícil ter aquele bebê. O novo bebê. Mas ela o perdeu. E o estranho é que... Que foi ainda pior.

Sim, era muito diferente desta vez, pensou Cat, entendendo de repente.

Porque desta vez sua irmã ia ter o filho.

sete

Cada um de nós é um milagre, pensou Paulo.

Quais eram as chances contra a vida? Contra qualquer vida? Contra a vida de todos nós? Quando se pensa em todos os incontáveis bilhões de espermatozóides que caem em solo pedregoso, os muitos óvulos que foram destinados a fazer sua jornada solitária sem serem fertilizados e a quase impossibilidade de que um espermatozóide e um óvulo quaisquer se encontrem, era uma maravilha que alguém conseguisse nascer.

Tudo o que resta é um de nós, pensou Paulo. Um milagre ambulante.

Ele baixou os interruptores e as luzes se apagaram na loja. Os quatro carros na vitrine reluziram com o brilho da rua. Dois Maserati Spyders, o Lamborghini Murcielago e o mais veloz de todos, a Ferrari Maranello.

Paulo parou por um momento, o coração doendo ao ver toda aquela beleza italiana e metálica de suspensão rebaixada. Depois digitou os números do sistema de alarme.

Sempre fora responsabilidade de Michael trancar a loja à noite. Isso mudara depois que Chloe nasceu. Agora Michael desapareceria cedo, e Paulo dava de ombros alegremente para o trabalho a mais. Quando se tem um filho, pensou Paulo, o trabalho fica diferente. Não é tão central em sua vida. Deixe que Michael vá para casa e curta algum tempo de qualidade com a linda bebezinha. Pela primeira vez na vida, Paulo invejou o irmão.

Com o sinal de alerta do alarme zumbindo, Paulo foi para a porta, as chaves na mão. Depois parou. Havia um som que não devia estar ali. Vinha do escritório de Michael.

Paulo rapidamente digitou o código de novo e o alarme caiu em silêncio. Ele pôde ouvir o murmúrio baixo de vozes. Ele deu uma olhada na loja. Quanto isso tudo valia? Nas lojas de conveniência do bairro, os funcionários eram esfaqueados com freqüência por um punhado de dinheiro miúdo, e as aposentadas eram espancadas por uma bolsa que nada continha a não ser moedas e ração de gato. Ali, o aluguel era barato e a vida também.

Havia uma caixa de ferramentas atrás da mesa de recepção. Paulo abriu a caixa com o maior silêncio que pôde e pegou uma chave inglesa. Depois, ciente de sua respiração curta e das mãos que tremiam de medo, ele seguiu devagar para o escritório às escuras, segurando a chave inglesa como um porrete.

Gritando mais de medo do que de raiva, Paulo abriu repentinamente a porta do escritório de Michael e acendeu a luz.

E ali estava Ginger em cima da mesa, de quatro, a saia puxada acima dos seios e a calcinha baixada até os joelhos, e arremetendo por cima dela, quando devia estar em casa com a mulher e a filha, estava o irmão Michael.

Quando ficaram sozinhos — e Ginger bateu o recorde olímpico de vestir calcinha e sutiã —, Paulo deu um tapa na cara de Michael, com a maior força que pôde, naquele irmão que sempre fora capaz de bater nele. Paulo não se importou nessa noite. Ele se sentia feroz e descontrolado, como se alguma coisa inestimável tivesse sido insultada ali.

— Seu idiota. Não dá para acreditar. Você tem uma vida perfeita e está estragando tudo.

O rosto de Michael se retorceu num sorriso amargo. Havia uma marca vermelha latejando na face com a barba por fazer.

— O que você sabe da minha vida?

Paulo tentou bater novamente nele, mas Michael se esquivou do golpe com facilidade.

— Você não entende.

— O que eu não entendo, Mike? Que as coisas não são como eram em casa? Pare com isso. Você agora é pai.

— Você não entende como elas mudam. As *mulheres*. Quando têm um filho. Não entende como mudam.

Paulo sentiu a discussão escapando dele. Michael estava complicando as coisas. E elas não eram nada complicadas.

— É claro que elas mudam. Você não é mais o centro do mundo delas. É assim que deve ser.

— Para você, é fácil falar. — De repente era Michael quem parecia com raiva. Ele cresceu diante do irmão, os punhos fechados ao lado do corpo. — Posso lidar com o sono interrompido... Noite após noite, um mês depois do outro. Essa sensação eterna de estar totalmente demolido... Eu posso lidar com isso.

— É ótimo de sua parte.

— Posso até lidar com a Naoko rejeitando o sexo — disse Michael. — Ou tão cansada que nem mesmo pensa nele. Ou não gostar mais de mim. Ou o que for. Posso lidar com isso.

— Michael... Você tem uma garotinha linda. Pelo menos uma vez na vida, pare de pensar em transar.

Quando os dois eram muito mais novos, Paulo admirava a facilidade de Michael com as mulheres. O modo como as mulheres voavam para o irmão, como caíam aos pés dele, como ele sempre estava passando de uma a outra. Agora isso parecia um fardo. Paulo pensava que Naoko — tão diferente fisicamente das louras que Michael pegava em Essex — daria um fim a tudo isso. Agora Paulo se perguntava se isso teria um fim.

— Quando uma mulher tem um filho, tudo fica diferente — disse Michael, agora em voz baixa. Ele queria que o irmão entendesse. — Você não significa mais tanto para ela. Não ocupa mais tanto espaço no coração dela.

— Você tem uma família perfeita — disse Paulo. — Quer realmente desfazê-la? É o que você quer? Quer que Chloe cresça sem o pai? Como muitos desses pobres bastardos por aqui?

Michael sacudiu a cabeça.

— Você acha que tudo é muito simples, não é, Paulo? Acha que consegue o emprego, consegue a garota, a casa... E o bebê. E depois vive feliz para sempre.

— O que mais você queria? Devia estar grato. Devia se considerar com sorte.

— Não venha me passar sermão. Eu amo a minha filha, seu hipócrita de merda. E eu amo a minha esposa. Eu a amo tanto quanto posso amar alguém.

— Tem um jeito estranho de demonstrar isso.

— Mas um bebê não completa seu mundo. Não se você é homem. Um bebê é um *rival*. E você não pode competir, simplesmente não consegue competir. — Michael pegou a chave inglesa da mão de Paulo e a colocou delicadamente na mesa. — Ela encontrou alguém mais amável do que eu. Nossa filha. E aí, como é que eu fico?

— Vá para casa, Michael. E pense nas suas bênçãos.

— Quando uma mulher tem um filho, ela muda. Não sei como explicar isso. — Michael sorriu com tristeza para o irmão mais velho. — É quase como se ela tivesse se apaixonado por outro.

— Minha garotinha — disse a mãe de Megan. — Está passando por uma coisa horrível, eu sei.

Olivia recebeu a filha em seu apartamento. Saltos e maquiagem, pensou Megan, enquanto a mãe fechava a porta. Ela usava saltos e maquiagem até quando estava sozinha em casa.

— Todos temos esses pequenos acidentes. Eu passei por isso antes de rodarmos a segunda temporada de *Vicar*. E muito antes disso... Antes de seu pai, até... Houve um fotógrafo que estava me ajudando a fazer um book. — Olivia, que raramente tocava nas filhas, afagou as costas de Megan, avaliando o estado da filha. Ainda bonita, pensou Megan. Ela podia entender por que os homens da idade dela ainda se sentiam atraídos pela mãe. — Preciso dizer, querida, que você não parece realmente tão mal.

— Vou ter.

— O quê?

— Não vou passar por isso, mãe. Vou ter o bebê.

— Mas... Por que você faria uma coisa dessas?

Megan deu de ombros. Não podia contar à mãe sobre a Sra. Summer. Não podia explicar que ter o filho era difícil, mas não tê-lo seria infinitamente pior. Como explicar essa sensação de ser dilacerada? Ela se sentou no sofá. Os surtos de náusea estavam passando, mas ela começava a se sentir cansada o tempo todo.

— Eu quero ter — disse Megan simplesmente. — Eu quero esse bebê.

— Mas... Você é nova demais para ter um filho!

— Eu tenho 28 anos, mãe. Um pouco mais velha do que você quando teve a Cat.

— Eu era casada, querida. Com uma aliança no maldito dedo. E ainda assim foi uma merda de desastre.

— Isso não vai ser um desastre.

— Onde está o pai? Ele está participando?

— Não, ele saiu de cena.

— Megan, você tem alguma idéia do que está assumindo? As noites insones, a exaustão, os choros, os cocôs e os ataques histéricos?

— Ser mãe é só isso, não é? — Megan soltou um suspiro. — Eu sei que vai ser difícil. Sei que será a coisa mais difícil que já fiz na vida.

— Você nem faz idéia. Já é bastante difícil se você tem um marido, uma babá e algum dinheiro no banco. Experimente fazer isso sozinha com a mixaria que o NHS paga a você.

— Jessica disse que vai me ajudar.

— Jessica tem a própria vida.

— Ela foi sincera. Eu sei que ela foi. Ela disse que está enjoada de fazer compras e massagem facial e esperar que Paulo chegue em casa. Jessie vai ficar feliz em cuidar do bebê enquanto estou no trabalho.

— E se Jessica finalmente engravidar?

Megan não tinha pensado nisso. Depois de tudo o que vira nos hospitais e nos consultórios médicos, era realmente possível que a mãe soubesse mais do que aparentava? Megan sentiu um estremecimento de medo. E se não tivesse a ajuda de ninguém? No que ela estava se metendo? Ela viu os anos se estendendo à frente — uma sentença de 18 anos. Depois viu o rosto maquiado da mãe se retorcer de angústia e pensou, talvez você nunca fique livre dos filhos.

— E a sua carreira? E todos aqueles anos de faculdade e todas as provas que fez?

— Vou continuar trabalhando. — Ela não parecia ter tanta certeza agora. — É claro que eu vou. Não posso abandonar o trabalho. Como você diz, eu não tenho uma aliança no dedo.

— Você é uma bobinha, Megan.

A voz da mãe estava carregada de decepção.

— Por que está com tanta *raiva* de mim?

— Porque está jogando a sua vida fora!

— É isso? Ou você odeia a idéia de ser avó? Porque será a confirmação definitiva de que não está mais na flor da juventude.

— Ah, não seja ridícula.

— Por favor. Não quero que fique com raiva de mim, mãe, quero que você fique feliz.

— Feliz? Minha filha age como uma garotinha idiota e quer que eu fique feliz?

— Eu quero que você ame esse bebê. Quero que você fique feliz.

— Então vá embora — disse Olivia. — Se quer me ver feliz... Vá embora.

E Megan foi, e pela primeira vez os aspectos práticos de sua nova vida tomaram vulto. Onde esse bebê sem nome e inimaginável dormiria em seu pequeno apartamento? Será que a música dos vizinhos a manteria acordada? O que realmente aconteceria quando Megan estivesse no trabalho? Jessica seria mesmo capaz de cuidar dele durante o dia, todo dia, como se fosse um emprego? Como seriam as noites com o bebê dormindo — ou chorando — ao lado dela?

Megan analisou sua situação, e embora as dúvidas e sombras não desaparecessem, alguém ou alguma coisa parecia sussurrar, *a coisa certa, a coisa certa, você está fazendo a coisa certa.*

Cat mudou depois que Megan decidiu ter o filho.

Rory não conseguia entender, mas de repente ela parecia agir como se a cirurgia que ele fizera tivesse muita importância.

O corte. O talho. O bloqueio nos testículos. Isso nunca tivera importância no passado. Ela não queria ter filhos! Deus sabia disso, ele não queria filhos. Então a vasectomia era uma espécie de bônus. E aí Megan cancelou a hora marcada na clínica e as coisas ficaram meio diferentes.

Talvez tivesse mais a ver com a ex-mulher do que com Megan. Um dia Ali apareceu para pegar Jake com a filha de cinco anos, Sadie, no colo.

Havia algo de inegavelmente impressionante em Ali. Rory tinha de admitir isso, embora o amor dos dois estivesse morto e enterrado anos antes.

Ali era baixa e loura, mas tentou ir bem mais longe — estava bronzeada e tonificada, com uma beleza que tinha entrado na meia-idade sem parecer absurda. Ali tinha um ar de autoridade silenciosa. Jake ficava quase humilde na presença vivaz e autoritária de Ali, enquanto ela ficava de pé observando-o guardar seus pertences e enfiá-los no grande BMW X5 4×4 — perfeito para levar Sadie às aulas de balé.

— Por que o Jake-Jake está morando aqui, mãe? — perguntou Sadie.

— Ele só andou passando um tempinho com o papai dele, querida — disse Ali. — Agora está na hora de ir para casa.

— Ele pode voltar quando quiser, o garotão — disse Rory, dando uns tapinhas nas costas do filho.

Curvado de constrangimento adolescente, Jake reunia os CDs que estavam espalhados pela mesa de centro sem olhar o pai nos olhos.

— Mas talvez da próxima vez ele possa levar para casa a seda dele — disse Cat baixinho.

Rory e Ali a encararam.

— Mamãe? — disse Sadie.

Cat sabia que tinha sido um erro dizer aquilo. Mas ela não conseguiu evitar. Só porque Rory e Ali eram obrigados a negociar um campo minado emocional, não era motivo para que ela fingisse que Jake não era um pesadelo ambulante.

— O que está sugerindo? — disse Ali.

— Que Jake é novo demais para se drogar — disse Cat.

— *Cat* — disse Rory.

— Como se atreve? — disse Ali. — Como ousa se meter nos assuntos da minha família?

— Não posso evitar. Me desculpe. Só estou dizendo... Vocês o deixam solto demais.

— Estou pronto, mãe — disse Jake.

Sadie pegou a mão dele, sorrindo radiante para o meio-irmão mais velho.

— Jake-Jake — disse ela.

— Meu filho passou por uma pressão enorme — disse Ali, tremendo de emoção. — Mas eu não esperava que alguém como você entendesse isso.

— Alguém como eu?

Ali deu um sorrisinho.

— Alguém que nunca teve a própria família.

— Eu tive uma família — disse Cat, tentando manter a voz calma. — Não tive filhos, é verdade. Mas não venha me dizer que não tive uma família.

Depois eles se foram e Rory tentou compensar. Tarde demais. Cat estava furiosa — com Rory, por deixar que a ex-mulher passasse por cima dele. Com Jake, por entrar na vida dos dois. Com Ali, por ser uma piranha tão fria e hipócrita. E com todo o resto que ela não conseguia nomear. Tinha algo a ver com as limitações de sua vida. Ela não queria limites impostos à própria vida. Ela queria que suas opções ficassem permanentemente em aberto.

— Cat?

— Vou embora!

— Fique! Vamos lá. Finalmente temos a casa só para a gente.

— Ela realmente mantém as opções *dela* em aberto, não é?

— Quem?

— Quem? Sua ex-mulher. Ali teve uma segunda chance para corrigir tudo, não foi? Outro casamento, outra filha, outra vida. Você e ela... Isso foi só o primeiro passo no casamento. O ensaio dela. Ela começou de novo.

— Por que está tão irritada comigo?

Ela se virou para ele, branca de fúria e com lágrimas nos olhos. Isso o assustou. Ele a estava perdendo, e não queria perdê-la.

— Por que teve que fazer aquela cirurgia idiota? Por quê? Mutilando-se daquele jeito. Fazendo isso por essa puta fria que partiu para outra e teve um filho com o primeiro homem que apareceu. Por quê?

Rory ergueu as mãos.

— Porque... Porque não queríamos mais nenhum filho. Porque parecia a coisa certa a fazer na época.

— E aí ela partiu para outra. Mas não você. Você ficou preso ao passado e a toda aquela confusão de merda. E eu também. Estou presa a seu passado também. Você não limitou só as suas opções, Rory. Você limitou as minhas.

— Do que está falando? Megan engravida, então de repente quer ter seu filho? Está parecendo que quer ter um bebê.

— Não é isso. Onde eu colocaria um bebê, pelo amor de Deus? Mas por que você não podia ter mantido suas opções em aberto? Ali manteve.

— Eu não posso lhe dar um filho, Cat. Você sabia disso quando começamos.

— Eu sei. E por que deveria? Você já teve, né? Já teve um e pegou seu prêmio. E eu nem quero ter um filho, quero?

— Então, qual é o problema?

Cat sacudiu a cabeça. Não conseguia explicar a ele. Não queria ter um filho de repente. Realmente não queria. Mas queria fazer parte de uma família. Quando Ali disse que ela não tinha uma família, isso tocou fundo na ferida.

Cat estava começando a entender que os filhos dão a você uma chance no futuro e lhe dão uma família. Eles lhe dão uma nova família justamente quando sua antiga família está começando a se desfazer, quando sua antiga família está começando a seguir o próprio rumo, criando novas famílias com seus maridos e filhos. Sem filhos, só o que se tinha era o presente e as lembranças do passado.

Rory encarou Cat, vendo sua raiva desaparecer. Ele sabia que não queria ter outra mulher, só ela. Mas quando ela saiu pela porta, ele não tentou detê-la.

As mulheres entendem tudo errado, pensou Rory. Elas acreditam que foram vítimas de uma espécie de relógio biológico que não pára de bater, e que no entanto os homens podem ter filhos pelo tempo que quiserem. E isso não é verdade.

Porque você fica cansado. Você faz essa viagem — das noites em que seu filho ficou acordado por causa dos dentes às noites em que seu filho ficou acordado usando drogas —, e isso o exaure. Isso simplesmente o esgota.

Mesmo sem sua cirurgia, e o divórcio, e todo o veneno entre ele e a ex-mulher, Rory teria achado difícil passar por tudo isso novamente. O tempo faz seu próprio tipo de cirurgia em você. E mesmo que fosse uma possibilidade, o que não era, seria absurdo escolher passar por tudo isso de novo na idade dele, não seria? Quando o filho tivesse 16 anos, ele já teria passado dos 60. Já era bem difícil lidar com um adolescente quando se está na casa dos 40. Como poderia sendo um homem mais velho?

Seria necessário muito para decidir a passar por tudo isso de novo.

Seria necessário que você amasse realmente alguém.

Megan agarrou as mãos de Jessica enquanto o técnico da ultra-sonografia passava um gel frio em sua barriga e apertava com força o scanner.

A pressão era muito forte, forte demais, mas a pontada de ansiedade foi esquecida porque de repente ali estava ele na tela, o bebê de Megan, esse pequeno ser humano que não fora planejado, parecendo um alienígena numa tempestade de neve.

A cabeça era grande demais, os dedos como fios de uma teia de aranha e os olhos sem pálpebras, sem nada ver e tudo vendo. Megan e Jessica riram alto, riram de prazer e incredulidade. Megan olhou a irmã e se encheu de gratidão por seu amor, por sua generosidade e pelo fato de ela estar ali para segurar sua mão e compartilhar aquele momento. Jessica estava tão emocionada, tão comovida quanto Megan. Era quase como se, pensou Megan, o bebê pertencesse às duas.

Megan olhou o perfil embaçado na tela e sentiu uma ligação que nunca sentira com nenhum ser humano. O bebê fazia parte de sua carne e de seu sangue, e no entanto era totalmente separado, a um só tempo tão familiar como sua própria face e tão misterioso quanto um anjo. Era apenas uma imagem em preto-e-branco imprecisa na tela. Só isso. O técnico provavelmente via uma dezena delas por dia. E no entanto provocava sensações em Megan que ela nem sabia que existiam.

Talvez os vizinhos de baixo tocassem sua música alto demais. Talvez houvesse dias em que Jessica não poderia cuidar da criança. Talvez fosse mais difícil do que Megan podia imaginar. Mas todas essas preocupações pareciam diminuir na presença daquela imagem borrada. Como você podia se preocupar com os vizinhos ou as noites insones quando estava na presença da magia?

Ao sair, Megan recebeu uma folha de papel preto e brilhante com o bebê pego de perfil, a cabeça grande e pungente. Esse serzinho estranho numa tempestade de neve. A primeira foto do bebê.

Megan foi informada de uma data para o nascimento, um dia que parecia ridiculamente distante, quase sem significado, como se tivesse sido arrancado de um calendário ao acaso. Mas ela sabia que esse dia ia chegar.

E ela sabia que a data marcava outro tipo de vida.

Jessica e Paulo conversaram com o médico sobre fazer uma fertilização *in vitro.*

Paulo ficou chocado com a discussão — chocado com o custo (milhares) e ainda mais com as chances de sucesso (cerca de uma em três tentativas, e esse era o prognóstico mais otimista). Acima de tudo, ele ficou chocado em ouvir que não havia tempo a perder.

— Mas ela tem 32 anos! — disse ele ao médico.

— Exatamente — disse o médico. — Uma mulher nasce somente com os óvulos que vai ter na vida. E há uma deterioração acentuada na fertilidade depois dos 35 anos. É melhor começar antes que você fique velha demais. Quem sabe de quantos ciclos você vai precisar?

— Eu quero fazer — disse Jessica a caminho de casa. — Não me importo com o que tenhamos de fazer para conseguir dinheiro. Não me importo com quantas vezes tentemos. Mas quero fazer isso agora.

— O que a sua irmã disse?

— Megan?

— Ela acha que a fertilização *in vitro* é uma boa idéia?

— Não conversei com ela sobre isso. Ela já tem problemas suficientes. Não quero preocupá-la com a idéia de que não estarei livre para cuidar do filho dela. Você entende. Quando eu engravidar pela FIV.

Então era isso que eles iam fazer. O clínico geral os encaminhou a uma clínica particular na Essex rural que tinha um dos melhores índices de sucesso do mundo. E Paulo concordou com isso porque faria qualquer coisa por Jessica. Quase qualquer coisa.

— Não vou deixar que essa história do bebê nos separe, Jess — disse ele quando ela entrou no quarto naquela noite.

— O quê?

— Eu nunca reclamei. E nunca vou reclamar. Todos os exames e as consultas. Toda a masturbação naqueles potinhos e o resto. Todas as mensagens de texto me dizendo para ir para casa e transar com você porque você estava ovulando. Ou passar por tudo isso. Você quer o tratamento de fertilização *in vitro*? Tudo bem. Mas não vou deixar que isso nos separe.

— Por que iria nos separar?

Ele se sentou na cama e pegou o rosto dela nas mãos. Ele adorava aquele rosto.

— Porque isso ficou mais importante do que qualquer coisa. Mais importante do que você e eu. Essa história do filho... Está tomando conta de nosso mundo.

— Você sabe o quanto isso significa para mim.

— É claro que sei! Mas, se não acontecer, se nunca acontecer... Bom, eu ainda continuarei apaixonado por você. Eu sei que você quer um filho. Eu também quero. Mas não é a coisa mais importante da minha vida. Porque é você, Jess.

Ela sacudiu a cabeça.

— Não pode ser como era antes. Quando fazíamos amor quando tínhamos vontade. Você não entende, Paulo. Se eu não tiver um filho, qual o sentido da minha vida?

— O sentido? Se você não tiver um filho, você ainda é bonita. Ainda é inteligente, gentil e sexy.

— Eu não sou sexy.

— É sim, você é, é uma putinha sexy. — Agora os dois estavam sorrindo. — Sei que quer ter um filho, Jess. Então vamos fazer a FIV. E se não der certo vamos tentar de novo. E se tivermos de vender tudo para continuar tentando, é o que vamos fazer.

Ela colocou a mão no antebraço dele e apertou, massageando a curva do músculo, sentindo o osso por baixo. Esse era o homem com quem ela queria ficar pelo resto da vida.

— Obrigada — disse ela.

— Mas, se não acontecer, se jamais acontecer, não vamos parar de nos amar. Porque eu não ia suportar isso.

— Nem eu.

— Eu te prometo que vamos gastar cada centavo que temos na fertilização, mas quero que você me prometa uma coisa.

— O que é?

— Que depois de algum tempo, só de vez em quando, vamos parar de pensar em toda essa história do bebê e fazer amor não porque queremos ter um filho, mas porque ainda nos queremos.

O sorriso dela ficou mais largo.

— Eu prometo.

E então eles se beijaram por um tempo, depois tiraram a roupa e ela pôs os sapatos Jimmy Choo de salto alto — o marido era um homem convencional e ela sabia o quanto ele gostava de saltos altos na cama —, e eles se levantaram, posicionando a porta do armário para que pudessem se ver no espelho de corpo inteiro.

E essa foi a noite em que Jessica e Paulo fizeram seu bebê.

oito

Jack Jewell ainda era reconhecido.

All the Fish in the Sea tinha terminado dez anos antes, mas ele nunca parou de trabalhar e havia muitos papéis na televisão — o policial aposentado obrigado a trabalhar com o novato imprudente, o ladrão de jóias cavalheiresco que engana a viúva ingênua, o detetive particular com maneiras primorosas à mesa e tendências a Sherlock Holmes — para ele causar uma pequena agitação ao entrar em um restaurante em Chinatown.

Hoje ele não percebeu os olhares insistentes, os sorrisos carinhosos, os rumores sobressaltados de "Não é o...?".

Hoje só o que ele viu foram as filhas.

Ele tinha tanto orgulho delas. Elas eram tão bonitas, sempre foram tão bonitas, e ele era a única pessoa no mundo que podia ver nas mulheres que elas se tornaram a marca das crianças que foram.

Megan, linda e roliça, como se fosse feita de círculos (ele sabia que ela se preocupava com o peso, mas ela era sempre linda para ele). Jessica, a beleza convencional, com seu cabelo preto luxuriante, estrutura compacta e cara de menina (ele podia entender por que as pessoas achavam que ela era a mais nova e sorria quando lembrava como isso antigamente a deixava maluca). E Cat, sua querida Cat, alta e magra, toda braços e pernas, com aqueles olhos grandes e castanhos que pareciam ver através das pessoas.

Como era mesmo aquela música antiga? Que diz que quando você é o pai de meninos, se preocupa, e quando é pai de meninas, você reza. Ele nunca se preocupou com elas, as meninas, mas só com o que os homens — sua tribo mentirosa, astuta e ardilosa — fariam com elas. Mas agora ele sentia que tudo ia ficar ótimo.

Ele costumava fazer piada de que elas tinham sido uma provação, mas era um mecanismo de defesa de um homem que sentia que não estivera presente o bastante para as filhas ao criá-las sozinho. Ele as amava mais do que a qualquer outra coisa na vida. Mas ele sabia que o trabalho árduo, a labuta e a faina cotidianos tinham sido feitos principalmente por Cat e por uma série de ajudantes contratadas das partes mais pobres do planeta.

"Então você é a mãe *e* o pai delas", as mulheres costumavam dizer a ele quando as meninas estavam crescendo.

Mas ele nunca fora uma mãe para elas. Um homem não se torna mãe só porque a mãe não está presente. Ele sequer fora um bom pai.

Hoje seria diferente. Os homens estavam diferentes. Mais capazes de assumir diferentes papéis. Mas na época, em meados dos anos 70, quando Olivia foi embora, Jack pertencia ao papel de pai do tipo obsoleto. Projetado para sair no mundo e ganhar a vida enquanto os filhos eram criados em outro lugar. Um desfile de babás, diaristas e empregadas e, acima de tudo, a filha mais velha.

Jack Jewell ficou ocupado demais ganhando a vida para sempre estar presente para Megan, Jessica e Cat. Mas era mais do que as exigências do trabalho. Ao contrário da ex-mulher, e ao contrário de muitos atores, Jack nunca tivera anos de descanso. Sempre havia um mercado para sua boa educação, seu charme do velho mundo. "David Niven *light*", como um crítico o chamara, tentando ser indelicado, mas Jack considerara isso um elogio. Às vezes ele assumia certos trabalhos não porque precisava do dinheiro, mas porque precisava da auto-estima e do senso de valor que acompanhava o fato de deixar sua marca no mundo profissional.

Quando Olivia o deixou, seu ego sofreu um golpe horrível. Quando ela foi embora, ele pensou menos em si mesmo como homem. A única maneira de recuperar seu ego era através do trabalho e levando para a cama as mulheres que o trabalho colocava em seu caminho.

Ajudar Cat nas tarefas domésticas, levar Jessica para a aula de balé, ensinar Megan a se vestir — essas coisas não teriam ajudado Jack Jewell a se refazer. Ele precisava do trabalho. Era muito mais fácil conseguir o sucesso na carreira do que no casamento.

E agora duas de suas filhas iam ter os próprios filhos. As novidades o encheram de felicidade. Parecia a Jack que ter netos colocaria estabilizadores em sua pequena família e garantiria sua sobrevivência.

Que estabilidade ele dera às filhas? Ele estava presente em teoria, o único genitor. Na prática, ele estava constantemente no estúdio ou satisfazendo suas necessidades com uma maquiadora apaixonada ou uma recém-formada da Academia de Artes Dramáticas. Para sua vergonha oculta mas permanente, Jack Jewell sabia que não era inerente a ele ser um pai em tempo integral. Isso o deixaria louco. Mas talvez — não, certamente — mesmo naquela época ele poderia ter chegado a um equilíbrio mais saudável entre a casa e o trabalho. Havia empregos a que ele podia ter resistido, mulheres de quem podia ter se afastado. E ir para casa cedo para suas três filhas. Agora era tarde demais. Graças a Deus, tudo tinha dado certo no final. Ele sabia que Megan e Jessica seriam boas mães. Megan era inteligente e forte. Jessica era amorosa e gentil. Elas seriam tudo o que a mãe delas não fora.

Se ele às vezes ficava preocupado com o trabalho e distraído com novas atrizes, Olivia tinha sido pior. Desde o momento em que partiu, era como se ela não quisesse se lembrar de sua antiga vida. O contato era esporádico e depois passou a quase inexistente. As filhas, pelo que parecia a Jack, deviam fazer todo o esforço. Olivia não fazia nenhum. Olivia tinha coisas mais importantes em que pensar — a luta contra a balança, o segundo *face-lift* arruinado, e repetidamente o homem de seus sonhos revelando-se um fracassado preguiçoso e michê.

Jack conhecia muitos pais que se comportavam desse jeito com sua primeira família. Olivia mostrou que uma mãe pode ser igualmente cruel e impiedosa. Um animal não teria sido tão insensível com sua prole.

Jack nunca pôde explicar essa maldade brutal às filhas e nem pôde articular os seus próprios sentimentos em relação a seu fracasso como pai. Ele mal podia explicar essas coisas a si mesmo.

Malditos atores, pensou Jack. Não fazem nada por ninguém sem um roteiro.

Megan sempre dissera às pacientes que a gravidez era meio como voar. Decolagem e pouso. Essas eram as partes difíceis. Se alguma coisa desse errado, era nesses momentos que acontecia.

Quando as três se sentaram com o pai em seu restaurante favorito em Chinatown, Jessica estava entrando... No quê? Na quarta semana? A maioria das mulheres sequer saberia que estava grávida nessa época. A maioria das mulheres ficaria olhando o calendário e começaria a pensar, *Que estranho. Está meio atrasada*. Ou talvez a maioria delas sequer percebesse que seu ciclo estava meio descompassado.

A não ser, é claro, que elas estivessem esperando. A não ser que estivessem tentando, e estivessem tentando por um longo tempo.

— Você vai ser *avô* — disse Jessica novamente, rindo com prazer. — Duplamente, pai. Vai poder lidar com isso?

— Não podem ser mais difíceis do que vocês três. — Ele sorriu, deixando Jessica sem graça. — E pelo menos no final do dia eu vou poder devolvê-las. Meus parabéns, querida. Sei o quanto você queria isso. Você e Paulo.

Depois ele tentou fazer o mesmo com Megan, mas foi muito mais estranho, porque ela estava segurando um rolinho primavera nos hashis, ela não tinha parceiro e praticamente o fuzilou com os olhos.

— Muito bem, querida — disse ele, e Megan sentiu como se tivesse tirado outro A+ em outra prova.

Megan sorriu. O querido e velho pai. A quarta e a décima segunda semanas eram a mesma coisa para ele. Mas não eram o mesmo para ela. Durante a decolagem e o pouso, umas poucas semanas podiam fazer a diferença entre vida e nenhuma vida.

Como todos os médicos, Megan contava a gravidez em semanas. Só o resto do mundo contava em meses.

Megan pensou, ah, Jessie, quarta semana; é cedo demais para contar às pessoas. Mas nada neste mundo podia impedir

Jessica de revelar a novidade. Ela quisera isso por tanto tempo. E era difícil falar em cautela diante de uma alegria tão desenfreada.

Megan abraçou a irmã e lhe deu os parabéns, mas em seu coração ela pensou: o avião ainda está taxiando na pista. E pode acontecer qualquer coisa.

— Foi numa manhã de domingo — disse Jessica ao pai. — Paulo tinha saído para correr. E quando ele voltou eu estava sentada na escada. Ele me olhou. E entendeu.

E havia mais uma coisa. Em um nível de rivalidade entre irmãs, Megan sabia que estava com inveja.

Ela ficara feliz por Jessica. Não podia ficar mais feliz. Mas Jessie tinha o marido, a casa e a vida dela. E, sim, a aliança no dedo. O pai delas tinha levado Jess pela nave central da igreja — ele a dera em casamento, como dizem. Havia Paulo para correr numa manhã de domingo, voltar para casa, ouvir a boa notícia e se aninhar com Jessica à noite.

Megan pensou: eu não tenho Paulo, nem aliança, nem quarto no meu apartamento para pintar de rosa-claro ou azul-bebê. Só o que tenho é esse pãozinho no forno e um quarto-e-sala alugado em Hackney.

Megan estava na décima segunda semana, enquanto Jessica na quarta ou quinta. Megan tinha passado pela ultrasom — não havia anormalidades cromossomiais, nem risco de síndrome de Down. O batimento cardíaco era forte e estável, o bebê parecia normal e satisfeito. A data que tinham dado a Megan parecia mais real a cada dia que passava. *Aqui quem fala é o capitão. Já decolamos. Podem desafivelar os cintos de segurança e andar pela cabine. Vocês com certeza terão um bebê.*

Jessica ainda estava a algumas semanas de uma ultrasonografia. Megan não achava que a irmã tinha alguma compreensão de como esse exame seria importante, nem como a espera paralisante seria terrível quando você prendia a respiração até que eles lhe dessem a probabilidade de síndrome de Down. Menos de 300 para 1 e você precisava de exames posteriores — um teste invasivo, como chamavam, para descobrir se o bebê tinha realmente a probabilidade de ser deficiente ou não.

Mas o que era de partir o coração era isto — um teste invasivo, uma injeção no pescoço do bebê, podia matar um bebê saudável. Se os bookmakers da profissão médica lhe dessem uma probabilidade de menos de 300 para 1, você faria um teste invasivo e se arriscaria a matar um bebê saudável? Ou correria o risco de uma deficiência? E como alguém podia tomar uma decisão dessas sobre uma coisa tão inocente e indefesa quanto seu futuro bebê e ter certeza de que está tomando a atitude correta?

Megan já passara por esse obstáculo. Se houvesse outros, provavelmente ocorreriam mais perto da data de nascimento. Durante o pouso.

Na décima segunda semana, o feto de Megan era inegavelmente humano. No exame — Megan ainda pensava nesta coisa crescendo dentro dela como *isto*, embora já estivesse geneticamente programado para ser *ele* ou *ela* — podia ser visto cruzando as pernas e mexendo os dedos. A cabeça era enorme — quase metade da Coisinha era tomada por esse cabeção bojudo, balançando para a frente como se fosse pesado demais para ser sustentado —, e, inacreditavelmente, incrivelmente, a Coisinha parecia estar chupando o dedo. A Coisinha tinha cerca de 8 centímetros e pesava uns 18 gramas.

Na quarta semana, o feto de Jessica ainda era pequeno demais para ser visto sem uma lente de aumento — cerca de um quinto de um milímetro. Seria já um bebê de verdade? Para Jessica, era.

— Paulo vai desmanchar o estúdio dele — disse Jessica. — Simplesmente vai jogar tudo fora e transformá-lo em um quarto de bebê. Ele já começou. Todas as prateleiras saíram. Vai ser o quarto de bebê mais bonito do mundo.

Embora a condição dela ainda parecesse um tanto irreal, a médica que havia em Megan sabia que nada poderia impedir que seu filho nascesse agora, ao passo que o filho de Jessica ainda estava lutando para viver.

E no entanto o engraçado era o seguinte:

De certa forma o bebê de Jessica parecia aquele que teria um futuro seguro.

Cat bebeu o champanhe. Só ela e o pai estavam bebendo da garrafa de Mumm que tinha saído do fundo do refrigerador do Shenyang Tiger. E, enquanto ela observava as duas irmãs grávidas — Jessica transbordando de alegria, Megan mais reservada, e no entanto aparentemente feliz por ter tomado a decisão de ter o filho —, Cat entendeu que tinha deixado sua vida pessoal à deriva.

Megan tinha uma carreira e um filho a caminho. Atender às necessidades de ambos seria difícil, mas no ano que vem ela seria uma médica com registro pleno e mãe. Independentemente das dificuldades que tivesse em Hackney, seria invejável ter uma vida tão completa.

E Jessica — Cat nunca vira ninguém tão feliz. Jessica tinha a última peça do quebra-cabeças. O homem, o casamento, o lar — e agora o filho. Cat ficou feliz por ela. Porque ela sabia que para a irmã todo o resto ficaria amargo e insignificante sem um filho.

Cat pensou: e eu? O que eu tenho? O que vou fazer no ano que vem de diferente deste ano?

Era quase engraçado. Ela sempre fora completamente implacável com sua vida profissional. Trabalhava muito, sabendo quando era hora de se mudar, descobrindo uma mentora em Brigitte e depois fazendo tudo o que podia para agradá-la.

Mas em sua vida pessoal Cat agora sentia que tinha sido irremediavelmente passiva, permitindo-se vagar para onde o vento soprava. Cat gostava de se ver como uma mulher inteligente. Mas existir no piloto automático — até que ponto isso era estupidez?

— A geração seguinte dos Jewell está a caminho — disse o pai, segurando as mãos de Jessica e Megan, mas olhando para Cat e erguendo uma sobrancelha torta. — A próxima é você, Cat.

— Eu, não — disse ela. — Eu sou um pouco mais cuidadosa do que elas.

Rory — do que se tratava tudo isso? Ele era gentil, atencioso e claramente louco por ela. Mas o passado de Rory não se rendia, nem morria. Não podia. Nunca. Porque havia um filho envolvido. Porque a ex-mulher sempre estaria presente. Por causa daquela cirurgia idiota.

E enquanto Cat observava as irmãs com o pai, ela pensou, o que eu preciso para ser feliz? Um emprego que eu ame, um bom apartamento, o meu próprio espaço. Filhos nunca estiveram na lista. E eles não estavam na lista de hoje. Mas talvez ela precisasse da possibilidade de ter filhos.

Mesmo que Cat nunca tivesse nenhum desses cretininhos, seria bom pensar que podia, se realmente quisesse. Se um dia mudasse de idéia. Esse era o problema com Rory. Ela não estava acostumada a ter suas opções limitadas.

E no entanto, enquanto ficava sentada ouvindo as histórias de fadiga, enjôo e seios inchados das irmãs — e enquanto deduzia os temores de Megan de ter um filho em um quarto-e-sala em Hackney —, Cat sentiu uma emoção claramente identificável tomar conta dela e quase desmaiou com seu impacto.

Era alívio.

Depois, de repente, Megan teve de ir. Havia visitas domiciliares a fazer em Sunny View antes de ir para o consultório à tarde. E Cat tinha de voltar para o Mamma-san. Então elas se despediram na Gerard Place, ao lado de uma longa fila de carros do corpo de bombeiros do Soho.

Jack e Jessica se demoraram, relutando em ir para casa. Eles vagaram pela John Lewis e subiram para o quinto andar, perdendo-se entre os carrinhos de bebê, cadeirinhas, Grobags*, cueiros e muitas coisas que sequer reconheciam — protetores de tomada, aquecedores de mamadeira, cestos para fraldas sujas, os produtos de uma indústria que tinha explodido desde que as filhas de Jack Jewell eram crianças.

Eles não falaram no assunto, mas os dois sabiam o que queriam para o bebê de Jessica e para o bebê que Megan estava naquele momento carregando por Sunny View, e era um desejo que crescia dentro das paredes de cada lar desfeito.

Uma família que fosse baseada em solo mais forte do que a que eles conheciam.

Rory procurou por Megan. Ela o recebeu em seu consultório depois do expediente, um pequeno favor a seu ex-professor de artes marciais. Nenhum dos dois contou a Cat.

---

*Um misto de roupa e saco de dormir que mantém o bebê sempre aquecido. (*N. da E.*)

— Fiz uma cirurgia. Perto do final do meu casamento. Você sabe. Uma vasectomia.

Agora ela entendia por que ele não queria conversar por telefone. Essa era uma grande coisa na vida dele. Não se resolvia com um telefonema.

— Acho que minha irmã já falou no assunto.

— E agora... Bom, não tenho certeza se agi corretamente. Quer dizer, eu sei que não queria ter mais filhos com minha mulher. Ex-mulher. E ela certamente não queria ter mais filhos comigo. Mas talvez tenha sido drástico demais.

— É um problema comum.

Ele ficou atordoado.

— É?

— Sabemos controlar nossa reprodução. Mas não sabemos muito bem controlar a nossa vida pessoal.

— Quer dizer que já viu isso antes?

— O quê? O arrependimento de um homem que foi vasectomizado? Mais vezes do que posso contar. Também vi mulheres que foram esterilizadas e vivem arrependidas disso.

— Pensei que talvez... Sei lá... Eu fosse o único. Parece uma idiotice quando falo desse jeito.

— Não é uma idiotice. Ninguém conversa sobre essas coisas. Porque, o que isso revela sobre você?

— Que eu sou um completo idiota que fez uma bagunça total na própria vida.

— Isso é meio duro. O que eu estava dizendo é que isso mostra que você tomou uma ou duas decisões ruins. Embora eu tenha certeza de que parecia uma boa idéia na época. Mas como posso te ajudar, Rory?

— Eu queria saber se é possível reverter o que fizeram comigo.

Megan já vira isso antes. Mesmo com sua experiência limitada em um consultório, essa conversa não era nova. Talvez seja assim que a gente se torna uma médica adequada, pensou ela — ver as mesmas cenas de dor e tristeza humanas repetidamente, até que sua resposta se torne automática. A diferença desta vez era que esse homem estava apaixonado pela irmã dela.

— Primeiro, deviam ter lhe contado que o procedimento seria irreversível.

— Eles contaram.

— Segundo, você não devia ter feito se achava que havia a mais remota possibilidade de se arrepender dele.

— Eu sei. Eu não achava.

— Dito isso... É claro que a vida muda. Você acorda um dia e o mundo parece diferente. Você não quer ter filhos com a mulher com quem se casou. Anos depois, conhece alguém com quem acha que gostaria de ter filhos. Como, talvez, sei lá... A minha irmã.

— Então podem reverter a cirurgia? Eles podem fazer isso?

— Acontece o tempo todo. O problema não é reverter. Mas não existe garantia nenhuma de que você poderá ter um filho. É improvável que seus espermatozóides tenham o grau de motilidade que tinham antes. Talvez sim, talvez não. Mas há uma coisa que aprendi desde que saí da faculdade de medicina.

— O que é?

— Nunca se sabe qual é o seu destino. Tenho de lhe dizer, com toda a sinceridade, a possibilidade de sucesso é muito pequena. A realidade é essa. Lamento não poder ser mais animadora.

— Tudo bem.

— E de qualquer forma... Ah, isto não tem nada a ver comigo.

— Continue.

— Não acho que minha irmã queira ter filhos.

— Isso é bom. É ótimo. Porque, sabe de uma coisa?, nem eu.

nove

Os términos chegam a você de mansinho, pensou Cat.

Você acha que tem o controle. Acha que pode decidir quando tudo acaba. E de repente tudo escapa de suas mãos e você é lembrada de que não tem o controle de nada.

Agora eram só os dois. Do jeito que ela gostava. Jake tinha voltado para a casa da mãe, do padrasto e da meia-irmã — complicado ou o quê? —, e Cat podia dormir na casa de Rory sem esbarrar em ninguém com acne.

Mas numa madrugada, enquanto ele servia dois copos de uma coisa vermelha e encorpada, ela percebeu que ele tinha esvaziado o quarto reserva. Era ali que ele guardava os instrumentos de trabalho — as blusas e calças de caratê brancas, os cintos coloridos em seus embrulhos de celofane, os sacos de couro preto e vermelho para chutar e socar. Agora tudo tinha ido embora, substituído por uma cama da IKEA. Uma cama de solteiro.

— Pensei em preparar um quarto para Jake — disse ele, juntando-se a ela na soleira da porta. — Não é justo para o menino sempre dormir no sofá.

— Mas... Mas e todas aquelas coisas de que você precisa para seu trabalho?

O que ela queria dizer era: *mas e nós?*

Rory passou um copo a ela e deu de ombros.

— Posso guardar tudo no dojo. O importante é que Jake se sinta bem-vindo aqui. — Ele olhou para ela, com o rosto rígido. — Que foi?

— Nada.

— Ah, qual é, Cat? Você está irritada porque estou preparando um quarto para Jake. Dá para ver. Eu tenho um filho... Você não pode entender isso?

— E eu não tenho um filho. Não pode entender isso?

— Não vou discutir com você. Não posso me desculpar por ter um filho.

— Não estou querendo que você se desculpe. — De repente ela sentiu uma tristeza opressiva. Não era isso que ela queria. — É só que... Sei lá. Eu só quero que o presente tenha para você a mesma importância do passado.

— Olha... Vai ficar tudo bem. Antigamente, vocês dois se gostavam. É só uma idade difícil.

— Para ele ou para mim? — Cat sacudiu a cabeça. — Isso não é bom, é? É claro que você quer que seu filho se sinta em casa. Não há nada de errado nisso. Que tipo de cretina insensível faria objeção a isso? Eu só acho... Que talvez a gente não devesse se ver tanto.

A cara dele caiu.

— Porque eu quero ter um espaço para o meu filho?

— Porque eu preciso de mais espaço para mim. Não é sua culpa. É minha. Querer que seu filho se sinta em casa... É muito natural.

E deixá-lo também parecia natural. Se ela ia descobrir outra coisa na vida, então tinha de se permitir isso — o que é que dizem mesmo nas revistas?

Um momento de busca. Chamam de momento de busca.

Como parte de seu esquema de treinamento profissional, uma vez por semana Megan pegava o ônibus para o hospital do bairro e se sentava ao lado de uma dezena de outros médicos recém-formados, discutindo seus problemas.

Manhãs de café com residentes em charlatanice, pensou Megan, embora ela pudesse ver o valor deles. Ela sempre saía dessas sessões de tagarelice pensando, Ah, então não é só comigo. É um pesadelo espetacular para todos nós.

Os outros recém-formados eram de todas as classes e raças — quase metade deles era de família asiática —, e no entanto Megan não tinha dúvida de que eram todas pessoas iguais a ela. No final dos 20 anos, realizados e de rosto reluzente, virtuoses acadêmicos que estavam começando a parecer esgotados. Megan pensou que era sensato que seus professores criassem esse ritual. Porque eles não conseguiam conversar com os amigos e familiares sobre o que estavam vivendo. Ninguém mais entenderia.

— Tenho uma paciente que está sendo espancada pelo marido — disse uma jovem, uma loura de clubes de equitação e privilégios em cada vogal que pronunciava. — Aparece uma vez por semana, com cortes e hematomas, de vez em quando uma costela quebrada. Não sei se devo alertar as autoridades ou não.

Um chinês gordo a olhou através dos óculos de aro preto.

— O que a impede?

— Casamento arranjado — disse a loura suspirando. — Se a polícia aparecer na porta, temo que o marido ou a família dele a matem.

— Diversidade cultural — disse com um sorrisinho um jovem indiano. — Você não adora isso?

— Não conte a ninguém — rebateu o chinês. O sotaque dele era daquela mistura estranha de *cockney* e cantonês. Tudo parecia uma ordem. — Ela nunca dá queixa, e isso só torna as coisas piores para ela. É disso que eles gostam por aqui.

— Odeio quando meus pacientes me dizem para eu ir me foder e morrer — disse uma paquistanesa com uma minissaia que dava a impressão de que ela ainda estava no ensino fundamental. — Já percebeu? Eles tendem a fazer isso quando você se recusa a lhes dar seus comprimidos preferidos.

— Temazepam — disse o indiano com a voz arrastada. — Eles sempre mandam eu ir me foder quando me recuso a fornecer Temazepam a pedido deles.

Megan respirou fundo e revelou de chofre.

— Estou grávida — disse ela rindo.

Eles a encararam. E continuaram encarando. Megan se viu com um sorriso forçado no silêncio constrangedor.

Depois de alguns meses de clínica geral, aqueles jovens médicos achavam que tinham visto e ouvido de tudo. O homem com uma mordida de hamster no reto. Esposas que dormiam com um martelo debaixo do travesseiro não para se protegerem de ladrões, mas dos maridos. O irmão e a irmã que ficavam por conta própria quando os pais saíam para dançar.

Em Ibiza.

Um desfile grotesco de crianças agressivas, *junkies* ladrões, aposentados negligenciados, homens com os pênis presos em aspiradores de pó, mais homens com um sortimento de frutas e vegetais enfiados na bunda, mulheres que tinham sido espancadas e surradas por homens que eram bêbados, ou fanáticos religiosos, ou tão ciumentos que podiam matar, todos os que maltratavam e eram maltratados.

Em bairros apodrecidos cheios de bonés de beisebol onde nem uma só pessoa jogava beisebol, as melhores mentes de sua geração tendiam à enfermidade, à doença e à morte. Eles viam tudo isso e escreviam a receita.

Mas um membro de seu bando de ambiciosos irmãos e irmãs nota A estava *grávida*? Eles nunca tinham ouvido nada parecido com isso.

— Acho que vai ficar tudo bem — disse Megan, sorrindo com uma confiança que não sentia. — O bebê vai nascer perto do final da residência, então provavelmente estarei amamentando durante as provas finais, e o pai já está em outra, mas eu realmente acho que posso lidar com isso. Sabiam?

Eles não sabiam o que dizer.

Tinham todos ido tão longe, e trabalhado tanto, e visto tanto, e agora estavam lutando perto de seu último ano antes do registro pleno. Ainda por cima um bebê? Um bebê *agora*? Parecia perverso — como um maratonista exausto cambaleando pelo estádio, decidindo fazer a última volta de quatro.

Os outros jovens médicos olharam para Megan em silêncio, sem dar os parabéns nem expressar comiseração. Eles tinham visto algumas coisas estranhas na linha de frente do NHS — mas isto? Era como se não acreditassem nela. Megan olhou para todos aqueles rostos diferentes que traziam exatamente a mesma expressão. *Ela está brincando, não é?*

Megan sabia como eles se sentiam.

Às vezes nem ela acreditava em si mesma.

— Depois que elas têm um bebê, tudo muda — disse Michael. — Não só o corpo... Embora ele certamente mude... Mas toda a perspectiva. — Ele secou a cerveja e indicou ao bartender que queria mais uma. O bartender o ignorou. — O bebê se torna o centro do mundo delas. E o homem mal aparece no radar.

Eles estavam em um pub a pouca distância da Holloway Road. Ficava perto do trabalho deles, mas eles nunca tinham ido ali antes. Nem eram dados a beber — "Não existe palavra em italiano para *alcoólatra*", seu pai sempre dizia a eles, quando todos os amigos ingleses estavam criando barriga de cerveja no final da adolescência — e os dois tinham outro lugar para ir. Mas Michael relutava cada vez mais em ir para casa. Não que ficar fora o fizesse feliz.

— Acha que isso aconteceu com a nossa mãe? — disse Paulo. — Ela perdeu o interesse por papai?

Michael lançou um olhar para ele.

— Não fale da mamãe desse jeito.

— Só estou pensando. Ela sempre me pareceu uma mãe de verdade. — Paulo sorriu com a lembrança. — Cozinhando, nos controlando e todas essas coisas.

Michael também sorriu.

— É, ela era boa nisso. Era boa no papel de mãe.

— Talvez ela tenha mudado. Talvez nosso nascimento tenha se tornado a coisa mais importante no mundo dela. E talvez papai fosse feliz. Eles sempre pareciam felizes juntos, não é? Mais felizes do que os casais de agora.

— Hoje em dia é diferente. Homens como o nosso velho cortejavam a primeira garota que aparecia, se casavam, e era isso. Trabalho, casa e nada de galinhagem entre um e outro. Agora todos temos essas tentações. Agora existem todas aquelas mulheres lá fora que gostam de sexo tanto quanto os homens. Até que você se casa com elas.

Paulo observou o irmão encarando mal-humorado o escuro do Rat and Trumpet e percebeu como se sentia próximo dele, o quanto ainda se importava com aquele homem. O quanto ainda o amava.

— Deixa eu entender isso direito — disse Paulo. — Na verdade não é sua culpa que você estivesse pegando a Ginger por trás. A culpa é da sua mulher.

— Baixe o tom de voz, tá legal? — Michael olhou em volta nervoso, um homem acossado. — Só estou dizendo... Elas ficam todas mamãezinhas com você. A grande diferença não é morar juntos ou separado. Não é ser casado ou solteiro. A grande diferença é não ter filhos e ter filhos. — Michael encarou o irmão, na defensiva. — Eu amo a minha filha, não poderia amá-la mais.

Paulo colocou a mão no braço do irmão.

— Eu sei disso. Então pare de bordejar por aí. Você quer que ela tenha o mesmo tipo de família que tivemos, não é? Uma família tão sólida quanto a nossa.

— Eu não posso mais ser assim.

— Mas é loucura deixar sua família de lado por causa de uma trepada rápida. Isso não faz sentido. Você ama a sua família, Mike. Não quer perdê-la.

— Ginger é muito especial.

— Bom, todas são especiais quando você fica de pau duro, Michael. Mas isso passa, não é? Esse tesão. Essa paixão. Essa... Sei lá... Essa fome. Desaparece. Você sabe disso tudo melhor do que eu, com a quantidade de mulheres que teve. Mas o que você tem com Naoko é uma coisa em que basear a vida.

Michael tombou a cabeça.

— Eu amo Naoko. E amo Chloe. Mas desde que ela nasceu, eu só fico me perguntando... Como você pode ter tanto amor na sua vida e tão pouco prazer?

— É essa a sua idéia de prazer? O sexo sem importância com uma mulher que é praticamente uma estranha?

— Bom, já é um começo.

— Seu canalha idiota. É ela que deve ter depressão pós-parto. Não você.

Paulo pensou: será diferente para nós, para mim, Jessica e nosso bebê.

Eu não me importo com as noites insones, ou os problemas de dentição, ou as trocas de fraldas, e qualquer outra coisa que precise fazer. E nem me importo se o bebê se tornar a coisa mais importante da vida da minha mulher e só transarmos por decreto. Eu *quero* que ela ame nosso filho assim. Um bebê merece ser mais amado do que eu.

O que quer que esteja acontecendo com Michael, Naoko e Chloe, nunca vai acontecer conosco. Nós vamos ficar bem. A única coisa que temos de fazer, pensou Paulo, é passar pelos próximos nove meses. Só isso.

Então ele deixou o irmão naquele pub infeliz e foi para casa e para a mulher grávida, colocou delicadamente a orelha no abdome ainda liso dela e foi a melhor coisa do mundo, os dois sorrindo e cheios de uma alegria pura, procurando ouvir o minúsculo batimento do coração, esperando por um pequeno sinal do centro do universo.

Décima quarta semana, pensou Megan, levantando as pernas cansadas na escada da clínica. Ela podia ouvir um homem de cabeça raspada com uma roupa suja gritando com a recepcionista que ele conhecia seus direitos.

Décima quarta semana, pensou ela, passando de leve a palma da mão pela barriga, um gesto de tranqüilização, embora Megan não soubesse se queria tranqüilizar o bebê ou a si mesma. O volume estava começando a aparecer. Suas roupas estavam mais apertadas. O bebê estava aprendendo a chupar o dedinho minúsculo. Isso estava realmente acontecendo.

Na clínica havia um folheto intitulado "O Primeiro Trimestre" para as futuras mamães, cheio de pequenas advertências sensatas para mulheres com um pãozinho no forno e uma vida perfeita.

Envolva Seu Parceiro. Procure Tirar um Cochilo Diário. Ceda à Exaustão. Equipe-se de um Sutiã de Aleitamento Adequado. Peça ao Parceiro que lhe Faça uma Massagem Calmante. Nade Regularmente. Converse com Seu Parceiro. Não Sofra em Silêncio.

Megan sempre via o folheto quando queria dar uma boa gargalhada.

— Megan?

Era Will, todo tímido e ansioso, e por alguns segundos ela ficou absurdamente feliz em vê-lo. Envolva Seu Parceiro, pensou ela. Peça ao Parceiro que lhe Faça uma Massagem Calmante. Mas Will não era mais seu parceiro e ele não era o pai daquela criança. Ele havia mandado a Megan uma torrente de mensagens de texto que ela deletou sem ler. O que havia para dizer? E ainda assim ela sentia a pontada doce e amarga de arrependimento por uma estrada que não fora trilhada.

Se ele tivesse amado somente a ela, eles ainda estariam juntos. Provavelmente teriam acabado no casamento e, um dia, teriam filhos de aparência doce que passariam os domingos com os avós babões no subúrbio de Hampstead Garden. Agora ela nem via as mensagens de texto dele. Megan pensou em como esquecemos depressa aqueles que um dia amamos.

— Você está ótima, Megan.

Eles tinham sido tão íntimos. Por isso ela ficou feliz em vê-lo. Ela não tinha certeza se seria íntima de um homem novamente. Eles tiveram todo aquele tempo precioso para gastar durante os anos de estudantes. Noites em que conversavam por horas e contavam os segredos de sua alma e as histórias de suas vidas. Noites em que não dormiam porque não conseguiam se separar. Noites em que fumavam, bebiam e viam o sol nascer.

Não era que Megan não pudesse conhecer um homem melhor do que Will. Era que ela nunca mais teria tanto tempo para desperdiçar. Ela agora percebia o quanto era solitária.

— Eu quero voltar, Megan.

Não era possível. Por causa do que ele tinha feito. Por causa do que ela fizera. Era melhor sair do caminho.

— Estou grávida, Will.

Ele ficou boquiaberto.

— Não é seu — acrescentou ela rapidamente.

Megan sempre pensou que aquela cena de *Quatro casamentos e um funeral* era meio irreal, a cena em que Andie MacDowell conta a Hugh Grant sobre sua história sexual, e só o que ele faz é parecer meio tímido e dizer: "Ah, meu pai, minha senhora, ah, não me diga."

Megan sempre achou que era meio esclarecida demais.

— Você é uma puta, Megan — conseguiu dizer Will, o rosto vermelho de raiva, nada parecido com Hugh Grant, e se esforçando por não chorar. — Sua puta desgraçada!

Os homens não esperavam a virgindade hoje em dia, pensou Megan, mas eles certamente esperavam a ilusão da pureza. *A verdade? Eles não conseguem lidar com a verdade!*

— Quem é ele, sua piranha imoral? Eu mato esse cara!

Pureza virtual, pensou Megan. Era tudo o que eles queriam.

Impossível quando você queria ser família.

Jessica entrou na loja From Here to Maternity com timidez e orgulho.

Mulheres em várias fases da gravidez andavam lentamente pela loja, pegando roupas de gestante das prateleiras — calças compridas com cinturas enormes e elásticas, batas floridas, calças pretas e austeras para o trabalho, novamente com uma daquelas cinturas expansíveis. Todo tipo de roupas para gestantes de todo tipo de vida e todos os tipos de futuras mamães.

As mulheres de vez em quando faziam aquele afago protetor duplo ou triplo em suas barrigas, um gesto que Jessica já se pegara fazendo — o aperto de mão maçônico das gestantes.

From Here to Maternity era diferente de outras lojas de roupas. Não havia maridos e namorados entediados sentados e suspirando. Ninguém parecia estar com pressa. As mulheres pareciam ter todo o tempo do mundo. De vez em quando elas conversavam com as vendedoras, e suas conversas pareciam uma mistura do banal com o muito importante. *Tem essas calças em cáqui e verde? Ah, vou ter no mês que vem.* Jessica não conseguia parar de sorrir para si mesma. Porque ela pertencia àquele lugar.

Jessica pegou um vestido rosa de estampa floral da prateleira. Ela podia ver que algumas daquelas roupas não eram diferentes do que as mulheres novas e não-grávidas usavam para ir a um bar ou a uma boate. Tudo bem para Megan, talvez, mas não para ela. Mas o rosa de estampa floral era exatamente a idéia que Jessica tinha de como deveria ser uma roupa de gestante.

— É lindo, não é? — sugeriu uma vendedora.

Jessica sorriu.

— Adorei.

— Não há motivo para que você não possa ter estilo e ficar sensual quando está grávida. A From Here to Maternity quer que você exiba essa barriga com orgulho.

Jessica baixou os olhos para si mesma.

— Não se preocupe. — A vendedora sorriu. — A barriga vai ficar maior, eu prometo. Deve estar com três meses, não é?

— Não exatamente.

— Quer experimentar?

Por que não? Jessica agora fazia parte do clube. E mesmo que suas roupas normais ainda coubessem nela, não havia motivo nenhum para ela não começar a preparar o guarda-roupa para os meses seguintes. Ela sempre fazia as coisas com alguma antecedência.

Ela largara o trabalho para ter um filho antes mesmo de engravidar. Ela contara ao mundo sobre sua gravidez antes de chegar aos três meses. E agora estava comprando roupas de gestante quando ainda vestia tamanho 38. E isso porque Jessica não podia esperar, simplesmente estava louca para segurar seu bebê, começar uma família adequada, para tudo ficar bem novamente.

Ela estava na sala de provas, ainda totalmente vestida, quando sentiu a umidade nos sapatos. Foi isso que ela não entendeu. A umidade estava em seus sapatos. Por isso ela não percebeu que começara a sangrar. Porque a única sensação era a umidade nos sapatos.

Com o medo aumentando, Jessica começou a tirar a roupa e foi então que viu o sangue. Todo aquele sangue. Nas mãos, no vestido que não comprou. Ela sentiu o pânico inundar o coração.

Havia todo aquele sangue e a umidade nos sapatos e o vestido com flores ainda nas mãos, de algum jeito manchado de vermelho.

Meu lindo bebê.

dez

No começo ele pensou que ela era a esposa dele.

Havia alguma coisa na curva da face, na disposição dos olhos, que em um momento fez com que Paulo pensasse, *lá está ela*.

Do outro lado do corredor do hospital, era um erro fácil de se cometer, com seus nervos ainda irritados da correria louca no carro e com a necessidade horrível de vê-la. Mas era uma das irmãs. Era Megan. Tomando uma caneca de café que ela não queria. Esperando por ele. Ela olhou para cima enquanto ele corria para ela.

— Ela está bem? Ela está bem?

— Paulo, Jessica vai ficar ótima, está bem? Mas ela teve um forte sangramento. Eles tiveram de fazer o que chamamos de EPRC.

Ele lutou para entendê-la. Como isso podia estar acontecendo?

— É um procedimento padrão. Muito simples. Um EPRC é uma operação curta. Não há motivo para se preocupar. Significa evacuação dos produtos retidos da concepção.

— Mas ela vai ficar bem?

— Vai, Paulo. Eu lhe garanto que Jessica vai ficar bem.

— E o bebê vai ficar bem?

Megan o encarou, respirando fundo.

— Paulo... Jessica perdeu o bebê.

— O quê?

— Jessica teve um aborto espontâneo.

— Um aborto espontâneo? — Ele sacudiu a cabeça, desviou os olhos, lutando para entender. — Nosso bebê morreu?

— Eu sinto muito.

— Mas... Ela está sendo operada, não está?

— A EPRC é só... Só para limpar o útero. Nós... Eles... Não podem deixar nada dentro de Jessica. Porque pode provocar uma infecção. Temos que esperar algumas horas antes que ela saia da anestesia.

Paulo parecia se desvencilhar da confusão diante dos olhos de Megan.

— Nós perdemos o bebê?

— Um dia você e Jessica terão um lindo filho.

Ele sacudiu a cabeça novamente. Como isso podia estar acontecendo?

— Mas o que fizemos de errado?

— Vocês não fizeram nada de errado. Eu sei que é uma coisa terrível. Mas acontece todo dia. Uma em quatro gestações...

— Onde ela está? Onde está a minha mulher?

Megan indicou a porta ao lado dela. Paulo assentiu, enxugou os olhos com a palma da mão e entrou.

Megan pegou o celular e, ignorando duas enfermeiras que passavam e a fuzilaram com os olhos, ligou para Cat novamente, e de novo tudo o que conseguiu foi a voz metálica da mulher na caixa postal.

Minha linda esposa, pensou ele.

O quarto era iluminado apenas pela barra de luz fluorescente que zumbia atrás do leito de Jessica. Mas mesmo naquela penumbra estéril Paulo podia ver tudo escrito no rosto dela. A perda de sangue. A tristeza. A exaustão. E, acima de tudo isso, o peso horrível da vida perdida.

Ela estava apoiada nos travesseiros, mas parecia estar dormindo. Paulo puxou uma cadeira para perto da cama e pegou a mão de Jessica. Depois ele enterrou o rosto nas cobertas do leito hospitalar, chorando nos lençóis de algodão, sufocado de pesar.

— Desculpe — disse Jessica.

— Você tem de usar camisinha — disse Cat.

O rapaz sorriu e puxou a aba do boné de lã estilo Justin Timberlake.

— Mas eu quero me sentir dentro de você.

Ele estendeu a mão para ela e ela segurou de leve os pulsos dele.

— Bom, você pode me sentir através da camisinha, ou hoje à noite não vai sentir nada a não ser a palma da sua mão. — Ela sorriu, simpática mas firme. — Você escolhe.

— Vou ver o que posso encontrar — murmurou ele, e saiu para acordar o colega de quarto.

Ele tinha tirado a camisa assim que os dois entraram no apartamento. Talvez ele pensasse que seu torso bronzeado e bombado desviaria a atenção dela de suas acomodações pobres e desarrumadas. Agora que ela estava sozinha, de repente se sentiu deslocada. Havia caixas de pizza, pilhas de roupa suja e os restos de um baseado em um cinzeiro. Ela fora para casa com ele para despertar seu corpo. Mas queria mesmo despertar ali?

Eles tinham se conhecido num club freqüentado pelo pessoal da cozinha do Mamma-san. Ela gostara do boné dele. Eles dançaram. Ela perguntou o nome dele e logo esqueceu — Jim? John? —, depois teve vergonha de perguntar novamente, e agora não ligava mais.

Eles se agarraram — ridículo, pensou Cat, beijando-se como um casal de adolescentes —, mas ninguém dera atenção a eles. O diálogo foi mínimo, as apresentações aos gritos e a conversa rápida abafada pela música, mas isso também não era problema. Ela estava cansada de falar.

Ele voltou com um pacote de três camisinhas, coçando a águia tatuada no bíceps, e ela percebeu que queria ir para casa. Seu corpo definitivamente precisava despertar, mas ela achou que deixaria que ele dormisse por mais um tempinho. E havia mais uma coisa, embora ela soubesse que era loucura.

Se ia despertar o corpo, ela meio que queria que fosse com Rory.

— Desculpe — disse ela. — Tenho de ir.

— Por quê?

Ela deu de ombros de um jeito desamparado e lembrou-se de uma frase que tinha aprendido sob os céus cinzentos de Manchester.

— *O desejo a tudo floresce; a posse a tudo torna murcho e sem cor.*

— Como é?

— Só estou menstruada.

Cat tinha medo de que ele ficasse desagradável, mas ele só tirou o gorro de lã e sacudiu a cabeça careca. Ele chegou a chamar um táxi para ela.

— Vocês, mulheres modernas, me fazem rir — disse ele enquanto ela saía. — Não sabem o que querem, sabem?

Ela não podia contestar isso.

Na manhã seguinte, quando tomou o café da manhã sozinha na Starbucks no início de sua rua, Cat pensou: é fácil conhecer alguém. Mas como se conhece alguém que não usa boné de lã a não ser que esteja meio gelado na rua?

Como se conhece alguém bom?

Então Cat ligou o telefone e ouviu os recados de Megan, e desviou o rosto dos meninos e meninas que ainda não tinham ido dormir, e assim nunca adivinhariam que ela não era nada parecida com eles.

Paulo puxou as cortinas, trancou a porta da frente e desligou o mundo.

Ele entrou na sala e deu uma olhada em Jessica. Ela estava imóvel no sofá com os pés para cima, folheando uma das revistas vistosas que ele comprara para ela.

— Vou fazer alguma coisa para a gente comer — disse ele, e quando ela olhou para ele e sorriu, o rosto dela sem nenhuma cor, ele sentiu os olhos e o coração se encherem novamente. Ele ia ter de parar de fazer isso. — O que vai querer, Jess?

— Qualquer coisa — disse ela sacudindo a cabeça, ainda sorrindo.

Ele entrou na cozinha e começou a procurar no freezer alguma coisa que a deixasse forte. Massa com molho de carne e talvez uma saladinha verde, se houvesse alguma coisa na geladeira.

As pessoas pensavam que ele a amava por causa da aparência dela. E é claro que é assim que começa, pensou ele. Mas havia uma espécie de coragem calada em Jessica, ela não era tão frágil como parecia. Era possível ver isso na forma como erguia o rosto quando cada instinto devia estar dizendo a ela que baixasse a cabeça.

Ela erguia o queixo quando olhava para você, e ele pensou naquele gesto simples enquanto fazia o jantar dos dois, de vez em quando indo até a porta da sala para saber se estava tudo bem; e toda vez que ele aparecia na soleira Jessica erguia os olhos da revista e sorria, erguendo o queixo, do modo como sempre fazia, e ele também sorria para ela.

Eles não precisavam dizer nada.

Quando a refeição ficou pronta, ele entrou na sala de estar com uma bandeja contendo dois pratos fumegantes de espaguete, duas saladas de alface e tomate e uma garrafa do melhor vinho que tinham na prateleira.

— Especialidade da casa — disse Paulo. — O famoso Bolognese Baresi.

Ele teve medo de que ela dissesse que não estava com fome, mas ela largou a revista e esfregou as mãos.

— Quer comer na mesa ou no colo? — disse ela, girando as pernas para ficar sentada no sofá. Ele olhou para Jessica de pés descalços e sentiu uma pontada de desejo.

— O que você quer? — disse ele, colocando os pratos na mesa de centro. Ele começou a abrir uma garrafa de Barolo. É preciso deixar o vinho respirar, pensou ele.

— Estou bem aqui — disse Jessica.

— Então vamos ficar aqui.

E eles ficaram sentados diante da televisão comendo o jantar, bebendo o vinho tinto e conversando sobre o que ele tinha a fazer no trabalho no dia seguinte.

As portas foram trancadas, todas as cortinas estavam puxadas, eles estavam seguros, aquecidos e bem-alimentados, e era quase como se só existissem os três no mundo.

Jessica, Paulo e seu filho inconcebível.

— Que música é essa que você fica cantando? — disse Jessica.

Ela estava sentada no alto da escada. Na base, Chloe estava de quatro, irritando-se e bafejando para ela como se escalasse seu próprio Everest particular enquanto Naoko seguia de perto, atrás, pronta para pegar a filha se ela caísse. À medida que Chloe subia lentamente a escada, grunhindo através da chupeta Hello Kitty que ela enfiara na lateral da boca, atirando os bracinhos para o alto em um movimento de natação enquanto arrastava os joelhos para o degrau seguinte, Naoko cantava para ela em japonês.

Maigo no
Maigo no
Koneko-chan.
Anata no ouchi wa dokodesuka?

— É uma musiquinha de ninar bem boba. — Naoko sorriu. — Fala de um policial, que por acaso é um cachorro, e aí ele encontra a gatinha desaparecida.

— Ela adora.

Era verdade. Chloe estava num humor horrível a semana toda, com um dente grande abrindo caminho pela gengiva ferida, e só algumas de suas coisas preferidas a acalmavam.

Ela gostava de mastigar com força — definitivamente não chupava — a chupeta Hello Kitty. Gostava do jogo de subir a escada. E gostava dessa música japonesa cadenciada.

Chloe nunca se cansava das coisas de que gostava. Ela as queria interminavelmente e estava pronta para abrir o berreiro se suas ordens não fossem obedecidas. Naoko e Chloe vieram à sua casa todo dia naquela semana. De maneiras diferentes, Jessica e Naoko eram solitárias. Sozinha o dia todo com Chloe, Naoko ansiava pela companhia de um adulto, enquanto ficar perto de Naoko e Chloe parecia mitigar uma ferida profunda e em carne viva por dentro de Jessica. O arranjo era adequado para ambas. Naoko podia ter uma conversa que não consistisse em barulhos de bebê. Jessica ficava feliz em ter companhia em uma casa que ficaria silenciosa até que o marido chegasse.

Jessica mantinha Chloe distraída enquanto Naoko amassava sua comida — o leite estava sendo afastado e agora ela comia sólidos, mas amassados no tipo de polpa que pudesse ser mastigada por quatro dentes. Jessica podia trocar as fraldas, dar banho nela, convencê-la a tirar o cochilo da tarde. A única coisa que Jessica não podia fazer era cantar aquela música especial. Mas ela achava que agora quase sabia as palavras.

Maigo no
Maigo no
Koneko-chan
Anata no ouchi wa dokodesuka?

— A gatinha não pode dizer ao policial onde mora nem qual é seu nome — disse Naoko, enquanto Chloe ficava sem fôlego perto do alto da escada e começava a berrar de frustração. — Só o que ela pode fazer é gritar.

Maigo no
Maigo no
Koneko-chan
Anata no ouchi wa dokodesuka?

Ouchi o kitemo wakaranai
Namae o kitemo wakaranai.
Miau miau miau miau
Miau miau miau miau!
Naite bakari iru koneko-chan.
Inu-no omawari-san
Konatte Shimatte.
Au au au au
Au au au au!

Chloe deu sua segunda volta e subiu os últimos degraus. Jessica a pegou e a beijou com força na bochecha. Como sempre, o frescor da criança a chocou. Esse cheiro de leite comovente, fresco como hortelã. Jessica e Chloe no colo e Naoko sentada ao lado delas. Agora havia um desembaraço entre elas. Elas por fim eram amigas de verdade.

— Me conte o que significa — disse Jessica.

— Vou tentar — disse Naoko, e traduziu a música com um sorriso no rosto.

Ficar perdida, ficar perdida — sua querida gatinha.
Onde fica sua casa?
Ela não sabe onde fica a casa.
Ela não sabe qual é seu nome.
Miau miau miau miau
Miau miau miau miau

Ela só fica gritando
Mas o cão policial também está perdido.
Au au au au
Au au au au.

— Acho que alguma coisa se perde na tradução — disse Naoko.

— Nem tanto — disse Jessica. — Eu não esperava que o cachorro também estivesse perdido. Então os dois estavam perdidos... O homem e a mulher.

— Bom... O cachorro e a gata.

— É linda, Naoko.

Elas ficaram sentadas ali por algum tempo sem sentir a necessidade de falar, esperando que Chloe recuperasse o fôlego e indicasse que estava pronta para voltar ao acampamento-base e tentar outra subida.

Então Jessica disse:

— Eu vi minha neném. Ela estava em um saquinho de cor creme. Uma coisinha pequena, minúscula. Mas um bebê de verdade. Eles te dizem que ainda não é um bebê, e isso não é verdade. Ela era um bebê de verdade... Eu a vi. Em meio a todo aquele sangue. Ela não tinha nome. E nem sei se era ela. Podia ser um menininho. Não sei. Mas havia um bebê de verdade dentro de mim, e agora ele se foi e isso é o que eles não entendem quando falam em ter outro bebê, que você deve sair dessa situação e não se esforçar tanto... Eu nunca terei *aquele* bebê novamente. *Aquele* bebê morreu. Eles não entendem isso. Os médicos, as enfermeiras. Eles acham que você está chorando por si mesma. Não entendem que você está chorando pelo bebê que nunca nascerá. Por *aquele* bebê.

Ela olhou para Chloe se enroscando no abraço da mãe, resmungando para si mesma, ansiosa por se libertar. Pronta para brincar de subir a escada de novo.

— Michael está tendo um caso — disse Naoko.

Era só o que tinha para oferecer a ela.

Jessica encarou Naoko.

— Como ele pode fazer isso com você?

— Não é comigo que ele está fazendo isso. É com nossa família.

— Como você sabe?

— A mulher escreveu para mim. Eu lhe mostraria a carta, mas joguei fora. Ela está grávida. — Ela riu com amargura. — Se você a visse, pensaria que era velha demais para tudo isso. É a mulher do trabalho deles. A mulher da recepção da loja.

Jessica tinha visto Ginger e sempre pensou que ela devia ter sido bem bonita antigamente.

— Ele jura que acabou. Diz que ela saiu da empresa. Jura pela vida da mãe dele que nunca vai vê-la novamente. Mas como eu posso acreditar numa só palavra que ele diz?

Naoko levantou a filha e enfiou o rosto no pescoço dela. Jessica sabia que ela também estava sentindo aquele cheiro — aquele frescor impossível. Era de tirar o fôlego. Como uma coisa podia ser tão pura e incólume?

— Não é fácil se afastar quando se tem um filho — disse Naoko. — É a vida dela também. É a família dela que eu estaria destruindo.

Jessica viu Naoko levar Chloe para a base da escada e colocá-la cuidadosamente no carpete. Depois ela voltou para cima e se sentou ao lado de Jessica. Chloe sorriu para elas, divertida com a perspectiva de subir a escada sem uma acompanhante.

— Está tudo bem — disse Naoko. — Ela não vai cair. Agora ela é boa nisso.

— Da — disse Chloe, apontando o dedo do tamanho de um palito de fósforo para a mãe e para Jessica. — Da.

Era a primeira palavra que dizia, a única palavra. Michael insistia em que significava *papai*, mas ele estava errado. Significava *olhe para você*. Significava *o que é tudo isso?*. Significava *esta vida é engraçada*. Significava tudo, e tudo significaria até que Chloe aprendesse sua segunda palavra.

— O que vai acontecer? — disse Jessica.

— Não sei — disse Naoko. — Michael diz que acabou e eu quero acreditar nele, mas acho que ele está mentindo. Eu podia pedir a ele que fosse embora, mas Chloe ia crescer sem um pai. Ou posso deixar que ele fique e então eu sei que estou vivendo com um marido que prefere ir para a cama com outra. Ou eu perco, ou minha filha perde. Então não sei o que vai acontecer.

Jessica e Naoko ficaram sentadas juntas na escada e, enquanto o bebê começava a subir, elas começaram a cantar a música que Chloe adorava tanto, Jessica seguindo Naoko hesitantemente, enquanto viam a carinha determinada de Chloe e a noitinha cair em volta delas.

Maigo no
Maigo no
Koneko-chan
Anata no ouchi wa dokodesuka?

As duas mulheres riram enquanto Chloe engatinhava na escada em direção a elas, seus olhos de anjo brilhando, os dentes novos reluzindo, sem jamais se cansar da brincadeira.

parte dois:

uma família de dois

onze

O bar Here Pussy Pussy ficava na rua P. Borgos, no centro da zona de prostituição de Manila.

O bar funcionava no mesmo local desde a Guerra do Vietnã. Originalmente, sua clientela era de soldados americanos em busca de descanso e recreação. Hoje os homens em geral eram executivos expatriados em busca de sexo e embriaguez. Depois de mais de trinta anos, só a música mudara no Here Pussy Pussy.

Jovens mulheres de biquíni ainda rebolavam e sorriam no palco, enquanto homens de camisas de manga curta ainda ninavam uma cerveja San Miguel e viam a dança lenta, sem jamais saber se eram os caçadores ou a caça.

Kirk tornara-se freqüentador do Here Pussy Pussy depois que foi demitido da escola de mergulho em Cebu. O proprietário britânico se desculpou muito — só meses antes tinha convencido Kirk a se mudar de Sidney para as Filipinas. Mas a enxurrada de bombas terroristas tinha afugentado todos os turistas e na maior parte dos dias Kirk ficava sozinho no barco de mergulho.

Talvez ele devesse se sentir mais irritado com o chefe. A verdade era que ele ficou feliz em sair da Austrália. Sua namorada não parava de falar de *para onde eles iam* e Kirk sabia, no fundo, que nunca iria para onde ela queria ir. Ele nunca duvidara de que se casaria com ela, mas ele estava errado. Kirk só não podia fingir que era o mesmo desde que partira. Dois anos fora o transformaram. Conhecer Megan também o havia mudado.

Ele tinha perdido a namorada na Austrália e o emprego nas Filipinas. Então agora se encostou no bar Here Pussy Pussy, vendo todos aqueles corpos femininos dourados, tentando protelar aquele ponto de embriaguez em que ele pagaria a taxa a uma garota do bar — o pagamento da gratificação ao Here Pussy Pussy por perder uma empregada naquela noite — e levá-la para o hotel dele.

— De onde você é? Em que hotel está?

Uma mulher magra com biquíni de lycra verde aparecera ao lado dele. Ela tocou de leve o braço de Kirk.

— Você é muito *guapo* — disse ela, emoldurando o rosto com um polegar e o indicador.

— Obrigado — disse Kirk, embora ele soubesse que ela teria dito ao Homem-elefante que ele era *guapo*, que significa bonito.

Como a maioria das garotas do Here Pussy Pussy, ela era uma mistura estranha de timidez e sem-vergonhice. Depois das apresentações, ela estava afagando o braço dele e balançando os quadris, o corpo frágil gingando sobre os saltos altíssimos.

— Eu nunca satisfeita — disse ela. — Oh! Ah! Nunca satisfeita.

Ele sorriu educadamente e olhou novamente para o palco. Em geral as garotas no Here Pussy Pussy moviam-se como se fossem sonâmbulas. Isso era em parte tédio, em parte exaustão. Embora todas tivessem a juventude a seu favor — nenhuma tinha passado dos 25 anos —, se ninguém pagasse as luvas elas deviam dançar até as quatro da manhã. E no entanto de vez em quando o DJ do Here Pussy Pussy colocava uma gravação que as fazia renascer, e quando isso acontecia elas riam e balançavam os cabelos pretos e compridos, remexendo-se com um prazer e um desembaraço verdadeiros, não mais dançando para os homens no bar, agora dançando somente para si mesmas.

Não havia fundamento lógico por trás das músicas de que elas gostavam. Embora todas as dançarinas do Here Pussy Pussy fossem estudantes dedicadas de música popular, as canções que as moviam podiam ser tanto dos velhos tempos como a primeira nas paradas daquela semana. Elas estavam além da moda.

As garotas do Here Pussy Pussy renasciam com "Jump Around", de House of Pain. "Without You", de Eminem. "Sex Bomb", de Tom Jones e Mousse T. "See You When You Get There", de Coolio. "Macarena", de Los del Mar. Mas a maioria delas ficava louca quando o DJ tocava "A Girl Like You", de Edwyn Collins.

Aquela garota, pensou Kirk. A garota, Megan.

Era idiotice. Ele sabia que era idiotice. Fora só uma noite, mas ela o interessara. Ele não a havia esquecido. Talvez porque tivesse sido só uma noite. Talvez porque ele nunca tivera a oportunidade de tirá-la da cabeça. Mas provavelmente era porque ele se importara e ela não.

Megan, pensou ele, olhando para cinqüenta outras mulheres. Todas seminuas, qualquer uma delas seria dele por uma noite em troca de uma mixaria. Ele podia ter duas, se quisesse, ou até três, se pudesse pagar e se estivesse montado na grana. Mas não era isso que ia acontecer.

Megan, Megan, Megan.

Depois de mais algumas San Miguel, a garota do bar ainda estava ao lado dele, uma mãozinha de dona no braço de Kirk. Até na escuridão vibrante do Here Pussy Pussy ele podia distinguir a cicatriz de cesariana na barriga da garota.

A maioria delas têm filhos, essas meninas, pensou ele. Por que estavam aqui? Porque gostavam? Porque os homens que vêm aqui têm personalidades incríveis?

Ao vê-lo observando-a, ela fechou os olhos e abriu a boca, avançando e recuando com os quadris magros.

— Ah, eu nunca satisfeita!

Ele sabia que não ia ver Megan naquela noite, e possivelmente nunca mais. Então ele pagou a taxa de bar a uma das mamma-sans do Here Pussy Pussy e esperou enquanto ela foi se trocar. Quando ela finalmente voltou, ele sentiu uma onda enorme de ternura. Ela tirara o biquíni profissional e os saltos e agora vestia a camiseta e os jeans dolorosamente comuns de sua vida civil. De puta à garota da casa vizinha em apenas uma troca de roupas.

Depois que saíam do Here Pussy Pussy, longe dos bêbados do bar e do dono sorridente que mantinha uma arma na mesa, as garotas ficavam à mercê dos clientes. Elas entravam em hotéis estranhos com alemães, escandinavos e britânicos de meia-idade, e até jovens australianos, e esperava-se que negociassem um preço, um ato, e ainda saíssem ilesas com sua vida.

Kirk não negociou. Ele simplesmente deu a ela tudo o que tinha na carteira e lhe disse que comprasse alguma coisa para o filho dela. Ela ficou agradecida.

— Eu nunca satisfeita, Dirk — sussurrou ela na escuridão vaporosa da noite de Manila. — Ah, Dirk, eu nunca satisfeita.

E ele sabia que era verdade. Aquilo nunca a satisfaria.

Megan subiu cansada a escada de concreto de Sunny View.

Dentro dela, o bebê estava dormindo. Ela — e Megan sabia que era definitivamente menina — sempre dormia quando Megan estava em movimento, o balanço do dia de trabalho acalmando a neném ainda não nascida até que dormia. Era só quando Megan tentava dormir que um punho ou pé mínimo batia com uma força alarmante na parede do útero.

Essa é a minha menina, pensou Megan, fazendo em sua barriga enorme um duplo afago protetor que agora era sua segunda natureza.

Poppy. Minha filha, Poppy. Ela está ficando sem espaço por aqui.

Na vigésima nona semana, Megan não reconhecia mais o próprio corpo. Havia veias azuis grossas visíveis nos novos seios. Marcas de estrias na barriga e nas coxas que provocavam uma coceira insuportável. Ela dormia em turnos de uma hora, despertada pela necessidade de se coçar, ou de urinar, ou com Poppy lhe dando um aperto firme.

Perto do alto da escada de pedra, com toda a extensão suja de Hackney se estendendo abaixo dela, Megan sentiu a contração.

A sensação era mais desagradável do que dolorosa e, embora seu coração se enchesse de pânico, ela sabia que não era para valer. Essa era uma contração Braxton-Hicks. Alarme falso — um pouco como uma prova de roupa para a noite de estréia.

Ela se sentou na escada de pedra fria e esperou que o desconforto passasse. Uma criança pálida e magra com boné de beisebol passou por ela numa bicicleta imensa enquanto ela ficava sentada girando os calcanhares e afagando delicadamente a barriga.

— Ainda não, Poppy — sussurrou ela. — Ainda não.

Levantando-se exausta, Megan foi para a porta da Sra. Marley. Tocava *thrash metal* alto o bastante para sacudir as janelas. Suspirando, Megan bateu na porta. Nenhuma resposta. Ela bateu mais alto e por mais tempo. A Sra. Marley abriu a porta. A música atingiu o rosto de Megan como uma lufada de ar de um forno aberto de repente e ela sentiu que recuara. A Sra. Marley considerou Megan com um olhar frio, um cigarro pendurado no lábio inferior.

— Daisy está lá dentro — grunhiu ela. Depois seu trejeito se transformou em um sorrisinho enquanto ela via o volume de Megan. — Deixaram você no sufoco, não foi, meu bem?

Megan a ignorou e entrou no apartamento. Estava ainda mais sujo do que o habitual. Roupas sujas e lixo fedorento de comida delivery estavam espalhados por toda parte. Havia brinquedos quebrados no chão e, inexplicavelmente, talvez uma dezena de aparelhos de TV e de DVD empurrados no canto da sala. Daisy estava reclinada no sofá, um cobertor Hello Kitty puxado até o queixo, um Egg McMuffin meio comido na mãozinha.

Megan se ajoelhou ao lado dela, sorrindo.

— Poderia abaixar a música? — disse Megan, sem olhar em volta.

— É o meu irmão — disse a Sra. Marley. — É o Warren. Ele disse que não dá para apreciar se estiver baixa demais. Por isso ele foi expulso deste condomínio.

Um rapaz desajeitado e esquelético com calça de moletom da Adidas entrou na sala, acendendo um cigarro. Ele olhou Megan de lado, coçando a virilha.

— Pode abaixar, por favor? A música?

— Não tô nem aí — disse o rapaz. — Eu tenho direito a essa porra, não tenho?

Ele entrou no quarto, deixando um rastro de fumaça de cigarro e ressentimento ultrajado. Megan voltou-se para Daisy, desistindo.

A menina tinha reclamado de dores na barriga. Megan a examinou, tirou a temperatura e depois a observou rapidamente engolir o resto do Egg McMuffin. Não havia nada de errado com o apetite dela.

— Daisy? — disse Megan.

— Sim, senhorita?

— Alguém está sendo mau com você na escola?

Uma pausa.

— O Elvis pega o dinheiro do meu doce.

— Que coisa horrível. Não pode conversar com a professora? Ou com a mãe do Elvis?

Silêncio.

— Imagino que ela tenha apendicite — diagnosticou a Sra. Marley. — Imagino que ela queira que tire.

— Não há nada de errado com Daisy — disse Megan, levantando-se. — Ela está sendo intimidada.

— Você já errou antes, não foi? — disse com irritação a Sra. Marley. — Se acha tão inteligente. Voltando aqui. E você estava *mesmo* errada, não é? Ninguém está intimidando a minha Daisy.

— Sra. Marley — disse Megan. E depois ela viu. O vômito embaixo do sofá puído. Uma caixa de pizza descartada casualmente. A seringa. Megan atravessou a sala rapidamente e pegou o telefone.

— Para quem está ligando, Madame Bosta?

— Para a assistência social — disse Megan.

A Sra. Marley não perdeu tempo em discutir. Entrou no quarto para pegar o irmão. Megan teve uma vaga consciência do pandemônio que se desenrolava atrás dela. Vozes elevadas, *thrash metal*, o som de uma criança chorando.

Uma voz pré-gravada estava dizendo a ela para teclar o botão estrela duas vezes quando ela foi agarrada por trás. Um braço prendeu seu pescoço, arrastando-a para baixo e para longe do telefone.

Eu devia ser capaz de lidar com isso, pensou ela. Quatro anos de caratê Wado-Ryu. Eu devia saber o que fazer. Esmagar o joelho dele com meu calcanhar. Agarrar um pedaço de carne do alto da coxa. Procurar pelos nervos no pulso. Mas a mente de Megan estava oca. Ela não conseguia se lembrar das aulas que Rory lhe dera toda quarta-feira à noite por todos aqueles anos.

E então Warren Marley estava gritando obscenidades enquanto batia a cabeça de Megan com força na parede, depois puxava de volta e batia novamente. Como um aríete.

— Eu tenho o direito, sua vaca — delirava ele. — Eu tenho a porra do direito de fazer a porra que eu quiser.

Quatro anos estudando em um dojo com Rory e ela não se lembrava de nada. Aulas intermináveis de artes marciais e ela estava tão impotente quanto um saco de pancada. Quatro anos de golpes, chutes e bloqueios, de quimonos brancos e gritos de guerra, e ela não conseguia descobrir nela nada para usar numa luta. Parecia que ela só estivera fingindo ser durona, e agora este era o mundo real.

Tudo o que Megan pôde fazer foi se cobrir e pensar, mas e a minha filha?

Passava muito da meia-noite, mas o infame resort grego de Ratarsi ainda estava enxameando de gente.

Quase todos estavam bronzeados, bêbados, e eram britânicos. Com piercing, bebuns e tatuados. Rapazes e moças modernos se divertindo ao sol. Que em grande parte consistia em transformar uma aldeia de pescadores de quinhentos anos em um vomitório *al fresco*.

Cat era pelo menos dez anos mais velha do que a maioria deles, embora estivesse em melhor forma do que todos eles. Comida vagabunda, sexo vagabundo, baldes de álcool — isso cobra um preço.

Mas o que realmente a tornava diferente da turma jovem nas ruas de Ratarsi não era o fato de ser mais velha, mas de estar sóbria.

E sozinha.

Não era para ser assim. Cat não devia passar as férias sozinha. Brigitte devia ter vindo com ela. Mas Digby implorou a Brigitte para voltar para ele, e de repente os planos de Brigitte mudaram e Cat foi para Ratarsi sozinha.

— O que aconteceu com Digby e a gostosona? — dissera Cat.

— Não deu certo. — Brigitte sorriu. — Acho que o tempo de recuperação dele foi um problema.

— Tempo de recuperação?

— Sabe o que é. O tempo que um homem leva para ficar pronto para ir novamente.

— Ir novamente? Ah... *Ir* novamente.

— Essas garotas não são como nós, Cat. Elas podem ser fáceis de pegar para um cara como o Digby, mas elas esperam ser comidas duas a três vezes por noite. Digby tem 45 anos e é um forte candidato a um coração fraco. Mesmo com a meia aspirina que ele toma por dia. Você parece surpresa.

Cat tentou manter o tom de voz neutro. Mas ela pensou nas fotos de férias de Brigitte com Digby e como elas tinham sido passadas pelo picotador.

— Não estou surpresa de que não tenha dado certo entre eles — disse Cat. — Estou surpresa de você ter aceitado Digby de volta. Depois do que ele fez com você.

Mas Brigitte estava animada, como se fosse uma decisão prática e não um exemplo de humilhação.

— Bom. Ele não me importuna. Ele me faz rir. Nós nos damos bem. Para ser sincera, não tenho certeza se dá para esperar muita coisa disso. É isso que significa ser adulta, não é?

Cat esperou nunca ficar adulta.

Então ela foi para Ratarsi sozinha e andou pelas ruas pegajosas, intimidada com a visão de seus conterrâneos de férias e perguntando-se por que não escolhera caminhar no Lake District com todos os turistas alemães e japoneses bem-comportados. E então ela o viu. Apoiado numa parede, a camisa havaiana rasgada, uma bebida "ice" em cada mão.

O filho de Rory. Jake.

Algumas garotas debochadas de minissaia estavam paradas diante dele, imitando seu estado trôpego.

Cat o colocou de pé e o levou para longe das meninas que zombavam dele. Ela esperou até o final de uma ruela enquanto ele esvaziava o estômago em uma lata de lixo que transbordava.

Depois ela o levou ao último hotel bom de Ratarsi e o guiou nas pernas bambas para o salão de jantar. Estava quase vazio. Ratarsi não era mais um lugar para se ir para um jantar elegante e vinhos delicados.

— Pode nos arrumar um café? — pediu Cat ao garçom.

O garçom estremeceu visivelmente. Deve pensar que sou alguma velha com seu garoto de brinquedo, pensou Cat.

— Café só com refeição — disse o garçom.

— Então vamos fazer uma refeição — disse Cat, a ponta de aço na voz que ela costumava usar com o pessoal rebelde da cozinha. — Acha que pode engolir alguma comida, Jake?

O menino assentiu, inseguro. Quando o garçom os acompanhou com relutância até uma mesa, Jake pareceu reconhecê-la pela primeira vez.

— Acho que comi um espetinho estragado — disse ele.

Cat riu.

— É, todos nós comemos um monte de espetinhos estragados aos 15 anos.

— Dezesseis — disse ele. — Na semana passada. Este é o presente de aniversário do meu pai. Dez dias em Ratarsi com meu amigo Jude. — Ele olhou em volta do restaurante para os poucos turistas de meia-idade que se espalhavam por ali. — Não sei o que aconteceu ao velho Jude.

— Uau, férias em Ratarsi como presente de aniversário. O que aconteceu com uma bicicleta legal e um Action Man?

Jake deu de ombros.

— Não sei.

— Como está a sua família?

— Minha mãe não está muito bem. Ela perdeu um bebê Sabe como é. Como é que se chama? Um aborto espontâneo.

Cat se perguntou que idade Ali devia ter agora. Uns 45? 46? E Ali tinha um filho e uma filha. Mas algumas mulheres não ficavam satisfeitas. Não podiam entender que era hora de parar de gerar crianças e começar a criá-las.

O garçom voltou.

— Pronto para fazer o pedido?

Jake examinou o cardápio com um respeito cauteloso, como se nunca tivesse visto um antes.

— Eu vou querer... um *vinaigrette*.

O garçom encarou o teto. Suspirou audivelmente. Depois ficou em silêncio.

— Eu também — disse Cat para o silêncio.

— *Vinaigrette* — cuspiu o garçom — é um molho de *salada*.

— Nós sabemos — disse Cat. — Estamos fazendo a dieta do Dr. Atkins.

O garçom saiu. Cat e Jake sorriram um para o outro. Muito tempo se passara desde que isso acontecera.

O garçom voltou com café e duas tigelas de prata de *vinaigrette*.

— Colheres? — disse ele.

— Por favor — disse Cat.

Juntos, eles bebericaram o molho de salada e fizeram uma careta.

— Horrível — disse Jake.

— É, mas você vai saber da próxima vez — disse Cat.

Ele encarou o café.

— Obrigado... Sabe como é. Por segurar minha onda.

— Está tudo bem, Jake.

— Você tem sido tão legal comigo.

— É — disse Cat. — Tem sorte de eu não ser sua madrasta.

Ele deu uma gargalhada, sem ter certeza de como responder. Ela viu que ele ainda era só uma criança.

— E o seu pai?

— Meu pai está bem — disse Jake.

— Que bom. Diga a ele que... Sabe como é. Diga que eu mandei um oi.

— Vou fazer isso.

Cat tentou imaginar a vida de Rory, mas estava além de sua imaginação. Estaria ele acomodado em um relacionamento aconchegante e de longo prazo? Estaria galinhando por aí? Qualquer possibilidade fazia seu coração martelar. Deve ser estranho ser um homem que não pode mais ter filhos. Será que cada esquina parece dar num beco sem saída? Cat de repente ficou furiosa consigo mesma.

Ela se recusava a aceitar que um relacionamento só podia ser sério se incluísse filhos. Porque, se isso fosse verdade, o que significava o que ela tivera com Rory? Tornava tudo só uma piada. E não era uma piada.

Ela olhou para Jake do outro lado da mesa e pela primeira vez viu vestígios do rosto de traços marcados do pai naquelas feições de adolescente envergonhado. Ela nunca percebeu que sentiria tanta falta dele. Era mais do que romper com o homem mais recente.

Cat sentiu como se tivesse perdido alguém de sua família.

Paulo e Jessica seguiram a corretora de imóveis pelo enorme jardim.

A noite estava silenciosa e tranqüila. Na escuridão, as luzes da piscina faziam a água cintilar e faiscar, o azul perfeito salpicado de ouro reluzente.

— É grande para uma piscina particular — disse a corretora.

— É linda — disse Jessica. — As luzes debaixo da água. Adorei.

— Nem todo mundo quer — disse a corretora com um daqueles laivos de honestidade com que costumava moderar seu discurso de venda. — Precisa de uma certa manutenção... Mas, apesar disso, acredito que haja uns rapazes excelentes que cuidam de piscinas por aqui. E tem também a questão da segurança, é claro. Vocês ainda não têm filhos, não é?

— Ainda não — disse Paulo, virando-se para ver a esposa vacilar. Ele sentiu uma onda de desespero. Por que o mundo não a deixava em paz?

— Podemos ver o resto da casa? — disse Jessica.

Depois que o médico disse a eles que Jessica tinha superado o aborto, eles seguiram em frente com o ciclo da FIV. Mas Jessica nunca superara o aborto espontâneo e a FIV não funcionou.

Jessica se injetava devidamente com drogas fertilizadoras toda noite, a barriga lentamente ficando coberta de uma colcha de retalhos de hematomas, enquanto sua produção de óvulos entrava em sobremarcha. Havia incontáveis exames, tornando-se cada vez mais freqüentes à medida que se aproximava o grande dia da colheita de óvulos.

Paulo pensou que sua contribuição parecia ridiculamente banal — uma ejaculação rápida num tubo de plástico no dia em que colhessem os óvulos de Jessica. Sua mulher fazia todo o trabalho.

Eles retiraram 12 óvulos bons e todos foram fertilizados com sucesso. Dois deles foram colocados dentro de Jessica, mas quando ela fez o teste de gravidez duas semanas depois deu negativo. Um exame mostrou que os dois óvulos fertilizados simplesmente tinham se fundido, como lágrimas na chuva. E foi tudo.

Não foi como o aborto. Houve uma decepção esmagadora e o reconhecimento deprimente de que todas as injeções, idas ao médico e as horas de pernas para o ar tinham sido em vão.

Mas não era como perder um bebê. Não houvera o sangue e não havia leite não utilizado com que lidar. O ciclo da FIV era mais parecido com um teste de resistência seguido por um lindo sonho, um sonho de que Jessica um dia teria de acordar.

Por um número desconhecido de dias, ou talvez só algumas horas, ou até minutos, ou segundos — quem podia saber? —, haveria dois óvulos fertilizados dentro dela. Bebês em potencial? Não — bebês. Os bebês dela.

E então eles se iam, como se nunca tivessem existido e, depois das condolências com o obstetra, de repente Jessica e Paulo estavam de volta à Harkey Street, só os dois, um casal sem filhos, vendo uma mulher e um homem levarem um recém-nascido em uma cadeirinha de carro.

— Nunca mais — tinha dito Jessica.

— Você vai mudar de idéia.

— Olha para mim. FIV? Não dá certo e, quando funciona, eles não sabem o que causa no bebê.

— Ah, qual é, Jess. Não é você que está falando. É uma reportagem medonha de tablóide.

— Eles *não* sabem o que faz com o bebê. Como podem saber? Só fazem isso há pouquíssimo tempo. Li muito dessas coisas que dizem que a FIV é uma bomba-relógio genética.

— Existem muitas crianças que foram concebidas naturalmente e adoecem. Ninguém pode garantir que um bebê não vá ter problemas. É disso que você tem medo, sinceramente? Ou tem medo de falhar novamente?

Jessica virou a cabeça.

— Me deixe em paz. Você é horrível comigo.

— Você se saiu maravilhosamente. Fez tudo o que pôde. Mas não podemos desistir depois de uma tentativa. Há outros lugares, lugares melhores.

— E quais são as chances nesses lugares melhores, Paulo? Um índice de sucesso de 25 por cento? Um índice de sucesso de trinta por cento? E esses são os melhores lugares. Que tipo de chances são essas?

— Mas isso inclui todo mundo. Mulheres mais velhas. Mulheres que têm doenças graves. Que não são você, Jess. Suas chances são muito melhores se nós tentarmos novamente.

— Nós? — Ela quase riu. — Que história é essa de *nós*?

— Eu passaria por isso com você, se pudesse. Tomar umas injeções dessas. Me encher de algumas dessas drogas. Eu queria poder.

Ela olhou o chão.

— Eu sei que você faria.

— Mais uma tentativa?

Ela sacudiu a cabeça.

— Chega de tentativas.

— Ah, vamos, Jess.

Desde já ele podia dizer que não ia acontecer. Ele podia ver isso no rosto que amava tanto. Aquela coisa havia acabado com ela e esfacelara seu coração.

— Porque, quaisquer que sejam as probabilidades que lhe derem, é provável que não vá dar certo. O fracasso é o que acontece e o que se deve esperar. E eu simplesmente não posso suportar mais fracassos, Paulo. Desculpe. Mas já sinto como se a melhor parte de mim estivesse ausente.

Então agora eles passavam todo o seu tempo livre procurando casas perto da área rural, a parte da área rural que era cheia de gente que queria fugir de Londres mas não podia fugir para muito longe. A cidade no campo, como dizia a corretora de imóveis. Aparentemente era a novidade mais quente.

Jessica disse que era porque o pedacinho verde que eles tinham de Londres estava descendo a ladeira. Mesmo lá, agora havia gangues e drogas, à medida que a cidade ficava mais cruel, e era mais difícil manter-se afastado disso. Mas Paulo sabia que não tinha nada a ver com a criminalidade do lado de fora da porta de casa.

Era por causa do quarto nos fundos da casa, o quarto com o carpete novo, as paredes amarelas e o berço do quinto andar da John Lewis. Eles tinham de fugir porque, antes do aborto de Jessica, eles prepararam um quarto para o bebê e agora não podiam modificar aquele quarto. Eles não tinham um motivo para usá-lo e nunca teriam coragem de redecorá-lo. Só podiam fugir dele.

Paulo afastou-se da iluminação celestial da piscina e entrou na casa. Era um lugar lindo — uma daquelas casas sólidas construídas pouco antes da guerra, para moradores urbanos ricos que procuravam um lugar mais limpo e mais verde. Mas o que iam fazer com todo aquele espaço? Só os dois?

Ele seguiu as vozes de Jessica e da corretora até uma sala no primeiro andar. Ficou paralisado quando entrou no quarto. Era um quarto de bebê.

Havia brinquedos de bebê pelo chão. Um sapo do tamanho de um bebê. Uma espécie de ursinho de pelúcia musical.

E montes daqueles livros infantis semidestruídos em que se puxava uma folha e surgia um animal sorridente de cartolina. Um berço branco estava no final do quarto como um altar.

— O teto alto é ótimo — disse a corretora, esmagando um porquinho de corda sob o salto.

Paulo estava ao lado da esposa.

— Jess?

Ele percebeu que não dava a mínima para onde moravam. Só queria ficar com a mulher. Fechar a porta da frente e mandar todo mundo embora.

Ela estava olhando o berço.

— É perfeito para quando vocês ouvirem o barulho de pezinhos — disse a corretora. — E existem umas escolas ótimas perto daqui.

Jessica assentiu pensativamente, como se concordasse com alguma voz interna em vez de com a corretora.

— Vou jogar tudo isso fora. Desmanchar tudo.

A voz dela era calma e prática. Mas o marido viu os olhos dela, conhecia seu coração, e não havia dúvida de que a esposa estava chocada com uma tristeza que ele não podia imaginar.

Paulo pensou que talvez o irmão tivesse razão. Talvez as mulheres mudassem depois de ter um filho. Talvez elas mudassem de maneiras que não se acreditaria possíveis.

Paulo não sabia nada disso. Só o que sabia era que o irmão devia vir à casa dele um dia.

E ver o que acontece a uma mulher quando ela não tem um filho.

doze

O Dr. Lawford nunca havia ido ao apartamento dela. Megan estava constrangida com o pouco espaço do lugar em mau estado, as calcinhas secando no radiador e os livros de medicina que ela casualmente deixara pelo chão.

Mas, à medida que os dedos fortes e ossudos dele examinavam seu rosto, Megan ficou constrangida sobretudo com a necessidade de atenção.

Constrangimento, pensou Megan. Que bem faz o constrangimento a uma médica?

Ela estava arranhada na face, mas, além de um galo que latejava na testa, a dor era principalmente nos braços, onde recebera a maior parte dos golpes. Ela conhecia muito disso, pelo menos. Talvez as aulas com Rory não fossem um completo desperdício.

Lawford começou a verificar a pressão sangüínea quando alguém tocou o interfone da portaria. Ela viu Jessica e Cat no pequeno monitor encardido e abriu a porta para elas.

— Minhas irmãs — disse ela a Lawford. Elas subiram a escada. Jessica deu uma olhada em Megan e se desfez em lágrimas.

— Está tudo bem, Jess.

— Aqueles canalhas — disse Cat. — Eles não respeitam nada?

— Não muito — disse Megan. — Não em Sunny View.

— E o bebê? — disse Jessica.

— O bebê está bem — disse Megan. — Eu estou bem.

— O bebê está bem? Poppy está bem?

— Ela está bem. Fiz os exames. No hospital. Está tudo normal.

— Não pode trabalhar nesse lugar, Megan — disse Cat. — É perigoso demais.

— É exatamente o que eu fico dizendo a ela — disse Lawford. As três irmãs olharam para ele. — Aqueles animais não merecem a nossa Megan — continuou ele. — Ela devia sair e abrir um consultório particular na Harley Street.

Megan não sabia se ele estava brincando ou não.

— Vamos — disse ele. — Me deixa verificar sua pressão.

Megan fez as apresentações e se ajeitou em sua cama de solteira, enrolando a manga. Cat pôs o braço em volta de Jessica e elas observaram em silêncio enquanto Lawford fazia a leitura.

— Vamos ter que ver isso — disse ele.

— Quanto está?

— Dezoito por 10.

— A mesma do hospital. A essa altura, devia ter baixado.

— Sim.

— Bom — disse Megan, compreendendo. — Alguém tentou me espancar. Ninguém fica relaxado com isso, fica?

— Neste caso, esperaríamos que a leitura fosse temporária — disse Lawford. — Mas se não baixar... Bem. Vamos esperar para ver, não é?

Megan assentiu.

— Vamos esperar para ver.

Jessica enxugou os olhos.

— O que está acontecendo? Qual é o problema com a pressão?

— Vamos ficar de olho nisso — disse Lawford. — Com licença, tenho de falar com a polícia. Depois que aquele rapaz terminou com você, eles o deixaram no pronto-socorro mais próximo para que ele pudesse ser medicado. Como demoraram a aplicar a metadona, ele atacou uma enfermeira. Foi um prazer conhecê-las, senhoras. Vejo você na clínica, Megan.

Ele as deixou a sós. Cat pôs a chaleira no fogo.

— Megan? — disse Jessica. — Qual é o problema? O que foi tudo aquilo com a sua pressão?

— Sabe o que é pré-eclâmpsia, Jess?

Jessica sacudiu a cabeça e Megan pensou: é claro que não sabe. Jessica lera milhares de palavras sobre endometriose. Ela era especialista no que era passar por um aborto espontâneo e um ciclo de FIV. Ela podia dizer tudo sobre motilidade de espermatozóides e drogas de fertilidade. Ela sabia tudo o que havia para se saber sobre tentar ter um filho. Mas Jessica nada sabia sobre todas as coisas que podiam dar errado quando você ia ter um bebê.

E por que deveria saber?

— Pré-eclâmpsia é hipertensão pré-natal — disse Megan. — Pressão sangüínea alta, quando você está grávida. De muitas formas, é indistinguível do que tem o executivo médio, estressado e acima do peso... Só que a pré-eclâmpsia nada tem a ver com estar gordo ou com as pressões da vida moderna. É o tipo de pressão alta que você só tem na gravidez.

— Este leite tem uma semana — disse Cat, voltando à sala com uma caixa amassada. — Quer que eu faça compras para você?

— Eu não quero mais chá mesmo — disse Megan. — E você está realmente interessada nisso, Jess?

— É claro que estou! Você é minha irmã! Poppy é minha sobrinha!

— Tudo bem. Tem a ver com o suprimento de sangue para a placenta... Essencialmente, como a mãe sustenta o bebê no útero.

— Mas... Aquele débil mental atacou você — disse Jessica. — Sua pressão... Tinha que subir, não é?

— Claro. Mas não devia continuar alta desse jeito. Ninguém sabe realmente o que causa a pré-eclâmpsia. Se existe um gatilho. Se uma coisa como esta pode ser um gatilho. Então agora vamos esperar que não continue alta.

— E se continuar? — disse Cat.

Megan pensou nos bebês prematuros que tinha visto durante seu treinamento no Homerton. Minúsculos, enrugados como criaturas espremidas em gorros de lã porque eram pequenos demais para manter o próprio calor corporal. E os pais, vendo-os pelo plástico das incubadoras. Ela pensou naqueles que viveram — que passaram a ser bebês perfeitamente saudáveis. E se lembrou daqueles não conseguiram.

Megan respirou fundo. De repente ficou muito cansada. E cansada de explicar tudo.

— Se minha pressão continuar alta, é pré-eclâmpsia. E o bebê terá de nascer mais cedo. Vou ter uma cesariana de emergência, porque o bebê vai ficar pequeno demais para qualquer outra coisa.

— Mas ela vai ficar bem? — disse Jessica, com ansiedade.

Vinte e nove semanas, pensou Megan. Sua filha não estava pronta para o mundo. Nem de longe. Os pulmões da neném ainda não eram fortes o bastante para respirar — só ficariam fortes semanas depois. Se ela nascesse em qualquer momento nos próximos dois meses, ainda seria considerada prematura. Se nascesse nos próximos sete dias, teria de lutar pela vida. Megan e Poppy teriam de se segurar pelo máximo de tempo que pudessem.

— Espero que sim. Ela pode ficar meio inacabada. Temos que nos preparar para isso.

— Meio pequena, você quer dizer?

Vinte e nove semanas. E o exame mostrou que o bebê era leve para 29 semanas. O obstetra de Megan disse a ela no hospital que o bebê tinha atualmente menos de um quilo. Uma vidinha humana que pesava menos do que um saco de açúcar. A filha de Megan.

— Sim. Poppy pode ser meio pequena.

Megan tentou parecer tranqüilizadora. Ela não contou às irmãs sobre a eclâmpsia. Não contou a elas que, nos bons velhos tempos, quando as mulheres e os bebês morriam durante o parto, era em geral a eclâmpsia que os matava.

Toxemia da gravidez, como chamavam na época — literalmente, sangue envenenado, gravidez envenenada. Convulsões durante o parto, a placenta se rasgando, e mãe e bebê sangrando até morrer em 15 minutos. Era rara hoje em dia, porque os médicos faziam tudo o que podiam para impedir que a pré-eclâmpsia avançasse a esse ponto. Mas podia acontecer. Apesar de toda a tecnologia atual, algumas regras cruéis da vida e da morte ainda eram válidas.

Mas Megan não contou nada disso às irmãs. Era um dos dogmas tácitos de sua profissão. Não é preciso contar tudo a elas.

— Liguei para papai — disse Cat. — Ele está muito preocupado.

— Ah, *Cat* — disse Megan, de repente a irmã mais nova outra vez. — Eu não quero que ele volte por isso. Eu estou bem. O bebê está bem.

— Vou ligar para ele de novo. Contar a ele que você está bem. Você e a neném.

O pai delas estava em Los Angeles para alguns testes. Jack Jewell não fazia um filme desde 1971, quando tivera um pequeno papel em *Not Without My Trousers* ("Uma seqüência pavorosa da série nada engraçada da TV" — segundo o *Daily Sketch*). Uma era uma tomada muito longa — o papel de um terrorista britânico cruel, por ser a Grã-Bretanha a única nação que nunca reclamaria com Hollywood sobre estereótipos raciais.

Megan estava começando a dizer a Cat que ela não queria que o pai soubesse o que tinha acontecido, mas alguém tocou o interfone da rua.

— Deve ser mamãe — disse Jessica.

Cat rosnou de descrença.

— Bom — disse Jessica. — Você ligou para papai. Eu liguei... Para ela.

Ela foi até a porta e a abriu para a mãe entrar, trazendo com ela o cheiro de Chanel e Marlboro. Ela trazia uma garrafa de vinho branco, como se estivesse indo para um jantar festivo.

— Sabia que tem um homem horrível de trancinhas dormindo no saguão? — disse Olivia. — Acredito que seja algum vagabundo. Não pode pedir à segurança para expulsá-lo? — Olivia se aproximou da cama. Cat e Jessica rapidamente se levantaram e deram espaço para ela. Passando a garrafa de vinho a Jessica, Olivia deu um beijo na face que não estava arranhada em Megan. — O que fizeram com você, minha menina?

— Vou sair para comprar leite — disse Cat.

Ela estava a caminho da escada minúscula quando a voz da mãe chamou seu nome. Cat continuou andando. Movendo-se surpreendentemente rápido para alguém daquela idade e de saltos, Olivia a pegou na base da escada, repetindo seu nome, mas sem tocar nela. Cat se virou e olhou a mãe.

Olivia parecia muito mais velha do que ela se lembrava. Atualmente a pintura de guerra estava sendo aplicada com uma espátula. Quanto tempo fazia? Cinco anos. Desde o casamento de Jessica. E era fácil evitar alguém em um casamento.

— É muito atrevimento seu, garota — disse Olivia.

— Por que isso?

— Acha sinceramente que não tenho o direito de ver minha própria filha?

— Faça o que quiser. A decisão é de Megan. Mas eu não tenho que ficar sentada ali e ver você bancar a mãe preocupada.

— Não é possível não se importar.

— Então vá e mostre a Megan o quanto você se importa.

— Um dia você vai me agradecer. Você e suas irmãs.

Cat teve que sorrir.

— E por quê?

— Faz alguma idéia de como são outras mulheres com as filhas? — Sua voz assumiu um cantalorar de classe trabalhadora, de zombaria. — *Por que não engravidou ainda? Quando vai ser mamãe? Onde está o nenezinho?* Eu poupei vocês de tudo isso. Dei espaço para vocês crescerem.

— Foi o que você nos deu?

— Eu nunca fui esse tipo de mãe obsessiva com os fedelhos, que ridiculariza os filhos.

— Talvez não devesse falar de fedelhos quando Megan está lá lutando pela vida da filha.

De repente sua mãe mudou de marcha. Os lábios pintados se separaram e revelaram um sorriso deslumbrante, a voz era suave como um suspiro.

— Olhe por este prisma. Eu permiti que você... e suas irmãs... fossem vocês mesmas. Você deve ser capaz de ver isso. Não uma mãe obtusa e melancólica cuja auto-estima é vinculada aos filhos que pariu.

Cat pôde sentir o perfume e o cigarro da mãe. Parecia que a estavam sufocando.

— Com licença. Tenho que comprar leite.

Cat se afastou, passando por cima de um homem de trancinhas que dormia na soleira da porta.

— O que seu pai esperava? — disse Olivia. — Esses homens. Eles conseguem uma garota bonita que é cheia de vida e esperam que ela passe a ser uma doninha-de-casa assim que tem filhos. Você vai ver um dia, Cat.

Cat comprou uma garrafa de leite semidesnatado em uma loja 24 horas com grades em todas as vidraças. Depois esperou em uma esquina no canto até que um táxi pegasse Olivia e ela soubesse que não havia mais ninguém no apartamento a não ser sua família.

— Ela não é linda? — disse Michael, recostado em um Maserati e vendo Ginger pelo vidro do escritório da frente. — Todo aquele corpo branco. Todas aquelas sardas. Sabe que uma vez eu contei? Eu tentei contar. É loucura ou o quê?

— Não devia ter chamado Ginger para trabalhar aqui de novo — disse Paulo. — Está tudo errado.

— Qual das substitutas dela você queria que voltasse? A gorda que se esqueceu de colocar o formulário do imposto de renda no correio? Ou aquela de óculos que não pegava recados da Itália porque eles "falavam muito engraçado"?

Paulo sacudiu a cabeça. Era verdade que as recepcionistas que tinham tentado ficar no lugar de Ginger foram um desastre para os negócios. Mas tê-la de volta parecia que ia dar em um desastre muito maior.

— E se Naoko descobrir que ela voltou? E se Jessica descobrir?

— Não vão. Minha mulher está ocupada demais com Chloe para vir à loja. E sua mulher está fora, em sua casa de campo.

— Não é uma casa de campo. É só uma casa grande no subúrbio.

— E mesmo que descubram, é perfeitamente inocente. Eu lhe disse que não se preocupasse, Paulo. Não estou transando com mais ninguém. Ela voltou para o marido e os especiais das noites de sábado. Então, qual é o problema?

Michael de repente sorriu, baixando a cabeça, curvando o corpo musculoso e largo para perto e Paulo sentiu a mera presença física de seu irmão, aquele charme rude da velha escola, o modo como ele tinha de fazer com que você sentisse que os dois eram diferentes do resto da raça humana. Paulo podia entender por que as mulheres gostavam do irmão, por que elas o deixavam escapar impune.

— Deu certo Ginger ter voltado, não é? — disse Michael. — Recebemos nossos recados, a correspondência é enviada.

— Só espero que ela tenha voltado para o trabalho e não para o prazer.

Michael franziu a testa com irritação. Apesar de sua habitual arrogância, Paulo sabia que o irmão ficara muito abalado quando Naoko descobriu sobre Ginger. Michael ficou muito perto de perder a família, e isso o apavorava.

Paulo olhou o rosto cansado do irmão, viu claramente toda a exaustão de ficar zanzando, mentindo e do medo interminável de ser pego, seguido pela descoberta, as lágrimas infindáveis, as conversas de madrugada e o bater da porta do quarto quando Naoko o obrigava a dormir no sofá. Paulo não tinha problemas para acreditar que o caso do irmão com Ginger tinha ficado para trás. Quem teria coragem ou estômago para passar por tudo aquilo de novo?

Paulo acreditava que se ao menos o irmão pudesse voltar aos trilhos, ele podia ser um bom marido, um ótimo pai e o que ele sempre fora quando criança. Michael podia ser adorável novamente.

— Não pode ter as duas coisas, Mike — disse Paulo com delicadeza. — Você precisa entender isso. A vida familiar e namorar por aí. Essas coisas não combinam.

— Eu já lhe disse... Não se preocupe — falou Michael. — Não estou mais fodendo com ela.

— Se estiver — disse Paulo —, nós todos é que vamos ficar fodidos. Já recebeu os formulários aduaneiros daquele Alfa Romeo? Eu preciso deles agora.

— Acho que estão no escritório dos fundos. Vou ter que ver.

Paulo viu a ex-namorada do irmão, se essa não era a palavra errada, atendendo a telefonemas no escritório da frente.

Ele achava que Ginger ainda era uma mulher bonita, mas que provavelmente nunca houvera nada de especial nela, nada que pudesse explicar como Michael poderia jogar roleta-russa com a família. Não havia nada nela que o fizesse pensar que ela podia virar um homem pelo avesso.

Paulo se perguntou como isso podia valer a pena. Formar uma família — uma esposa, uma filha, um lar — e depois colocar tudo em risco pela excitação de uma novidade. Era verdade que Paulo era um homem diferente do irmão, que ele nunca fora o artista do pênis que Michael era antigamente. E provavelmente ainda estava no coração dele, apesar do recente voto de celibato, e talvez sempre fosse estar, até que seu pênis murchasse com o passar dos anos.

Mas ainda assim — como uma nova mulher podia valer esse grau de dor de cabeça? Como uma nova mulher podia fazer você deixar sua família de lado? Ninguém era tão bom assim na cama.

Paulo não conseguia explicar isso, mas sentia que fora colocado em risco mais do que a família do irmão. O comportamento despreocupado de Michael parecia arriscar tudo pelo que tinham batalhado. E ele adorava o que tinham construído. Ele adorava sua empresa. O cheiro dos carros quando ele chegava no trabalho de manhã, o aroma glorioso do couro e do óleo. As viagens a Turim e Milão, depois a longa viagem de volta pelos Alpes, atravessando a França e depois a Inglaterra, e por fim o lar. Os clientes que adoravam esses lindos objetos tanto quanto ele — e mais do que o irmão.

Eles não tinham chefe, ganhavam um bom dinheiro, estavam realizando seus sonhos de juventude — trabalhando por conta própria, trabalhando com carros. Paulo sabia que eram homens de sorte. Mas o irmão não podia ver além da ereção seguinte.

Michael voltou com os formulários.

— Não perca Naoko e Chloe — disse Paulo. — Ginger não vale isso. Nenhuma mulher nova vale isso.

— Eu já *lhe disse*. Não coloquei um dedo nela desde que ela voltou.

— Estou só falando. Ame sua família como elas merecem. Pare de tentar ser o garanhão que você era em Essex.

— Você não entende, não é?

— Me explique.

— Você não quer ouvir.

— Tente.

— Tudo bem... As mães são primeiro mães e depois mulheres — disse Michael.

Ginger o pegou olhando e riu, antes de voltar ao trabalho com um sorrisinho.

— O que é que pega você? — disse Michael. — O que é que pega qualquer homem?

— Não sei — disse Paulo. Não era o tipo de coisa em que ele pensasse.

— São as pernas, os peitos, a carne.

— Está falando de escolher uma mulher? — disse Paulo. — Ou de escolher uma galinha? Porque parece que você está no setor de aves e ovos.

— Ah, sem essa; por que você se sentiu atraído pela Jessica? Porque ela é uma gata! Jessica, a gata!

Paulo sentiu o coração inchar de orgulho. Era verdade. Jessica era a gata das gatas.

— O carro dela quebrou — disse Michael. — Você estava com seu táxi. Você olhou para ela e a desejou. Vamos lá...

Admita. — Michael deu um soco de leve no braço do irmão e os dois riram. — É assim que *funciona*. É como *sempre* funciona. Se ela pesasse uma tonelada, você nem reduziria o carro.

Paulo não conseguia se conter. Ficou feliz ao ouvir que o irmão achava Jessica uma gata. Afinal, Michael era muito mais experiente com as mulheres.

— Concordamos que isso te pega — disse Michael. — Mas o que é preciso para te segurar? O *bebê*. E o amor pelo bebê... Esse grande amor, o maior, o amor de sua vida. Não pode imaginar como esse amor é grande, Paulo, não pode supor o amor que está dentro de você e transborda quando você tem um filho. É por isso que você fica. — Michael sacudiu a cabeça. — É fácil bordejar quando não se tem filhos. Você simplesmente sai. Não existe âncora, nem grilhões. Mas aí vem um filho e fica impossível.

— As pessoas fazem isso. Um monte de homens faz isso. — Ele pensou na mãe de Jessica, podia vê-la fumando um cigarro em um apartamento caro da St. John's Wood onde não havia filhos para estragar o tapete, nem preencher o silêncio, nem lembrar a você do passar dos anos. Jessica só o levara lá uma vez, quando eles tinham acabado de voltar da lua-de-mel. Fora o suficiente. — E as mulheres também.

— Eu sei que fazem — disse Michael em voz baixa. — Mas não sei como. Nunca vou deixar Naoko e a neném. Elas vão ter que me abandonar.

Talvez teria sido diferente se Ginger tivesse o próprio filho. Então Naoko e Chloe teriam de competir pelo coração de Michael com Ginger e o bebê dela. Mas Ginger não teve o bebê, no final das contas.

Um alarme falso, Michael tinha dito.

Não, pensou Paulo. Não foi alarme falso. Foi só o desejo dela.

— Ela não é tão linda quanto Naoko — disse Paulo.

— Isso é verdade — disse Michael.

— E nem é tão inteligente. E ela é muito mais velha.

— Não posso contestar isso.

— Então... Por que aconteceu? Como pôde acontecer? Eu não entendo.

Mas o irmão não teve de pensar muito.

— Ela é mais indecente. E não é disso que os homens realmente gostam? Quando você desce a isso. Não é esse o gatilho do prazer?

— Gatilho do prazer?

— Queremos mulheres que sejam obscenas... Mas não queremos que a mãe de nossos filhos sejam obscenas. Olha... Não sou eu que faço as regras, tá legal? Ginger... Basta vê-la e quero fazer como o Papai Noel.

Paulo pareceu confuso.

— Esvaziar meus sacos — disse Michael.

— Mas não é justo, é? Não é justo com a sua mulher. Ela merece coisa melhor. Olha o quanto você a magoou, olha a dor que você causou.

— É — disse Michael, evitando os olhos do irmão. — Ela merece coisa muito melhor. E é por isso que vou para casa quando terminamos o trabalho. É por isso que não vou para o Hilton por algumas horas. Eu ando na linha, porque tenho mulher e uma filha. Mas minha casa não é a mesma ultimamente. Naoko ainda não quer dormir comigo. Nem depois... Sabe o quê? Temos quartos separados. Eu estou no quarto de hóspedes. Ela está com a filha em nosso antigo quarto.

— Isso é triste.

— Ela vai aparecer um dia — disse Michael. — Quando eu tiver sofrido o bastante. Olha, eu amo Naoko... À minha maneira. Ah, é diferente de quando eu a conheci. É diferente de quando ela era uma estudante jovem, eu nunca tinha saído com uma garota asiática e ela era tão diferente de todas as outras e nós não nos cansávamos um do outro. Agora é outro tipo de amor. E não tenho certeza se é pior do que milhões de outros casamentos. Eu a amo como muitos homens amam as esposas, como muitos homens amam a mãe de seus filhos. Eu a amo como a uma irmã. — Michael olhou para o irmão. — E talvez *isso* é que seja meio triste. Porque quem quer trepar com a irmã?

— Jessica não é como uma irmã.

— Dá um tempo. Isso é o que todos temos medo de admitir, mesmo para nós mesmos. *Se você quiser trepar com elas, então você não quer um bebê com elas. E se você quiser um bebê com elas, então não quer trepar com elas.*

E então talvez Jessica e eu fiquemos melhor sozinhos, pensou Paulo.

Ele nunca quis ser como o irmão e todos os homens casados e infelizes — cumprindo implacavelmente suas penas de prisão perpétua como prisioneiros cínicos.

Paulo acreditava no romance. Acreditava que o amor podia durar toda uma vida. Ele ainda acreditava que podia ter tudo isso com Jessica. Acreditava em Jessica e em si mesmo como casal, apesar de toda a dor de desejar uma coisa que nunca tiveram, apesar da tristeza, das lágrimas secretas por trás de portas fechadas e da dor que os devorava vivos quando a mãe dele novamente sorria e outra vez perguntava quando eles iam começar uma família — como se os dois fossem apenas uma imitação barata de família.

Mas se nunca tivermos um filho, disse ele a si mesmo, talvez nada vá ficar entre nós. Talvez nada vá matar nosso amor, nem nos obrigar a dormir em quartos separados.

E no entanto ele não conseguia acreditar nisso. Porque ele sabia que Jessica nunca seria feliz sem um filho. Paulo de repente percebeu que tinha de conseguir um bebê para Jessica. O bebê deles.

Nem que tivesse de procurar no mundo todo.

treze

Londres. Maldita Londres. Meu Deus, ele tinha se esquecido de como esse lugar podia ser frio. E não era isso que os ingleses chamavam de verão?

Enquanto Kirk andava pelo West End em busca de um emprego e uma mulher — qualquer emprego serviria, mas só uma mulher em particular —, o vento fustigava a Oxford Street e enregelava-o até os ossos.

Mas o pior não era o frio, nem o trânsito engarrafado, nem os ciclistas psicóticos, nem os espetinhos repugnantes, nem as raposas urbanas que uivavam do lado de fora da janela de seu minúsculo apartamento enquanto fuçavam à procura de sanduíches jogados fora.

Era aquele céu branco e achatado de Londres que exauria seu espírito, era aquela luz mortiça. Era a luz que fazia Kirk ter vontade de voltar correndo para Manila, ou fazer todo o caminho de volta a Sidney.

E no entanto, como muitos homens que tinham tratado o compromisso como sua criptonita particular, ele sonhava com um fim para a correria. Foi por isso que ele voltara. Para encontrar a mulher e dar um fim à correria. Tinha que terminar um dia, não é? Essa vida de diversão e viagens e trepadas em toda parte? Porque, como isso podia durar para sempre?

Kirk sempre tivera pavor da vida familiar. Não porque fosse um daqueles cretinos melancólicos cujos pais tinham se separado. Mas porque era um daqueles cretinos melancólicos cujos pais ficaram juntos.

Ele adorava a mãe e o pai, mas só individualmente. Juntos, como casal, eles eram um desastre. Ele os amava — mas separadamente. Sob o mesmo teto, ele não agüentava ver os dois, o som deles, o cheiro do que seu pai chamava de "gotas narcóticas escocesas".

Havia ocasiões em sua infância em que ele sentia que nunca escaparia. Da bebedeira do pai. Da raiva da mãe. Um devorando interminavelmente o outro, sem parar, ano após ano, a bebida e a raiva piorando à medida que as décadas passavam.

Por que seu pai bebia? Porque a mãe tinha raiva. Por que a mãe tinha raiva? Porque o pai bebia.

Era disso que ele se lembrava, era disso que ele sempre fugia, era por isso que ele tinha deixado a garota na Austrália, por isso ele tinha voado para as praias e os bares das Filipinas. Fora somente durante aquele breve período em Londres que ele sentira que tinha vislumbrado a possibilidade de outra vida. Uma vida tão diferente do casamento infernal dos pais dele.

O pai era um alcoólatra fronteiriço, um homem que na verdade era bem doce quando não estava bêbado, um taxista sóbrio por profissão, um pai gentil e atencioso que só bebia para afogar alguma decepção indizível de sua vida. E a mãe era aquela dona-de-casa sensível, toda sorrisos fixos e encanto frágil no supermercado ou nos portões da escola, mas soltando o verbo na mesa de jantar, gritando na cozinha, atirando o que tivesse à mão. Mas Kirk não conseguia deixar de amá-la — ela podia ser afetuosa e gentil quando o marido estava no trabalho ou comatoso devido às gotas narcóticas escocesas. Sua mãe podia ser uma pessoa muito amorosa. Principalmente se você fosse um cachorro.

Os pais de Kirk deviam ter se separado quando Kirk cresceu e partiu, aos 16 anos, para ensinar mergulho a moradores e turistas. Mas os pais ficaram juntos, e isso o fazia acreditar na santidade do divórcio.

Kirk olhou a caixa de fósforos do restaurante que tinha na mão, o lugar onde ele soube que podia trabalhar. *Mamma-san.*

Era um nome engraçado para um restaurante. Talvez eles pensassem que estavam sendo genuinamente asiáticos — juntando o coloquialismo local com o honorífico japonês *san*, talvez pensassem que significava mãe respeitada. E talvez fosse assim naquele bairro.

Mas nos bares da Ásia significava algo muito diferente. Por lá, mamma-san era a velha que o ajudava a encontrar uma garota para passar a noite. Ou uma ou duas horas. Ou uma rapidinha de 15 minutos em uma sala VIP escurecida. As mamma-sans, que eram principalmente um cruzamento de vovó querida com uma alcoviteira severa, ensinaram a Kirk que ele não estava pagando às garotas de bar por sexo. Estava pagando a elas para irem embora quando tudo acabava.

Agora ele acreditava que tinha satisfeito sua cota de sexo recreativo, sexo comercial e sexo com turistas de mergulho com quem você não queria conversar no momento em que vinha à superfície. Agora ele acreditava verdadeiramente que finalmente podia estar pronto para se estabelecer com aquela mulher incrível da festa — a Dra. Megan Jewell.

Era verdade que ele às vezes achava difícil se lembrar do rosto dela. Os dois estavam muito bêbados. Mas ele se lembrava o suficiente. Algo nela — e como se poderia explicar? — tocara fundo nele, e mesmo quando ele estava do outro lado do mundo, mesmo quando estava na cama com outra mulher, mesmo quando estava pagando por sexo, Megan simplesmente não desaparecia. Não era possível explicar essa sensação, mas também não era possível confundi-la com qualquer outra coisa. Ele achava que era amor.

Agradava a ele que ela fosse médica. Ele na verdade adorava. Achava isso impressionante e *sexy*. Ele sabia que era idiotice, mas não conseguia evitar. Aquela jovem que lidava com questões de vida e morte — isso dava a ela uma autoridade que outras mulheres que ele conhecera simplesmente não tinham. E ao contrário de todas as outras na festa, ela não o tratou como um rato de praia imbecil com areia no lugar do cérebro.

Ele realmente pensava que ela podia ser a mulher perfeita. Mas em uma câmara secreta de seu coração, ele suspeitava que só sentia isso porque nunca tivera a oportunidade de trepar com ela, e porque ele sabia que seria quase impossível encontrá-la novamente em uma cidade com dez milhões de pessoas.

Kirk fez a si mesmo a pergunta que todos os homens devem fazer quando tiveram amantes além da conta.

Quando conseguisse o que queria, ele iria querer novamente?

As mulheres que Rory via eram mais novas do que ele.

Muito mais novas. Ele não tinha planejado dessa forma, mas era o que havia no mercado, o que estava disponível.

Todas aquelas mulheres que eram jovens o bastante para ser — bem, namoradas dele.

Ele não podia imaginar o que as mulheres de sua idade — 49 anos e três quartos — estavam fazendo à noite enquanto ele estava namorando. Seguindo os filhos adolescentes, talvez, dizendo que não saíssem vestidos daquela maneira. Pensando nos homens sórdidos que tinham ferrado sua vida, possivelmente. Talvez elas ficassem aliviadas em finalmente estar além de todos os horrores e humilhações do jogo do acasalamento. E talvez elas por fim fossem felizes — mais felizes do que ele podia ser. O que quer que estivessem fazendo, era um mundo diferente, um universo paralelo de que ele não podia fazer parte.

Era mais fácil sair com mulheres mais novas. Elas eram relaxadas com a própria vida. Só as mulheres mais velhas — isto é, mulheres mais ou menos dez anos mais novas do que o próprio Rory — ficavam surdas com o som de seu relógio biológico. E não só as que nunca tiveram um filho. As mães solteiras eram igualmente ruins. As mulheres divorciadas e felizes com filhos eram a mesma coisa.

Seus corpos tinham passado do tempo regulamentar, seus óvulos ainda tinham esperança de uma prorrogação. Mas mesmo que elas já tivessem um ou dois filhos, elas queriam mais um bebê, e mais uma chance de uma família perfeita.

Rory não podia culpá-las. Ele entendia. Seu coração solitário doía exatamente pelo mesmo motivo.

Pelo menos uma família adequada.

Rory olhou os fragmentos espalhados de sua antiga família e ansiou pelo impossível — fazer, de algum modo, tudo de novo. Ele não tinha problemas para entender o impulso de formar um lar de família. E no entanto muitas mulheres queriam demais, cedo demais. Depois de um jantar, de um cinema, de uma ida para a cama, ele às vezes podia senti-las avaliando-o como material para parceria, e isso sempre o fazia ter vontade de fugir. Havia algo de peculiarmente antiquado em muitas daquelas mulheres modernas — a equiparação de sexo com casamento e filhos. E é claro que, por causa da pequena cirurgia nos testículos, Rory não ia ter filhos com mais ninguém.

Uma das mulheres mais velhas — na crista dos 39 anos, a margem fatal — gritou de verdade quando ele lhe contou sobre a vasectomia.

— Isso significa que nunca vou ter um filho seu!

Isso depois de um peixe japonês, um filme alemão e uma trepada nada inspiradora.

Então ele se prendia às mulheres mais novas. Não pelos motivos que em geral eram apresentados — a firmeza da carne, a juventude primaveril do corpo —, mas porque elas não davam a impressão de que seu tempo estava se esgotando.

Ele não podia ter filhos? Ótimo. Porque elas não queriam ter filhos com ele. Elas não queriam ter filhos com ninguém. Não *agora*. *Ainda* não.

— Um bebê é uma coisa com uma boca enorme numa ponta e nenhum senso de responsabilidade na outra — afirmou uma pós-graduada de Cambridge que estava gerenciando a cooperativa de táxi na BBC. Tinha 29 anos. Rory sabia que ela perderia o sorriso cínico e mudaria de tom em algum momento nos dez anos. Todas elas faziam isso. Mas a essa altura ele já estaria longe.

Os homens de sua safra — filhos dos anos 60 e 70, veteranos de tribunais de divórcio, às vezes mais de uma vez — garantiam a Rory que era perfeitamente natural sair com mulheres mais novas.

Um deles — um advogado de 50 anos que estava saindo com uma agente literária de 32 — disse que, para encontrar sua parceira perfeita (sempre pressupondo que você é um homem de meia-idade com uma grande renda disponível), era preciso reduzir sua idade à metade e depois acrescentar sete anos.

Assim, um homem bonito de 30 anos devia sair com uma mulher de 22. E um cara bem-conservado de 40 devia se envolver com uma mulher de 27. E um macaco-velho de 50 devia sair com uma mulher de 32.

Era perfeitamente natural para um homem de sua idade ver mulheres mais novas, assim soube Rory — apesar de parecer um clichê e apesar de ele estar relutante em fazer o papel de velho obsceno. Era uma das regras cruéis.

— À medida que o homem envelhece, há cada vez mais mulheres para escolher — disse o advogado. — Para as mulheres, acontece o contrário. E isso é verdade, independentemente do brinquedinho que Joan Collins ou Demi Moore escolham para sair nesta semana.

A última mulher com quem Rory saíra tinha 32 anos — metade da idade dele, mais sete —, perfeito. No começo foi bom. Ela tratava a cirurgia dele como um truque de festa, como se uma vasectomia fosse semelhante a ter articulações soltas. Ela não estava desesperada para satisfazer seu destino biológico. Não *naquele momento*. Não com *ele*. Ela achava que tinha todo o tempo do mundo. E ficava feliz em deixar as camisinhas de lado.

Rory a deixou delicadamente depois de alguns meses. Não havia nada de errado com ela. Ela era inteligente, engraçada e uma ótima diversão debaixo dos lençóis. Mas na verdade o sexo não parecia tão diferente de pedir uma pizza.

Cada vez mais, era disso que o sexo moderno o lembrava — uma pizza com pepperoni extra. Um momento de prazer que se dissolvia na lembrança, e muito em breve você estava com fome de novo. Além de satisfazer esse momento de fome animal, qual era o sentido? Talvez não houvesse nenhum.

Nem sempre era assim.

Nos tempos sombrios de seu casamento, antes da operação, o sexo sempre trazia a promessa de mais alguma coisa. Depois da cirurgia, à medida que o casamento entrava em colapso, sexo e procriação foram separados para sempre — assim como a sociedade os separou, como ele sempre pensou. Para ele, sexo nunca mais significaria uma família, assim como o sexo que você via em anúncios vistosos de publicidade nunca significava família.

As imagens sexuais com que somos bombardeados todo dia — o que têm a ver com a possibilidade de um novo ser humano, outra vida, com formar uma família toda sua?

Absolutamente nada.

Agora todo sexo era rápido, sexo de balcão, rápido e de fácil sustento — para Rory, para o mundo —, rapidamente consumido e, da mesma forma, rapidamente esquecido. Uma rapidinha febril encostado na geladeira enquanto você está tomando seu sorvete Häagen-Dazs.

Recompensa imediata, prazer descartável.

E antigamente significava muito mais do que isso. Antigamente, tinha sido tudo o que era hoje — a fome, a febre, perder-se no corpo de outro ser humano —, e no entanto infinitamente mais.

Desde que seu casamento acabara, Cat era a única mulher que tinha feito o sexo parecer melhor do que pedir uma pizza.

Ah, ele queria ter conhecido Cat primeiro, queria que ela fosse a mãe de seu filho. Doía-lhe todo esse vazio, o desejo sem sentido. E ele sentia falta dela. No final das contas, era simples. Ele sentia muito a falta dela. Seu espírito feroz, o sorriso torto, sua força e sua gentileza. O tamanho de suas pernas, a respiração suave quando ela dormia e o modo como Cat ficava numa manhã de domingo quando eles liam os jornais e não precisavam dizer nada um ao outro. Ele sentia falta disso tudo.

Desde que terminara, ele saía com mulheres mais novas, mais bonitas e mais experientes na cama, e no entanto nenhuma delas era do mesmo quilate de Cat. Esse era o mistério que ele nunca entenderia, pensou ele. Não se podia racionalizar isso. Não se podia explicar por que o coração escolhia amar quem ele amava.

Ele fora verdadeiramente apaixonado por ela — agora ele via isso —, mas, da mesma forma que sentia falta dela, ele sabia que podia viver sem ela. Essa era a pior coisa em envelhecer. Isso era o pior de tudo. Perceber que você pode continuar vivendo sem outra pessoa, quando chega a hora do aperto, quando chega a hora de dizer adeus e boa sorte, cuide-se e vamos ser amigos, perceber que todos nós, no fim das contas, somos sós e obtemos nossos prazeres onde podemos.

Quando você finalmente percebe que não pode morrer por causa de um coração partido, pensou ele, é que fica sabendo que verdadeiramente chegou à meia-idade.

Então Rory se prendia a suas mulheres mais novas. E a ironia era que ele nunca tivera tanto sucesso com mulheres quando era um jovem viril.

Elas gostavam do corpo dele, do modo como ficou depois de todos os anos de exercício constante. Gostavam de suas maneiras gentis. E acima de tudo, gostavam do triste fato de ele poder viver sem nenhuma delas.

Depois que usa seu estoque de amor, ele agora sabia, você pode viver sem ninguém.

Essa também era uma das regras cruéis.

Paulo virou a Ferrari na pista e imediatamente pisou no freio.

Ele lentamente deu a ré, o cascalho estalando sob as rodas, notando a presença do jardineiro, do cara da piscina, um engenheiro de telefonia, duas vans brancas não identificadas — encanadores? —, alguns carros que ele não reconhecia, o grande BMW X5 preto do construtor e uma caçamba transbordando que não estavam ali naquela manhã. Era como tentar estacionar em Piccadilly Circus.

Havia uma garagem para dois carros vazia na outra extremidade da entrada, mas conseguir um caminho até ela teria sido como organizar a evacuação de Dunquerque. Então Paulo estacionou na rua novamente. Enquanto abria a porta, um carro passou silvando por ele, buzinando com raiva. Depois de uma vida inteira no trânsito pesado da cidade, a velocidade daquelas ruas de subúrbio o aterravam.

A porta para sua casa nova estava aberta.

Paulo entrou e foi atacado por barulhos e cheiros. Pancadas e soldas, uma coisa pesada sendo largada. Vozes altas e risos. Tinta fresca e reboco úmido. Goma de mascar e cigarros. Sentindo-se um estranho em sua própria casa, Paulo se encostou no corrimão, a mão imediatamente recuando com a viscosidade, a palma coberta de uma camada de emulsão de magnólia.

— Dizem que uma mudança é tão estressante quanto um luto ou um divórcio — disse com diversão o construtor, acendendo um cigarro enrolado à mão. — Prefiro o luto e o divórcio em qualquer dia da semana. Procurando por sua senhora, Paulo, meu amigo?

Jessica estava no jardim dos fundos, debaixo do guarda-sol de jardim Indian Ocean, olhando o que pareciam desenhos de arquitetura com um homem que Paulo não reconheceu.

O homem estava dando o preço de uma cozinha. A princípio Paulo pensou que tinha ouvido mal — o preço parecia demasiado alto, mais parecia o preço de um carro. Mas o homem disse que na verdade não era tão caro para uma cozinha daquela qualidade. E Paulo se perguntou quando o mundo tinha mudado e o que sua mãe diria sobre uma cozinha que tinha o valor de um carro.

O homem tinha de elevar a voz porque havia um grupo de jovens jardineiros sem camisa empunhando o que pareciam aspiradores de pó portáteis, margeando a beira do enorme jardim, soprando folhas e galhos soltos. Para além deles, o rapaz da piscina passava uma rede de pesca enorme na água, removendo o lixo que estava sendo soprado pelos jardineiros. A bagunça dava lugar à perfeição em toda parte.

Paulo olhou a esposa. Seus traços perfeitos estavam dispostos numa máscara de concentração enquanto analisava os desenhos. Ele adorava vê-la quando ela não sabia que ele estava presente — ele não conseguia acreditar na sorte que tinha, na verdade, que aquela era a mulher com quem ele dividia sua casa, sua cama, sua vida. Ele sempre declarou que podia olhá-la para sempre, embora Jessica sempre insistisse com um sorriso que 15 minutos ficariam mais próximos do normal.

Não, pensou Paulo, vendo-a agora com o homem da cozinha. O normal é mais para sempre.

Então ela de repente olhou para ele e sorriu. Sempre feliz em vê-lo novamente, mesmo depois de todo aquele tempo.

— Jess? Posso falar com você?

Mas Jessica queria apresentar Paulo ao homem da cozinha e, por um bom tempo, os três ficaram sentados ponderando as virtudes de diferentes tipos de madeira, granito, ladrilho e utensílios de cozinha, até que o homem por fim teve que correr para o compromisso seguinte.

Havia um pequeno abrigo no final do jardim, parte casa de veraneio, parte espaço para guardados. Vencendo os protestos de Jessica — ela queria conversar com o encanador-chefe sobre torneiras —, Paulo guiou a mulher até o abrigo.

— Vai ficar uma cozinha linda — disse Jessica, os olhos brilhando de empolgação.

— Eu sei, Jess.

Ela franziu a testa, preocupada.

— Estamos bem de dinheiro?

— Se é o que você quer, sempre podemos conseguir o dinheiro.

Ela atirou os braços no pescoço dele. Um pedreiro assoviou.

— Você é um doce.

Ele beijou a boca de Jessica de leve.

— Eu só quero que você seja feliz.

Ele foi sincero. Se aquela casa nova a faria feliz, então ele conseguiria o dinheiro em algum lugar. Se aquela cozinha nova, que custaria mais do que a casa em que sua mãe e seu pai viveram, a casa em que eles criaram dois meninos, era o que importava, então mostrem-lhe onde assinar. Ele daria à mulher todas as coisas que ela queria. Mas, no fundo do coração, ele se perguntou se isso não fazia parte do problema.

Estamos tão acostumados em conseguir as coisas que queremos, pensou ele. Todos nós. Então, como reagimos quando há uma coisa que não temos? Algo que queremos mais do que tudo?

— Cuidado com a escada — disse ela. — A tinta ainda está úmida.

— Vou ter cuidado.

Ele percebeu que eles ainda tinham de elevar a voz por causa dos jardineiros e suas máquinas de folhas. Mas ele não podia esperar que ficassem a sós. Aquilo tinha de ser feito agora. Não havia mais tempo a perder. E então, na pequena casa de verão, ele mostrou a ela o folheto que tinha levado para casa.

Havia uma foto em cores de um bebê asiático na capa, envolvido pelos braços de alguém. Os braços de uma mulher. Ao fundo, em preto e branco, estava uma imagem asiática genérica, o teto curvo de um templo budista, a neblina nas montanhas verdejantes.

Adoção na China, dizia a capa. Palavras amarelas em um fundo vermelho. Cores chinesas, pensou Paulo. Jessica ficou confusa e depois preocupada. Como se um dia perfeito tivesse sido arrancado dela.

— O que é isso? — disse Jessica, sacudindo a cabeça. — O que é isso?

Ele tinha testemunhado a mulher vendo muitas revistas elegantes. De cozinhas, banheiros, quartos e cada item neles. Camas, pias, carpetes, cortinas, mesas e cadeiras. Mas Paulo sabia que eles não tinham as coisas de que eles precisavam para transformar aquela casa num lar.

Só havia uma coisa que podia fazer isso.

— Você não quer tentar a FIV de novo — disse Paulo.

— A FIV é uma bomba-relógio médica — disse Jessica, passando as páginas do folheto *Adoção na China*.

O texto era cheio de fotos em preto-e-branco de bebês chineses assustados, bebês chineses dormindo, bebês chineses sorrindo. Lindos bebês. Jessica olhou para eles como se os bebês fossem de uma espécie que ela nunca vira na vida.

— Como você sabe — disse Paulo —, acho que é tudo besteira.

Ela se virou para ele.

— Ah, você é o grande especialista, não é? Você acha que só estou com medo de tentar de novo, e você está errado. Essa coisa é *perigosa*, Paulo. Existem pesquisas que dizem que a FIV causa um risco maior de tumores. Que os bebês de FIV têm uma probabilidade maior de ter baixo peso ao nascimento. Isso para não falar nos efeitos que tem nas coitadas das mulheres. Você sabe alguma coisa de todas as ligações entre a FIV e o câncer de mama?

A voz dela estava irritada, mas havia algo mais nela, e parecia medo. Ele não queria que ela tivesse medo. Ele queria que eles passassem por tudo juntos.

— Eu também li esses artigos — disse Paulo, com a maior delicadeza que pôde. — E me desculpe, Jess, mas eu ainda acho que isso não é motivo para você não tentar de novo. Você acha que os bebês que nascem normalmente não têm problemas? Meu Deus, todo mundo quer garantias absolutas hoje em dia. Todo mundo quer uma garantia vitalícia. E o mundo não é assim.

Ela tombou a cabeça e a tristeza que ele sentiu pareceu esmagar os dois.

— Você deve me achar ridícula.

— O que é isso, Jess, você sabe que não é verdade. Você é a melhor coisa que já me aconteceu.

— Você acha... Ah, a coitadinha é uma senhora casada. Como pode ser boa sem um filho? Dê um filho a ela e cale a boca dessa mulher. E qualquer bebê vai resolver o assunto.

— Isso não é justo. Só estou dizendo... Acho que existem milhões de bebês saudáveis nascidos de FIV.

Ela ergueu o queixo em desafio, o gesto patenteado de Jessica sempre que se via numa briga, e ele sentiu um surto de sentimento por ela.

— É o meu corpo.

— Sim, é... E é por isso que quero que você pelo menos pense na adoção.

Ela riu com amargura.

— É o que você acha que eu quero? Um bebê que escolhi pela internet? Um bebezinho exótico de um órfão-lindo-ponto-com que ninguém quer em seu próprio país?

Ele colocou as mãos no folheto que ela segurava, como se pudesse salvá-los.

— Só leia isso, Jess. É só o que eu peço. Você sabe o que dizem na China? Sobre um bebê adotivo? *Nasceu do ventre errado — procura a entrada certa.*

— Todo mundo ia *saber* que não é meu filho.

A voz dela implorava, tentando fazer com que ele parasse, quase frenética com a necessidade de parar de falar sobre tentar amar o filho de outra e a terrível implicação desse amor — de que eles nunca teriam o próprio filho.

— Quem liga para o que as pessoas sabem, Jessie? Quem liga para o que as pessoas pensam? Quem se importa?

Os olhos dela brilharam de fúria.

— Eu me importo, droga!

— Jess... Há um bebê em algum lugar lá fora para nós. Um bebê que precisa de pais amorosos tanto quanto queremos um filho. O que há de errado com a adoção? Só estou dizendo... Pense nisso. É só. É uma alternativa.

As palavras dela foram frias e duras, sem deixar nenhuma esperança, encerrando a discussão.

— Não para mim. Não é uma alternativa para mim. Eu quero o *meu* filho. Não um bebê que vem de outra pessoa. Não um bebê que não se parece comigo. *Meu* bebê. Não quero um substituto. Não quero a segunda opção. Não quero adotar.

Ela devolveu a ele o folheto *Adoção na China*. A capa e a última página tinham sido amassadas e rasgadas nas mãos de Jessica.

— Prefiro ter a merda de um gato — disse ela.

quatorze

— Mesa quatro — disse o chef, batendo num prato de camarões-tigre. — A mesa da Cat.

Kirk fez um olhar vago.

— O velho e as três mulheres. Anda logo, surfista!

Kirk saiu da cozinha cheia de vapor para o restaurante apinhado de sábado à noite. Havia algo de estranhamente familiar na mesa quatro. Ele achou ter reconhecido o velho — um homem ereto e grisalho, do tipo David Niven, um verdadeiro britânico da velha escola — e — ah, é claro — ele com certeza conhecia a mulher alta e bonita ao lado dele. Cat. A gerente daquele lugar, a quem ele havia sido apresentado brevemente depois que o chef lhe dera o emprego. Havia mais duas mulheres à mesa, mas ele não viu seus rostos.

— Seus camarões — disse ele, abrindo espaço para o prato na mesa abarrotada. — Cuidado, está muito...

Então ele estava olhando nos olhos de Megan.

— Quente — resmungou ele, os camarões ainda no ar.

— Quer dizer apimentado ou quente mesmo? — perguntou Jessica.

Ele tinha ensaiado seu encontro tantas vezes que ficou arrasado com a realidade do momento. Por algum motivo imaginara que ela acalentaria os mesmos sentimentos e que ficaria feliz em vê-lo.

Mas não havia nada nos olhos dela que indicasse que sequer o tinha reconhecido.

— Desculpe, que tipo de quente é? — disse Jessica.

Ele a olhou.

— Como?

— Está tudo bem, vamos ter cuidado — disse Megan, mais calmamente do que se sentia, soltando os camarões das mãos dele. O que *ele* estava fazendo aqui?

— É você — disse ele com um sorriso fraco. Ele procurara por ela em toda parte. E agora ela aparecera para ele. Mas não era para ser assim.

— Como vai? — Ela sorriu, como se ele fosse um velho conhecido que ela não conseguia reconhecer.

Então ela fez uma coisa inacreditável — virou-se, desprezando-o, curvando-se para os camarões, e ele sentiu seu ânimo afundar. Mas ainda assim ele ficou ali, paralisado pela visão de Megan Jewell. A ficada em que ele pensaria até o dia de sua morte.

Cat pigarreou.

— Vamos querer outra garrafa de Bollinger. Quando você puder.

— Agora — disse Kirk.

— Quem é isso? — Ele ouviu o velho dizer enquanto ele se afastava.

— Ah, não é ninguém — disse Megan.

Eles estavam comemorando.

Aos 62 anos, Jack Jewell tinha conseguido seu primeiro papel em Hollywood. Em uma idade em que os contemporâneos brigavam para ter pequenos papéis como freqüentador de pubs nas novelas, Jack aguardava as três semanas em Los Angeles para interpretar o pai em um remake da era Vietnã de Adoráveis Mulheres.

— O pai dedicado de uma linhagem difícil e exigente de filhas — disse ele sorrindo.

— Isso vai longe — disse Jessica.

— E vem me falar de repetir papéis — disse Cat.

Todos riram, mas Megan se perguntou o quanto isso estaria próximo de viver. Embora o amasse muito, ela sabia que seu pai sempre ficara desnorteado com o que ele chamava de "coisas de meninas". Embora ele as amasse muito, as filhas de Jack sempre foram um mistério para ele.

Fora Cat quem orientara primeiro Jessica e depois Megan quando elas começaram a menstruar. Ela imaginava que o pai não fazia idéia de que Jessica fizera um aborto aos 16 anos ou que Megan começou a tomar a pílula quando chegou à mesma idade. Mesmo agora havia um certo pânico silencioso em seus olhos quando surgia o assunto da endometriose de Jessica ou da pré-eclâmpsia de Megan. Um pai não podia se tornar mãe simplesmente porque a mãe tinha dado o fora.

— Adoráveis Mulheres — disse Jessica, e elas ergueram as taças de champanhe, embora a de Megan só contivesse suco de pêra. — Vai ser bom.

— Vai ser ótimo — disse Cat.

— Vai fundo, pai — disse Megan.

Eram só os quatro. Sem namorados nem maridos — o que na verdade significava sem Paulo, já que Jessica era a única delas com algo semelhante a um parceiro. Mas Paulo ficara feliz em ficar de fora. Quando as irmãs e o pai se reuniam, ele sempre se sentia como um penetra em um clube do qual não era sócio.

— Como é a casa nova, Jessie? — perguntou o pai.

— Cinco banheiros — disse ela, e todos ficaram impressionados. Ela sempre se sentia compelida a chamar a atenção para o número absurdo de banheiros. — É tão bom sair da cidade. É mais limpo, mais verde, mais seguro.

— E as pessoas são mais amistosas, aposto — disse o pai. — Têm mais tempo para você.

Jessica concordou rapidamente, embora não fosse absolutamente verdade.

Ela descobriu que o subúrbio estava explodindo de mães presunçosas — todas aquelas mulheres com diplomas (honorários) de Sra., destinos biológicos satisfeitos, que viam o mundo sob seus controlezinhos. A verdade era que ela sentia falta das irmãs, de Naoko, de Chloe e da cidade.

Se você sorrisse para as crianças nos parques e ruas do subúrbio, as mães arrogantes agiam como se você fosse roubar os filhos delas. No fundo, Jessica desejava nunca ter deixado sua antiga casa, sua antiga vida, Naoko e a pequena Chloe. Naoko entendia que ela nunca faria nada para machucar uma criança. Naoko sabia que ela adorava crianças. Naoko sabia que ela só estava sorrindo.

— Tenho que fazer xixi imediatamente — disse Megan. — Quer dizer... Agora.

Ela se soltou da cadeira e quase de imediato ouviu a explosão de uma garrafa de champanhe atingindo o chão.

Ela procurou Kirk pelo restaurante.

E Kirk encarava a barriga dela.

Quando eles saíram do restaurante, ele estava esperando na rua.

— Quer que eu dê um jeito nesse cara? — disse Cat a Megan. — Meu Deus, ele trabalha para mim. Vou tocar esse cara de volta à selva aos chutes.

— Eu cuido dele — disse Megan. — Não era verdade. O que eu disse sobre ele não ser ninguém.

Elas olharam para Megan, depois para o jovem australiano.

— Ele não é... É *ele*, é? — disse Jessica. — *É* ele, não é? Ele é o cara.

Cat pegou o braço dela, de repente percebendo tudo.

— Pára com isso, Jess.

O pai estava parado no meio-fio, chamando o táxi preto com uma lanterna amarela, felizmente sem ter consciência de todas essas coisas de mulheres. Um táxi encostou e Megan deu um beijo nas irmãs e se despediu do pai. Eles a deixaram com relutância, Cat prometendo ligar no dia seguinte, Jessica ainda encarando Kirk e lembrando a Megan que a acompanharia na rodada seguinte de exames. Quando o táxi partiu, Megan o sentiu ao lado dela.

— De onde é que eu conheço esse velho? — disse Kirk.

— Meu pai é ator — disse Megan friamente, empertigando-se com o papinho meio insultante dele. Quem ele achava que era? Um namorado? — De onde eu conheço você?

Ele deu um sorriso duro, como se ela estivesse tentando seduzi-lo.

— Que engraçado. Quer beber alguma coisa? Tem um bar na próxima quadra.

— Nada de bares — disse Megan, fazendo o afago protetor na barriga. — Nada de multidões, nem fumaça de cigarro, nem álcool.

Ele assentiu.

— Que idiotice a minha. Desculpe. Onde, então?

Ela deu de ombros.

— Você pode conversar comigo no meu carro.

Ele pareceu acabrunhado.

— Claro.

Eles foram até o carro de Megan e ele manteve distância embaraçosamente, como se temesse o que podia acontecer se tocasse nela.

— Ele é...

Ela riu, divertindo-se genuinamente. Depois suspirou.

— Seu?

Ele ficou sem graça.

— Desculpe.

— Olha... Você tem todo o direito de perguntar. — Megan sorriu. — Está tudo bem. Sim, é seu filho... Kirk, não é?

Será que ela estava brincando? Não era possível que ela quase tivesse esquecido o nome dele. Ele nunca sabia quando ela estava brincando e quando falava a sério.

— Kirk. É. Mas por que não me *contou*?

Ela evitou os olhos dele.

— Não tinha seu endereço. Nem número de telefone.

— Eu te dei meu telefone!

Ela olhou para ele, agora com uma ponta de desafio.

— É, mas eu joguei fora.

Ele pensou no assunto por algum tempo.

— Deus todo-poderoso... Você vai ter um bebê. Quanto tem... Seis meses?

Não foi uma conjectura ruim. Ela ficou impressionada. Ele devia ter passado algum tempo com mulheres. Casadas, possivelmente, ou ex-casadas. Ou talvez ele tivesse irmãs. Ou talvez isso já tivesse acontecido com ele.

— Trinta e uma semanas. Então... Pouco mais de seis meses.

Ele olhou o volume na barriga de Megan, a sobrancelha franzida de preocupação. Não, pensando bem, ela não achava que isso acontecera com ele antes. Ele estava temeroso demais. E ela podia entender isso. Se você não ficasse temeroso diante desse milagre diário, nunca ficaria.

— Está tudo bem? — disse ele.

Megan olhou para ele de lado.

— Por que você se importaria?

Ele se eriçou com isso.

— Porque é meu filho que você está carregando — disse ele em voz baixa.

Ela sorriu. Ele era um cretino bonito. E ele tinha um coração bem gentil. Ela podia entender por que quis transar com ele uma vez na vida.

— É uma menina.

— Uma menina? Menina. — De certa forma ele nunca imaginou que seu primeiro filho seria uma menina. Mas ele sorriu e assentiu, percebendo que adorava a idéia. Uma menina! — Então é minha filha.

Megan parou e o encarou. Não tinha muita certeza de como devia se sentir em relação àquele homem. Mas naquele exato momento uma espécie de impaciência insuportável parecia ser a atitude correta.

— Mas e daí? — disse ela.

Ele hesitou.

— E daí o quê?

— Quer dizer... Mesmo, e daí? Vai se casar comigo? Fazer de mim uma mulher honesta?

Ele olhou para ela, como se pensasse seriamente no assunto. Por um segundo Megan teve medo de que ele fosse cair de joelhos.

— É o que você quer?

— Não! Meu Deus! — Ela se afastou dois passos. — Você não é exatamente material para um marido perfeito, né?

— Você não sabe nada a meu respeito.

— É verdade. Não sei nada a seu respeito. Além do fato de que você é um cara que tem ficadas nas festas.

Kirk ergueu uma sobrancelha torta.

— Talvez agora seja a hora de você me conhecer. Agora que vai ter nosso filho.

— Sem querer ofender, Kirk. Mas não há necessidade. Você é... O quê? Do tipo skatista australiano.

— Eu nunca andei de skate na minha vida.

— Atlético. Bom com as mulheres. Mais velho agora, mas ainda assim bem viril. Sentindo que deve haver um pouco mais na vida do que ensinar mergulho a turistas gordos.

Ele pareceu satisfeito.

— Então você se lembra de mim.

— O que há para lembrar? Foi só uma noite. Nem isso. Um tombo rápido em cima de casacos em um quarto de hóspedes, pelo que me lembro.

— Não fale assim. Eu pensei em você esse tempo todo. Em Sidney. Nas Filipinas. Fiquei pensando em você. Não sei por quê. Você não sai da minha cabeça. Tem alguma coisa diferente em você.

— Isso é muito lisonjeiro. — A voz de Megan era ríspida. — Mas na realidade você não me conhece. E eu não conheço você. Aprecio que você queira fazer o que é decente. Sinceramente, eu agradeço. É meio gentil que você não vá para as montanhas nem peça exames de DNA e essas coisas. Mas eu posso lidar com isso sozinha. Com minhas irmãs. Não preciso de um homem que queira preencher um vazio na vida dele. Meu carro é esse.

Ela apertou a chave e as luzes piscaram duas vezes.

— Eu só quero fazer parte disso.

Como poderia explicar a ele? Ele queria brincar de família feliz. E ela nem sabia se seria uma espécie de família. Ela podia ficar totalmente só em breve.

— Olha, Kirk... Para ser sincera, não sei se este bebê vai nascer.

Ela estava com uma das mãos na maçaneta do carro. Mas não estava indo embora. Ela viu todas as emoções com que convivia todo dia — medo, incerteza, uma descrença apavorada — passar pelo lindo rosto de Kirk.

— Não vai ter? O que quer dizer com isso?

— Não sei se este bebê vai viver. Eu posso dar à luz a qualquer momento. Pode ser esta noite. E se a neném nascer tão cedo, ela vai ter de lutar para viver. Literalmente lutar por sua vidinha. — E então as lágrimas vieram e ela não conseguiu detê-las, mas as enxugou com raiva com as costas da mão. — Sabe o que é pré-eclâmpsia?

E ele a surpreendeu.

— Minha irmã teve. Tem a ver com a pressão sangüínea, não é? Meu sobrinho nasceu prematuro. Cesariana de emergência. Ficou numa incubadora. Com um gorro de lã. Todo enrolado para ficar aquecido. — Ele sacudiu a cabeça com a lembrança. — Coitadinho do garoto.

— Até que ponto ela foi? Sua irmã?

— Não sei.

— Olha... É isso que importa. O número de semanas. Isso é *tudo*. Se nascer na vigésima oitava semana, um bebê tem uma probabilidade de 50 por cento de sobreviver. Sabia disso? É claro que não sabia. No ponto em que estou, na trigésima primeira semana, as chances são melhores. A taxa de sobrevivência é de noventa por cento. Mas ainda existem os outros dez por cento que não conseguem. Os bebês que morrem.

Ele assentiu. Por um momento ela pensou que havia lágrimas nos olhos dele também. Mas devia ser um truque da iluminação da rua.

— Estou a dois meses do final da gestação. É muito tempo. Não vou agüentar mais dois meses.

— Você pode agüentar.

Disso ela não precisava. De reafirmação irracional e infundada. Megan já tinha sua cota de exasperação na profissão com a opinião de um leigo.

— Você é médico? Não... É um garçom. Eu sou médica. Então presta atenção. Esta gravidez não vai chegar a termo. Se meu bebê nascesse hoje, não poderia sobreviver fora de uma incubadora. Isso é certo. Quanto mais tempo eu agüentar, melhor para nós. E não estou falando de você e eu, Kirk.

— Eu entendi.

Agora ela queria que ele entendesse. Agora ela queria que ele soubesse. Era a coisa mais importante do mundo dela e Megan precisava que ele entendesse verdadeiramente.

— Mesmo que eu agüente mais algumas semanas, os bebês prematuros têm todo tipo de problema. De respiração. De alimentação. — Ela passou os dedos pelos cabelos e xingou em voz baixa. — Olha... O problema dos prematuros é que seus pulmões não estão desenvolvidos. *Eles não podem respirar, porra*. Você há de convir que isso é um problema. Sem respiração. Francamente, Kirk, eu já tenho problemas suficientes sem você por perto tentando bancar o papai.

Ele abriu os braços impotente.

— Eu só quero te ajudar. De qualquer jeito. É só isso, Megan. Isso é tão ruim assim?

Ela agora se sentia cansada, de fazer cara de corajosa no jantar, de andar até o carro, as costas doendo dos músculos na base da coluna se afrouxando na preparação para o parto. Quem era esse estranho? Por que ele simplesmente não a deixava em paz? Deixava as duas em paz?

— Olha, Kirk, por que não vai embora e...

De repente o bebê pareceu chicotear irritado com o pezinho.

Tudo bem, tudo bem, pensou Megan. Continue com essa merda.

Então Megan deu o número de seu telefone a Kirk. E disse a ele quando e onde aconteceria a próxima rodada de exames. Não, ela não queria que ele fosse — as irmãs estariam com ela. Mas ela contaria a ele como foram as coisas. E ela até deixou que ele lhe desse um beijinho casto em seu rosto.

Nem tão casto assim, pensou ela, já que eles transaram um dia.

— Megan — disse ele, dando um tapinha no braço dela. — O bebê vai nascer. Ela vai ficar bem.

Os olhos dela se encheram de lágrimas quentes e gratas, e desta vez ela não tentou enxugá-las. Precisava tão desesperadamente ouvir que sua filha ia viver. Mas no fundo ela pensou — isso não é bom. Ah, não é nada bom. Não se pode ter a gravidez e depois decidir ter o relacionamento. Não funciona desse jeito.

Está tudo ao contrário.

Megan estava saindo do hospital com Cat e Jessica quando viram o obstetra dela no saguão. Como sempre acontecia quando o Dr. Stewart aparecia em lugares públicos, havia um zumbido de excitação incontida em volta dele. Mais parecia o aparecimento de um pop star do que de um obstetra pegando sua correspondência.

A mulher na recepção olhava para ele com uma adoração patente. Algumas parteiras adejavam em volta dele, corando e rindo, esperando que ele desse pela presença delas. O Dr. Stewart sorriu para Megan, revelando os dentes ainda brancos, pequenas linhas onduladas emoldurando seus olhos azuis. Os cabelos cor de trigo estavam adoravelmente desgrenhados, como se ele ficasse ocupado demais cuidando de mulheres para penteá-los.

Jessica e Cat olharam para ele, e depois para Megan. Ela sabia o que as irmãs estavam pensando. Esse cara é seu obstetra? Esse Robert Redford jovem? Ele é um médico *de pererecas*?

— Tem uma coisa que eu gostaria que você visse — disse o Dr. Stewart a Megan. — Se tiver cinco minutos.

Ele fez com que a sugestão parecesse quase casual, mas, enquanto as encaminhava à Unidade de Tratamento Intensivo, Megan percebeu que ele tinha planejado isso. Que ele devia fazer isso com todas.

Mulheres iguais a ela.

A Unidade de Tratamento Intensivo parecia deserta. Não havia enfermeiras e aparentemente nenhum bebê. Só um conjunto de incubadoras vazias. Mas todos lavaram devidamente as mãos em uma grande pia de tamanho industrial, e as três irmãs, enquanto seguiam o Dr. Stewart pela sala, aos poucos perceberam que não estava vazia. O bebê, tão pequeno que mal parecia um bebê, estava completamente só do outro lado da UTI.

— Este é Henry — disse o obstetra.

Megan pensou que parecia um nome estranho para um bebê que pesava menos que dois sacos de açúcar. Um nome gordo, viril — o nome de reis, um nome para um homem.

Era só um fiapinho de vida pungente, arquejando dentro de uma incubadora.

Fazia calor na UTI do hospital, e no entanto Henry estava vestido para o mais rigoroso inverno. Enrolado num cobertor, com luvinhas minúsculas nas mãos e nos pés e uma espécie de gorro de pompom, ridiculamente grande em sua cabeça do tamanho de uma maçã pequena, escorregando por seu pobre rostinho enrugado.

— Meu Deus — disse Jessica, as mãos na boca. — Ele parece a coisinha mais solitária do mundo. — Ela olhou em volta, desesperada. — Onde está todo mundo?

— Estão cuidando bem dele — disse o Dr. Stewart. — Não se preocupe.

Cat ficou sem fala. Ela não fazia idéia, pensou. Aquilo acontecia todo dia, e ela não fazia idéia. Jessica se agarrou a ela e não conseguia tirar os olhos da incubadora, e Cat não precisou olhar para saber que a irmã estava chorando.

Megan olhou para Henry e sentiu o pânico subir dentro dela. É nisso que o meu bebê vai se transformar. É onde o meu bebê vai viver ou morrer. Essa coisa vai acontecer. Mas ela lutou para continuar calma, a profissional fria com gelo nas veias. Como se todas as perguntas que tinha fossem puramente acadêmicas.

— Quando ele nasceu? — disse ela.

— Há dois dias, na trigésima quinta semana — disse o Dr. Stewart. — Ele está se saindo muito bem. É muito miudinho, obviamente, mas a mãe recebeu esteróides por bastante tempo e os pulmões dele são fortes. — Ele sorriu solidário para as lágrimas de Jessica. — Não precisa ficar triste. Olhe para ele... Ele está respirando sem ajuda. — Ele se virou para Megan. — A mãe também teve pré-eclâmpsia.

Megan olhou para o Dr. Stewart com olhos renovados. Que coisa inteligente de se fazer, insistir em que ela viesse à Unidade de Tratamento Intensivo para ver Henry. Ele era um bom obstetra. Um homem sensato.

Preparando-a delicadamente para a vida de uma mãe cujo bebê nasceu cedo demais.

quinze

E então tudo era o bebê.

Megan, que pretendia trabalhar até o momento em que a bolsa rompesse, que tinha imaginado que ainda estaria vendo pacientes e prescrevendo antibióticos até que o bebê colocasse a cabeça para fora, descobriu que não havia tempo para nada a não ser se preparar para o parto e adiá-lo pelo maior tempo possível.

O Dr. Lawford não podia ter sido mais compreensivo. Ele deixou que Megan tirasse todos os feriados de uma só vez e disse a ela que eles se preocupariam mais tarde se ela precisasse de mais tempo. Ele sorriu timidamente e disse que sempre podia redigir uma licença médica para ela, e Megan pensou que essa tinha sido a primeira piada da vida dele.

Eles não discutiram a licença-maternidade, ou como o bebê afetaria a avaliação final de Megan, ou como sua nova vida podia dar certo. Poderia ela realmente tornar-se médica e mãe no mesmo ano? Ninguém sabia. Mas com o bebê a caminho Megan não via como suportar o fato de não se tornar médica.

Ela estava enjoada de ser uma estudante glorificada e nunca pediria dinheiro ao pai ou às irmãs. Megan tinha sido a criança mais nova e inteligente por muito tempo, um papel que ela adorava, e recusava-se a admitir que a vida agora a derrotara.

Assim, essas foram as férias de Megan, aquelas visitas diárias ao hospital para exames de sangue, amostras de urina e o monitoramento constante do batimento cardíaco do bebê e do sangue fervente em pré-eclâmpsia de Megan.

Ela tentou, mas não conseguiu imaginar como seria sua vida profissional depois que o bebê nascesse. Em quanto tempo depois do parto poderia voltar à clínica? Será que realmente estaria escrevendo a tese enquanto o bebê estivesse dormindo pacificamente no berço? Estaria ela amamentando durante a prova de múltipla escolha? Não seria tudo demais, e ela não perderia a prova final? Megan não conseguia imaginar nenhuma dessas coisas.

Ela nem conseguia imaginar sua filha.

Havia as mesmas perguntas de parteiras e do Dr. Stewart a serem respondidas repetidamente. Como estava a visão dela? Estava turva? Ela via luzes piscando? Alguma dor de cabeça ofuscante? Eram todas na verdade a mesma pergunta — será que esta coisa, a pré-eclâmpsia, está se transformando em algo muito pior?

Ela não se importou muito com o Dr. Stewart no começo. Achara-o demais o *showman*, feliz demais em ter enfermeiras e parteiras enamoradas olhando desejosamente para sua cabeça sorridente e dourada. Mas agora ela via que tinha sorte em ter Stewart como seu obstetra, e por trás do comportamento de Robert Redford havia um médico brilhante com uma consciência profunda. À medida que o parto se aproximava, Megan via que o humor e o charme eram apenas o comportamento junto ao leito das pacientes, e não o homem.

Enquanto Stewart examinava cada ultra-som, exame de sangue e amostra de urina, enquanto ele avaliava as leituras da pressão de Megan e o monitoramento do batimento do minúsculo coração de Poppy, ele dava o máximo de tempo que podia à mãe e à filha, lutando por cada dia extra, dando aos pulmões do bebê tempo para crescer, e tudo isso sabendo que o sangue de Megan podia ferver a qualquer momento e mãe e filha passariam a lutar para viver. Ele não deixaria que fosse tão longe. Megan estava preocupada com a vida do bebê. Ficava a cargo de Stewart se preocupar com as duas.

Sua pressão sangüínea ainda estava alta, 15 por 9,5, nível do executivo de meia-idade gorducho, mas continuava estável. Cada ultra-som mostrava que a neném parecia satisfeita, embora só pesasse pouco menos de 2 quilos. Ela — Poppy — tinha o hábito de cruzar as perninhas, como se esperasse pacientemente pelo grande dia, como um trabalhador esperando pelo trem para trabalhar, e esse gesto simples trazia à tona o amor dentro de Megan que ela nem sabia que existia.

Não havia nada de errado com Poppy. Megan tinha plena consciência de que ela, Megan, a mãe, era o problema. Ela se deitou no leito hospitalar, com Jessica a seu lado, ouvindo o batimento cardíaco de Poppy ampliado no Sonicaid. A vidinha que crescia dentro dela.

— Claro e estável — disse a enfermeira sorrindo. — Vou deixar vocês juntas por um tempo. — Ela apertou o braço de Megan. — Não se preocupe. Ela é uma linda menina.

Quando a enfermeira saiu, Megan virou-se para irmã.

— Às vezes parece que eu a decepcionei antes mesmo de ela nascer — disse ela.

— Isso é uma bobagem — disse Jessica. — Vocês duas estão indo bem.

Houve uma batida educada na porta.

— É ele de novo — disse Megan. — Ninguém mais bate assim.

— Entre — gritou Jessica.

— Já aconteceu alguma coisa? — disse Kirk, esticando a cabeça com timidez pela porta.

— Não vai ser cinematográfico — disse Megan. — Eu não vou apertar a barriga e gritar: *Está na hora!*

Kirk sorriu, sem graça. Jessica sorriu para ele com simpatia. Aquele era um bom homem, não era? Não era assim que queríamos que um homem fosse? Atencioso, preocupado, presente a seu lado? Por que a irmã era tão dura com ele?

— O Dr. Stewart vai ver meus exames e concluir que minha pressão está alta demais — continuou Megan. — Depois ele vai pedir ao anestesista para arrumar um horário na agenda dele entre o jogo de golfe e a próxima infeliz na linha de montagem. Então não espere drama hospitalar, está bem? Não espere o George Clooney e jalecos brancos.

Ele passou pela soleira da porta, ainda sorrindo inseguro.

— Tudo bem — disse ele.

— Ela está bem — disse Jessica. — E a neném está bem.

— Vou pegar um café para a gente, tá?

— Seria ótimo — disse Jessica radiante.

— Ou, se me der a chave — disse Kirk —, posso ir a seu apartamento e começar a pintar aquele guarda-roupa?

Ela pensou em sua casa e em como o bebê já a havia mudado. Megan e as irmãs tinham limpado a maior parte do quarto solitário para o bebê. Elas compraram um lindo berço Mammas and Pappas (um presente de Jessica e Paulo) com um móbile da girafa Jenny (contribuição de Kirk), um rebanho de bichos de pelúcia (das mulheres sentimentais da recepção da clínica), todos aqueles ursinhos, cachorrinhos e sapos estupendamente inúteis, embora eles fizessem o quarto parecer mais aconchegante, mais parecido com um quarto de bebê e menos com um apartamento alugado miserável, e uma nova cômoda (de seu pai) cheia de roupas (de Cat).

Eram as roupas que calavam fundo no coração de Megan. Elas ficariam perfeitas em um recém-nascido, mas grandes demais para a prematura Poppy.

— Megan? — disse Kirk. — Café e as chaves?

— Só o café — disse Megan. — Para ser franca, não quero você em meu apartamento quando eu não estiver lá.

— Isso é legal. Muito legal. Só vou pegar o café, então.

Ela o recebera em casa uma vez — quando ele apareceu na porta com o móbile da girafa Jenny — e não gostou do modo como os olhos dele percorreram a casa. Como se ele estivesse decepcionado que a filha dele começasse a vida naquele apartamento minúsculo. Como se ela fosse uma mãe inadequada. O que ele estava esperando? O palácio de Kensington? Ela ia ser mãe solteira.

— Por que você é tão rude com ele? — disse Jessica. — Quando esta neném nascer, vai precisar de ajuda para viver.

Megan olhou a irmã.

— Talvez seja por isso que sou rude com ele.

A porta se abriu e o Dr. Stewart entrou com um maço de papéis. Ele deu seu sorriso amplo para Jessica e depois se sentou na cama, pegando a mão de Megan.

— Em que ponto estamos agora? — disse ele.

— Trinta e quatro semanas — disse Megan. — Ainda é cedo demais. Ela ainda é pequena demais. Só 2 quilos. Quero tentar chegar à trigésima sexta semana. Não podemos tentar as 36 semanas?

Ele assentiu, pensativo.

— Veja isso — disse ele.

Era só uma linha em um gráfico. A linha subia acentuadamente, depois formava o platô lentamente e por fim parecia pronta para cair. Parecia o vôo de uma flecha que estava prestes a voltar à terra.

— A taxa de crescimento da neném — disse Megan. — Está caindo.

— Tinha que acontecer. A pré-eclâmpsia afeta o suprimento de sangue para a placenta. Cedo ou tarde, o bebê pára de crescer. Mas é claro que você já sabe disso.

Jessica espiou ansiosa o gráfico por sobre o ombro do obstetra.

— Mas o que isso significa?

Por alguns segundos, o único som no quarto foi do batimento ampliado do bebê. E então Megan falou.

— Significa que está na hora — disse ela.

Depois houve a espera. E continuou interminável, enquanto a agenda lotada do anestesista e o tráfego de Londres combinavam-se para atrasar o parto da filha de Megan. Parteiras e enfermeiras entravam e saíam, tirando a pressão e murmurando bobagens, como se Megan estivesse esperando por um ônibus, não um bebê.

Toda aquela espera. Como alguém podia se entediar prestes a um acontecimento tão importante? Megan sentia que sua vida tinha parado. Todo esse tempo era tempo morto até que o anestesista conseguisse passar pelo Angel em Islington. Cat chegou com flores precoces. Jessica afagava os pés de Megan.

Jack ligou e não sabia o que dizer. Kirk ficou perto da janela, procurando não atrapalhar.

Depois eles estavam prontos para ela, e para Jessica parecia que as coisas corriam com uma rapidez alarmante. Como aqueles filmes que você vê sobre o corredor da morte – a correria repentina para conseguir fazer tudo e deixar para trás.

Com Cat e Jessica de cada lado de Megan segurando sua mão, dois carregadores fortes e jovens ergueram-na em uma maca e a levaram para fora da sala e para corredores muito iluminados que cheiravam a comida de hospital e flores. Entraram em um elevador enorme e desceram ao porão do prédio, onde o Dr. Stewart esperava, tão bonito em seu jaleco azul de hospital como Robert Redford no branco da marinha em *Nosso amor de ontem*.

E depois na ante-sala, onde o anestesista estava aguardando, a voz dele enquanto deslizava a agulha tão tranqüilizadora quanto a de um amante.

Havia uma sala ao lado da ante-sala, cheia de gente feliz e faladeira, todas usando os uniformes azuis e toucas. Elas cercavam uma bancada. Sob as luzes da sala de cirurgia, ela brilhava como um altar. Enquanto isso, as irmãs não paravam de segurar as mãos de Megan.

Kirk esperançoso seguia na esteira delas. Deram-lhe um jaleco azul, uma touca plástica para o cabelo e uma máscara cirúrgica. Seu coração acelerou. Uma menina, uma menina, ia ser uma menina. Essa criança inimaginável. Logo ela estaria ali. Não havia nada que ele pudesse fazer. A não ser se preparar para ser um bom pai. E ele se perguntou, o que ia dizer à filha a respeito dos homens?

Como podia prepará-la para as mentiras deles, seus truques e seus corações sombrios? Nossos corações sombrios? Os anos de infância dela passariam voando e logo os meninos estariam olhando para ela, sua menina preciosa, da mesma forma calculada que ele olhara para milhões de garotas em trinta países.

Ele a amava muito, e no entanto já havia seu maior medo — de que ela um dia conhecesse alguém parecido com ele. Esse era o destino amargamente irônico do mulherengo — ser pai de uma menina linda e adorada.

Eles levaram Megan para a sala de cirurgia iluminada onde havia mais gente do que ele esperava. Eram jovens, sorridentes, todos usando o mesmo jaleco azul que ele.

— Alguma música? — disse um deles, como se fosse um programa de rádio e não uma cesariana de emergência. Kirk se lembrou do CD no bolso. Ele o passou e alguém o colocou no sistema de som da sala de cirurgia. Eles ficaram ocupados com Megan — puxando umas meias estranhamente sensuais das pernas finas e claras de Megan, colocando um tubo intravenoso no braço, murmurando bobagens doces.

Enquanto o anestesista se curvava para Megan, uma tela pequena foi colocada atravessada em sua barriga. Kirk a encarou maravilhado. Tinha ouvido falar de que era uma *tenda*. Eles colocavam uma *tenda* sobre a barriga da mulher numa cesariana. Foi o que ele soube, era o que esperava. Uma lona enorme que podia abrigar uma família de beduínos. Isso mais parecia um lenço. Se ele levantasse a cabeça, poderia ver tudo.

A barriga volumosa de Megan foi embebida em anti-séptico e depois o Dr. Stewart se curvou sobre ela com uma lâmina fina nas mãos. Kirk aproximou o rosto da cara de Megan, respirando com dificuldade. Isso devia ser uma *tenda*. O que aconteceu com a porra da *tenda*?

O que aconteceria se ele desse uma olhada na barriga aberta de Megan e não conseguisse suportar? E se a primeira coisa que sua filha visse fosse o pai, caído no chão, totalmente desmaiado? Como pareceria?

Megan pegou a mão dele.

— Não se preocupe — disse ela, murmurando um pouco através da névoa das drogas. — Você vai ficar bem.

Ela ouviu uma música começar a tocar. Era estranho que houvesse música ali. E os rostos giravam em volta dela — rostos que ela conhecia e rostos que nunca vira na vida —, todos estranhamente intercambiáveis, não porque todos estivessem vestidos com aquele uniforme azul de náilon com a máscara e a touquinha, mas porque todos pareciam ter a mesma expressão. Uma espécie de amor preocupado, como se ela fosse uma noiva virgem em sua noite de núpcias. Era como se ela de repente se tornasse a pessoa mais importante do planeta. Ou talvez fosse o bebê. Talvez o bebê fosse a pessoa mais importante do planeta. Sim, isso parecia correto.

"Well, I never met a girl like you before."

Como alguém fazendo uma lavagem em seu estômago. Era como parecia a ela. Íntimo — mais íntimo do que qualquer coisa que ela já tivesse sentido —, e no entanto estranha e misericordiosamente distante. O cara — Kirk, o nome definitivamente era Kirk — estava com o rosto encostado no dela. Apoiando-se nela. Estava segurando a mão dela. Ela de repente quis dizer a ele, é melhor começar a pintar aquele guarda-roupa.

Mas eles agora estavam dentro dela, a música nem estava pela metade — "*This old town's changed so much*" —, e, apesar da névoa doce do anestésico, ela estava ciente de uma coisa sendo puxada dela, algo que era ela e no entanto independente dela, e toda a atenção de repente estava lá, naquela coisa que era ela e ao mesmo tempo não era.

— Está tudo bem? — disse ela, ou talvez ela só tivesse pensado, mas o foco estava agora naquela coisinha, e por alguns segundos ela se sentiu ignorada, esquecida, como uma noiva abandonada no altar.

Depois houve o riso — um riso chocado e de prazer — e movimento, e as irmãs e Kirk estavam sorrindo para ela, as cabeças batendo de um lado a outro entre ela e o serzinho vivo que tinha sido pescado de seu corpo — suas cabeças movendo-se rapidamente entre elas, de um lado a outro, de um lado a outro, como um público de tênis de desenho animado seguindo a ação e — como pode ser tão rápido? — depois o bebê — *ela* — estava finalmente livre, a música ainda não havia acabado, enquanto a bebê — *ela* — era imediatamente arrebatada de Megan pelas enfermeiras para ser limpa, examinada e enrolada em roupas. Mas o choro fraco chegou a Megan.

E depois lá estava ela, não sendo segurada por Jessica e Cat, que Megan realmente teria preferido, mas, de acordo com algum ritual tribal, pelo pai.

A neném era minúscula — comovedoramente pequena. Mais parecida com um feto adormecido do que com um bebê saudável. Megan a olhou, atordoada e exausta demais para fazer o que queria, que era tomar sua filha, segurá-la nos braços e amá-la.

O bebê — ela — tinha uma carinha amarfanhada, como uma maçã que tinha caído cedo demais, e mesmo depois de lavarem seu rosto ainda estava coberta de uma película pegajosa de gosma amarela. Ela parecia a coisa mais antiga do mundo e também a mais nova.

— Ela é linda — disse Kirk, rindo e chorando ao mesmo tempo. — Ela é a coisinha mais linda do mundo.

E ele tinha razão.

A vida de Poppy Jewell tinha começado.

dezesseis

Não devia ser assim, pensou Jessica.

Em todas as imagens que tinha da nova maternidade, a mãe e o bebê eram inseparáveis — o neném adormecido pousado no peito da mãe, a mãe exausta mas num êxtase silencioso, uma união quase bíblica de mãe e filho —, era o que Jessica estava esperando, um vínculo tão estreito que mal se podia dizer onde terminava a mãe e começava o bebê, tão indivisíveis como foram quando a criança estava no útero.

Mas a pequena Poppy estava na Unidade de Tratamento Intensivo, deitada de bruços na incubadora, enrolada para um inverno que só ela podia sentir, e Megan estava três andares abaixo — cortada e exausta, inexplicavelmente silenciosa.

Uma das enfermeiras tinha colocado um macaco de pelúcia na incubadora e ele sorria para Poppy, com duas vezes o tamanho dela. Jessica pensou que a sobrinha parecia a coisa mais vulnerável que já vira na vida — ainda não estava pronta para o mundo.

— Ela tem o tamanho de um frango assado — disse Jessica. — Uma pulguinha, coitadinha.

— Não se preocupe com a nossa Poppy — disse uma enfermeira jamaicana animada. — Ela pode ser meio crua, mas vai ficar bem. Os bebês de mães pré-eclâmpticas tendem a ser malandrinhos durões.

— Ela não parece uma malandrinha durona — disse Jessica.

Mas ela ficara grata pela tranqüilização.

Era verdade que a pequena Poppy tinha se saído bem nos primeiros três dias de vida. Ela estava respirando sem ajuda, tomando quantidades minúsculas de leite — tirado de Megan, mas administrado por uma das enfermeiras da UTI — e estava ganhando algum peso.

E havia mais uma coisa. Mesmo depois de alguns dias, estava claro que havia tragédias do destino muito pior do que um bebê nascido na trigésima quarta semana e pesando pouco menos de 2 quilos.

Jessica não tinha visto nenhum bebê menor do que Poppy na Unidade de Tratamento Intensivo — embora lhe garantissem que eles chegavam o tempo todo. Mas no primeiro dia de UTI também houve, brevemente, um menino nascido com um buraco no coração. E no segundo dia houve outro menino — um gordinho saudável de 4 quilos — que nascera com síndrome de Down.

Enquanto as enfermeiras e médicos faziam o que podiam pelos bebês — e Jessica se perguntava o que eles *podiam* fazer? —, os pais ficavam parados, atordoados, ou choravam em silêncio por seu recém-nascido. A mãe e o pai do menino com síndrome de Down tinham uma menina de uns 5 anos com eles. Quando você já conseguiu uma vez, pensou Jessica, deve relaxar. Deve acreditar que coisas ruins acontecem o tempo todo com outras famílias. E aí seu mundo desaba. E acontece com você.

Jessica achou que podia dizer algumas palavras de apoio a outras famílias de bebês prematuros. Ela podia dizer a eles que seu menininho era um rapazinho lindo — mesmo enquanto ele estava deitado ali com o gorro de lã cobrindo os olhos — ou que a menina pequenininha era uma beleza — mesmo enquanto ela estava deitada ali como um filé pálido do departamento de carne congelada.

Mas Jessica não tinha nenhuma palavra para as famílias que tinham que lidar com coisas mais difíceis.

Ela não podia dizer às mães e aos pais do bebê de síndrome de Down, ou do menino com um buraco no coração, que tudo ia ficar bem. Ela não tinha o direito de dizer essas palavras, não tinha o direito de lhes dar um conforto barato e injusto.

Porque isso é o que se aprendia na Unidade de Tratamento Intensivo — nem todo mundo que tinha um filho conseguia um final feliz.

Jessica observou a sobrinha dormindo. Estava se acostumando com isso agora — esse arfar inquieto, desesperado por viver. Como uma boneca, ou uma gatinha. O rosto todo amassado e no entanto de algum modo comovedoramente lindo.

Poppy ia ficar bem.

Era com Megan que Jessica se preocupava.

Como um passarinho, pensou Cat.

Jessica aninhava a neném em um braço e com o outro a alimentava com uma pequena mamadeira contendo apenas um chuvisco de leite. Com os olhos fechados e a boca surpreendentemente grande aberta — a boca de Poppy era a única coisa grande nela —, Cat pensou que ela parecia um passarinho recém-nascido no ninho, esperando por sua minhoca.

— Ela é um nadinha, né? — disse Cat. — Ela mal está aqui.

— Não se preocupe com Poppy — disse Jessica. — Ela é uma malandrinha durona.

— Megan não a devia estar amamentando? Não seria melhor para as duas?

— Poppy é pequena demais para mamar no peito. Ela não pode sugar desse jeito. Você pode, meu bem?

A neném tinha dormido, a boca ainda presa ao bico da mamadeira, sua barriguinha já cheia. Jessica puxou delicadamente a mamadeira e ela saiu da boca carnuda da neném com um *plop* baixinho.

Cat afagou o rosto suave de Poppy, como se temesse acordá-la ou talvez quebrá-la. E novamente ela sentiu — um senso de admiração completa por esse milagre diário.

— Como está Megan? — disse Jessica.

Cat sacudiu a cabeça.

— Ela parece que foi triturada por um moinho. Pensei que uma cesariana fosse a opção fácil... e também cara, essas coisas. Eles a cortaram mesmo, não foi?

— Uma cesariana é uma cirurgia abdominal importante — disse Jessica, repetindo uma das frases preferidas do Dr. Stewart.

As duas irmãs ficaram vendo a bebê dormir em silêncio. Depois Jessica disse em voz baixa:

— Pensei que eu me sentiria péssima quando a segurasse. Pensei que ia me desfazer. Porque Megan tinha um bebê e eu não. Mas olhe para ela... Como é possível sentir alguma coisa ruim quando você a segura nos braços? Como este bebê pode fazer você sentir alguma coisa negativa? E ela não é mais uma idéia de um bebê, é? Não há nada de teórico nela, entendeu? Ela é inegavelmente a Poppy. Ela não é uma noção abstrata. Ela é Poppy Jewell e está aqui para ficar. Toma, pegue a Poppy um pouquinho.

Cat pegou desajeitada a neném.

Ela não ficou tão à vontade segurando a sobrinha como Jessica. Não porque temesse deixar Poppy cair de cabeça — embora fosse em parte por isso —, mas porque, ao contrário de Jessica, os sentimentos que a bebê despertava ameaçavam sobrepujá-la. Quem teria acreditado que era possível? Que Jessica não se perturbaria com o nascimento e que seria Cat que sentiria o mundo mudar?

Quando segurou o bebê, Cat sentiu um desejo físico mais poderoso do que qualquer anseio que já conhecera. Era mais forte do que o desejo que tinha sentido por qualquer amante, ou trabalho, ou posses.

Ela segurava um bebê tão pequeno que mal parecia estar ali, e ela queria um dela própria. Era loucura — o que faria com ele? Onde ela o colocaria? Onde ele iria dormir?

Mas ela não conseguia evitar. Parecia que tinha perdido tantos anos com coisas que não importavam. A busca pelo prazer e pelo dinheiro, os desejos intermináveis e ridículos por um carro melhor e um apartamento maior, todo aquele tempo dedicado a seus mais recentes desejos e necessidades.

Estou com 36 anos, pensou ela, com a sobrinha nos braços, achando que ela não pesava nada, apesar dos seus 2 quilos. Estou mais para os 40 do que para os 30, e não vou morrer sem um dia segurar um bebê que seja meu.

Só do que ela precisava agora era... O que era mesmo?

Ah, sim. Um homem.

Do lado de fora da Unidade de Tratamento Intensivo, Olivia Jewell estava parada na penumbra do corredor, vendo-as através do vidro. Suas duas filhas mais velhas, passando o bebê de sua filha mais nova — a primeira neta de Olivia — entre elas como se pudessem quebrá-la.

A neném estava embrulhada como um esquimó. Mas, pelo que Olivia podia dizer, era uma coisinha feia. De acordo com sua experiência, todos os bebês eram repulsivos. Mas a carinha amassada dessa era de talhar leite.

Era diferente quando eles ficavam mais velhos. Ela não tinha dúvida de que gerara as três menininhas mais lindas de todos os tempos. Mas mesmo na época elas eram um emprego de 24 horas por dia. Esse era o problema dos filhos — não se podia vesti-los e olhar para eles. Eles continuavam querendo coisas de você.

Mas, ah, ela pensou em como suas filhas ficaram pouco depois que ela foi embora — a menina de 11 anos de pernas compridas, a impossivelmente bonitinha de 7 anos, a de 3 anos barrigudinha —, e algo dentro de Olivia, uma coisa que ela acreditava morta havia muito, começou a doer. Depois alguém falou e a sensação passou.

— Posso ajudá-la, querida? — disse a enfermeira no balcão.

— Só estou olhando — disse Olivia Jewell.

— Ele teve uma menina — disse Paulo à garçonete do bar, naquela altura da noite em que um homem começa a falar com garçonetes. — Poppy. O nome dela é Poppy. Ela é uma gracinha.

Kirk sorriu com orgulho, pegando o copo. Mas ele já estava vazio.

— Ela é mesmo, não é? — disse ele. — É uma gracinha.

— Meus parabéns — disse a garçonete sorrindo. Alta e loura, no início dos 30. Ela passou um pano úmido no balcão. — Espere até ela começar a gritar às três da manhã. E de novo às quatro. E novamente às cinco. Veja se então ela será uma gracinha.

Eles a olharam se afastar.

— Não dava para saber que ela tem filhos — disse Kirk.

— Nem sempre se pode dizer se elas têm filhos — disse Paulo. — Foi o que eu percebi.

— Eu quero que ela tenha uma vida boa. Quero que ela seja saudável, do tipo que fica ao ar livre. Não como a maioria das crianças de hoje. Gordura. Drogas. Quero que ela aprenda a mergulhar! Sabe o que vamos fazer quando ela tiver idade para isso? Vamos nadar com os golfinhos. Ela vai adorar. Poppy vai adorar isso.

— Aqui está você, amigo. Vocês três.

— Nós três — disse Kirk, contemplando o copo vazio. — É. Eu sou pai. Nem acredito. O que eu sei sobre ser pai?

— Você vai aprender. Como está Megan? Como está a mamãe?

— Ela está ótima. Está bem. Ela está... bom... quieta. Sem falar muito.

— Se adaptando. Se adaptando à idéia de ser mãe.

Kirk fez uma pausa e Paulo teve consciência de que — além da euforia, além da cerveja —, aquele homem o considerava um estranho. Mas hoje à noite ele não tinha mais ninguém com quem conversar.

— Ela passou por maus bocados. A pré-eclâmpsia. Todos aqueles exames. Sem saber quando o bebê ia nascer. A cesariana. Meu Deus... Eles a abriram como a uma lata de sardinha. Embora ele fosse muito bom. O Dr. Stewart. Deixa uma boa cicatriz, pelo que dizem. Você mal percebe que está ali, ao que parece. E agora Poppy está na incubadora. Megan... Sei lá. Ela parece que foi nocauteada. Derrubada no chão e não consegue se levantar. Cá entre nós, eu acho que ela podia ficar um pouco mais feliz do que isso.

— Ainda está se adaptando — disse Paulo. Ele não conseguia compreender que uma mulher podia dar à luz e depois não ser a mais feliz das mulheres vivas. Ele acenou para a garçonete. — Pode nos trazer duas cervejas, por favor?

— Mas o que eu esperava? — disse Kirk. — Nós não somos como você e sua mulher. Não somos íntimos. Megan mal me conhece.

A garçonete colocou as cervejas diante deles.

— Espere até o bebê ter cólicas — disse ela.

— Dá um tempo a ela. Megan é nova. A irmã mais nova.

— É, ela é nova. Mas não é *tão* nova. Quer dizer, nossos avós e nossos pais não teriam pensado que 28 anos é nova demais para ter um filho, teriam? Eles teriam pensado que era meio tarde.

Paulo pensou no assunto.

— Acho que minha mãe e meu pai eram da meia-idade quando tinham 28 anos.

— É engraçado. Hoje em dia as pessoas não têm filhos... Como é que dizem... Na idade de reprodução.

— É verdade. Olha a Kylie Minogue. Sua conterrânea.

— Deus a abençoe, amigo.

— Considerada por muitos uma das mulheres mais desejadas do planeta. Mas a Kylie tem... O quê? Uns 30 e poucos anos?

— Se tanto.

— A Kylie está demais. Isso eu te garanto. Eu não tiro o chapéu para nenhum homem em meu... Sabe como é. Sei lá. Uma mulher no auge da vida. Ninguém contesta isso. Mas é preciso se perguntar sobre os óvulos dela.

— Os óvulos da Kylie Minogue?

Paulo assentiu.

— Os óvulos da Kylie Minogue não são novinhos. Em termos de óvulos, eles já entraram na meia-idade há tempos. Sabe o que acontece com os óvulos de uma mulher aos 35 anos? A notícia não é boa. É disso que trata todas aquelas reboladas. A Kylie não quer um disco número um. Ela quer um filho. Mas ela não consegue encontrar o homem certo.

— Esse é o grande dilema das mulheres modernas, né? — disse Kirk pegando a cerveja. — Elas passam os anos de reprodução com caras de que não gostam muito.

A garçonete recolheu os copos e esfregou um pano insólito diante deles.

— Espere até ela começar a ter dentes — disse ela.

Depois que levaram o bebê, deram a Megan uma fotografia. A foto estava presa a um cartão branco com as palavras, *Meu nome é* _____ e *eu peso* _____. Alguém tinha escrito *Poppy* no espaço para o nome, mas o peso foi deixado em branco. Não há nada para se gabar aqui, pensou Megan.

Na foto, Poppy parecia antiga — um homenzinho enrugado enrolado em roupas de inverno. E Megan pensou, pobre coisinha. *Quem é você?*

Houve um leve bater na porta e a cara muito maquiada da mãe apareceu.

— Alguém em casa? — disse Olivia.

— Já viu minha filha?

— Eu olhei. Por pouco tempo. Ela é absolutamente linda. — Ela tocou o braço da filha, evitando com cuidado o tubo intravenoso que a enchia de morfina. — E como você está, Megan?

— Minhas cicatrizes coçam.

Olivia olhou a cintura de Megan.

— Espero que fique bem abaixo da linha do biquíni.

— Acho que vou levar algum tempo para usar biquíni, mãe. Até me arrastar ao banheiro parece uma longa marcha.

— Qual é o problema, querida? Sente-se meio deprê? Com depressão pós-parto?

Megan sacudiu a cabeça. Esse era o problema. Ela não sabia realmente o que era, embora soubesse que tinha algo a ver com o fracasso. Ela não estava acostumada a fracassar.

— Sempre imaginei que teria parto normal. Uma cesariana... É tão difícil. Eles arrancam o bebê de você. Eles te enchem de drogas. Abrem seu corpo. E isso dói que é o diabo.

— Não fique sentimental demais com o outro tipo de parto. Tive vocês três pela via padrão. Não há nada de particularmente mágico em ter suturas na boceta.

— Precisa mesmo dizer "boceta"?

— Ah, tá... perereca. Está amamentando?

— Ela é pequena demais. E não estou produzindo leite suficiente. — Megan indicou uma máquina ao lado do leito, adaptada com o que parecia uma espécie de bico de aspirador de pó. — Eu retiro o leite.

— Você o quê?

— Retiro o leite.

— O que... Quer dizer, bombeia para fora de seus peitos e depois eles dão numa mamadeira?

— Exatamente.

— A ciência não é maravilhosa? Eu amamentei Cat no peito e a vaquinha quase mastigou meus mamilos. Eu juro que todos os nossos problemas começaram na época em que ela confundiu meu mamilo com um biscoito Farley.

Megan riu. Só o senso de humor típico da mãe podia fazê-la sorrir naquele lugar.

— Não é com a dor que eu me importo. Nem com a cicatriz. Nem mesmo com o fato de terem levado Poppy e colocado numa incubadora. É que todo mundo espera que eu de repente seja uma pessoa diferente. E não consigo me sentir assim.

— Eu sei o que quer dizer, querida. Nós devemos passar a ser a mãe que dá o peito e troca fraldas assim que soltamos o primeiro fedelho. Sem ofensas com a pequena Poppet, meu bem.

— *Poppy*.

— Poppy. É claro. Os homens podem ligar e desligar seus sentimentos paternais como bem entendem. Mas isso deve ser natural para nós. Eles esperam que você se torne altruísta como a Madre Teresa só porque ficou grávida. — Olivia se curvou para perto da filha, baixando o tom de voz, como se estivessem dividindo alguma blasfêmia. — Vou te contar, não há nada de remotamente natural em dar a vida a outro ser humano. Mas anime-se... Os primeiros 18 anos são os piores.

— Isso para você.

— É, para mim.

— E eu não quero ver minha filha como uma espécie de inconveniência, nem trabalho, nem chateação. Quero amá-la como ela merece ser amada. Mas... Eu tenho uma filha, e no entanto não me sinto mãe.

— Então você é parecida comigo — disse Olivia com um tom de triunfo. — E não há nada que possa fazer a respeito.

De repente, todo o corpo de Olivia pareceu se retorcer de dor.

— Que foi? — disse Megan.

Olivia esfregou o braço.

— Nada, meu bem. Eu ando tendo essas pontadas subindo e descendo o braço. É só a idade. Bom, a meia-idade.

— Devia procurar um médico para ver isso.

Houve outra batida na porta e Megan engasgou quando viu a cara sorridente e conhecida do pai entrando no quarto, em parte obscurecida por flores e uma caixa grande de chocolates em forma de coração.

— Minha menina — disse Jack, abraçando a filha, e ela gemeu de dor. — Meu Deus! Desculpe!

— São só os pontos, pai. Ainda estão meio doloridos.

Jack sorriu para a ex-mulher sem demonstrar o menor sinal de animosidade. Atores, pensou Megan.

— Olivia, não é um dia maravilhoso?

— Oi, Jack. Dá para acreditar? Somos avós. Isso não faz com que você ache que vai sair daqui e cortar os pulsos?

— Não, faz com que eu me sinta incrivelmente feliz, na verdade. — Ele se virou para Megan. — E nós a vimos... a Poppy. Ela é tão linda! Meio pequena, é claro, mas ela vai compensar isso.

Megan escondeu-se nos braços do pai, apertando o rosto em seu peito. Era disso que ela precisava. De alguém que lhe dissesse que tudo ia ficar bem no final. De repente ela percebeu que o pai não estava sozinho. Estava acompanhado de uma ruiva alta e sorridente da idade dela. Megan espiou a mulher, sem entender, meio esperando que ela dissesse que ia tirar a pressão de Megan e dar uns analgésicos a ela.

— Meu nome é Hannah — disse a ruiva. — Meus parabéns, Megan. Ela é uma princesinha. Não se preocupe... Eu nasci dois meses antes e meço pouco menos de um e oitenta.

Megan encarou essa Hannah com gratidão. Foi a melhor notícia que ela ouvira o dia todo.

Olivia estava contemplando a ruiva alta.

— Hannah é cabeleireira de cinema — disse Jack.

— Foi assim que se conheceram? — disse Olivia. — Você deu um toque no topetinho de Jack? Que romântico.

— Mãe — disse Megan.

— Vocês ficam tão bem juntos — disse Olivia. — Embora você seja nova demais para ser a... Qual é a palavra mesmo que estou procurando?

— E você é velha demais para manter a língua civilizada em sua cabeça cirurgicamente aprimorada — disse Jack.

— Parem! — disse Megan. — Minha barriga acaba de ser aberta, estou até aqui de remédios, acabei de parar de mijar em um tubo... E só no que vocês podem pensar é nessa merda antiga e cansativa que vem se arrastando há anos. Podem me deixar em paz? Pelo menos por um dia.

— Terá de desculpar minha filha — disse Olivia a Hannah enquanto se levantava para sair. — Ela não está em seu juízo perfeito hoje. Acaba de ter uma filha.

Por fim, todos foram para casa, até Jessica e Cat, e ficou somente Megan, de olhos arregalados no quarto, e Poppy, em algum lugar no prédio acima dela, dormindo em sua incubadora na Unidade de Tratamento Intensivo, protegida por um macaco de pelúcia duas vezes maior do que ela.

A UTI nunca fechava. As enfermeiras do turno da noite ficaram felizes por Megan se arrastar até lá, rolando o tubo intravenoso ao lado, e se sentar para ver a bebê dormir. De muitas maneiras, a UTI à noite era um lugar mais tranqüilo do que durante o dia, quando estava cheia de consultores, médicos, amigos e familiares. Megan certamente preferia à noite, porque não tinha que usar a máscara da coragem e do ânimo.

— Quer dar a mamadeira das três horas a ela? — perguntou a enfermeira chinesa a Megan.

Megan sacudiu a cabeça, apertando o camisolão.

— Dê você, você é melhor do que eu.

A enfermeira contemplou Megan com seus olhos de felina.

— É bom que você faça. É bom para as duas.

Então Megan deixou que a enfermeira pegasse Poppy da caixa de plástico, mas depois ela aninhou a neném em seus braços e colocou o bico da mamadeira nos lábios dela. Parecia haver uma quantidade irrisória de leite na mamadeira. Seu suprimento de leite parecia estar secando.

Megan, que sempre fora tão capaz, que tinha enfrentado tudo o que aparecera na vida — o divórcio dos pais, a faculdade de medicina, todos aqueles exames intermináveis —, sentiu as lágrimas brotarem em seus olhos e pensou consigo mesma: será que posso fazer alguma coisa direito?

Ela segurou a bebê, inclinando delicadamente a mamadeira, até que Poppy gemeu de exaustão e sua cabeça se afastou, o gorro de lã caindo sobre o rosto.

— Chega por ora — disse a enfermeira.

Megan afastou a mamadeira. E depois aconteceu.

Poppy sorriu.

Os cantos da boquinha larga se ergueram e por alguns minutos de choque ela expôs as gengivas recém-produzidas. Um sorriso! Um sorriso da filha!

— Viu isso? — perguntou Megan.

— Vi o quê? — disse a enfermeira.

— Ela sorriu para mim!

A enfermeira franziu a testa.

— Deve ser só o arroto.

O arroto, pensou Megan. Uma combinação de gases e leite presos no estômago do tamanho de um dedal. Ou uma coincidência física — um esgar de desconforto ou de exaustão que parecia um sorriso. Não, Megan não conseguia acreditar em nada disso.

Ela ia chamar de sorriso.

dezessete

Rory viu Cat entrar no dojo de caratê com o maior silêncio que pôde e o que ele percebeu de imediato foi que ela tentara se fazer mais bonita.

Saltos altos, batom, um vestido especial. Essa não era a Cat que ele conhecia. Era alguém que pensava que tinha que fazer um esforço a mais esta noite.

Ele ficou surpreso em vê-la, justamente ali. Ele percebeu que não ficou particularmente feliz que ela pensasse que podia aparecer de repente no local de trabalho dele sem avisar. Mas aqueles esforços para ficar mais bonita o comoveram e encheram-no de uma ternura enorme.

Por sobre a cabeça de vinte crianças que o estavam encarando, Rory viu que ela procurava um lugar para se sentar. A idade dos alunos ia dos 5 aos 15, todos descalços e com os uniformes completamente brancos e cintos coloridos, todos parados prestando atenção, até os menores, bebendo cada palavra dele, esperando que ele falasse um pouco mais sobre as técnicas de bloqueio da perna com os pés.

— O bloqueio de estalo interno... Em japonês, *nami-ashi*... É útil se seu atacante estiver tentando te chutar na virilha.

Cat sorriu timidamente para ele do fundo da sala.

Ah, mas ela não precisava de saltos com aquelas pernas, pensou Rory. E ela não precisava de batom com aquela boca. E uma mulher assim não precisava de um vestido especial.

Ela já era linda.

Quando a aula acabou e ele tomou um banho e se trocou, Rory disse a Cat que conhecia um pequeno restaurante de sushi ali perto. O lugar estava lotado, com placas de reserva colocadas nas duas mesas restantes, e perguntaram se eles se importavam de comer no bar. Eles conferenciaram e decidiram que não se importavam, e se acomodaram na frente do sushiman de chapéu branco que habilmente preparava fatias de peixe cru.

— O que gosto nos restaurantes japoneses é que você pode jantar sozinho — disse ele. — Porque pode se sentar no bar. Não se pode fazer isso nos restaurantes franceses ou italianos. Nem nos tailandeses e chineses. Todo mundo acha que você é um encalhado. Em um restaurante japonês, você pode comer sozinho e ninguém presta atenção.

— Mas é mais legal se tiver alguém com você — disse Cat. — Até aqui... Sentado no bar. É mais legal se você estiver com alguém.

Ele sorriu.

— Acho que sim.

— Eu estava com saudade disso — disse ela, e ele sabia que não era uma coisa fácil para ela dizer. — Eu estava com saudade de alguém.

Eles ficaram sentados em silêncio enquanto a garçonete colocava sopa de missô, chá verde e uma tigela laqueada de sushi diante deles.

— Obrigado por cuidar do meu filho.

— Não foi problema.

— Eu devia ter ligado para você.

O corpanzil dele estava muito perto. Cat tinha se esquecido de como ele era grande, como era sólido. Nada parecido com aqueles rapazes magricelas que ela conhecia nos clubs.

— Eu andei muito ocupada. Com o trabalho. Minha irmã e o bebê novo.

— Megan? Ela teve o bebê?

— Uma menininha. Poppy. Poppy Jewell.

O rosto dele se iluminou de verdadeiro prazer.

— Incrível. Dê lembranças minhas a ela.

É claro, pensou ela. Megan fora uma das alunas dele.

— Ela deve estar muito feliz — disse Rory.

— Bom... É um pouco mais complicado do que isso. Eu não chamaria de felicidade. Não exatamente.

— Qual é o problema? — Ele pensou na ex-mulher e em todas as lágrimas inexplicáveis depois que o filho nascera. — Depressão pós-parto ou coisa assim? Desculpe, não é da minha conta.

— Não, tudo bem. Sei que você gosta de Megan e ela sempre foi louca por você. Não tenho certeza se sei onde termina a mera exaustão e começa a depressão pós-parto. Não tenho certeza de nada.

Ela estava de guarda baixa e aberta para ele — todas as coisas que ele adorava nela. Corada de sentimento, cheia de vida. Nada parecida com a estranha, toda decepcionada e fria, que ela fora no final, no fim do relacionamento deles.

Essa era a Cat que ele reconhecia, apesar do batom, dos saltos e do vestido especial. Ele não conseguia resistir a ela.

— Eu também — disse ele, enquanto abria os *hashis* de madeira. — Também ando com saudade de alguém.

Leva tempo para aprender a dormir com alguém, pensou ele mais tarde.

Não só o sexo — embora fosse também isso —, mas o ato físico de dividir uma cama com alguém, de realmente passar a noite juntos. Os cutucões no cobertor. As pernas e braços que podem se enrolar em você ou atingi-lo nos quadris. Leva meses, anos para dar tudo certo. Mas dormir com Cat não requeria esforço e ele adorava isso.

Ele se sentia fisicamente mais próximo dela do que de qualquer mulher — ele conhecia muito bem aquele corpo longo, os dedos dos pés engraçados (o do meio todo espremido onde os sapatos não tinham sido trocados com rapidez suficiente quando ela era uma criança em crescimento), as pernas compridas, os seios pequenos, o sorriso bobo — toda dentes e gengivas, um sorriso como o sol saindo de um céu nublado —, a parte superior das orelhas com as antigas cicatrizes de piercing (Jessica com uma agulha aquecida no forno, quando Cat tinha 14 anos, e Jessie, 10 — o sangue ficara em toda parte, ao que parece). Ele conhecia o corpo dela tão bem quanto o dele próprio, e ele ainda não tinha se saciado dele. E ele estava feliz e orgulhoso de que os dois soubessem como dividir uma cama.

— Quero que minha filha aprenda caratê — disse ela no pescoço dele, ajeitando-se nas curvas do corpo de Rory. — Se um dia eu tiver uma.

Ele sorriu na escuridão.

— Sua filha, hein? Já pensou no kung fu?

— Eu gosto de caratê.

— Por que isso?

— Porque quero que você ensine a ela. Você só ensina caratê, não é? Não pode trocar, né?

— Não, não é possível trocar. Você escolhe uma disciplina e fica nela para sempre. — As vozes eram suaves na noite. Foi o que houve de terrível em romper com ela, percebeu ele. Ele tinha perdido a melhor amiga. — É meio como... Eu ia dizer que é meio como escolher uma parceira. Mas quanto tempo isso costuma durar?

— Dez anos — disse ela. — Dez anos é o tempo médio do casamento hoje em dia. Li num jornal. Mas isso quando as pessoas não se dão bem. Se você escolher certo, acho que pode durar muito mais.

Ele rolou na cama e a olhou.

— O que estamos fazendo aqui, Cat?

Ela respirou fundo.

— Acho que talvez devêssemos voltar. E acho que talvez a gente devesse ter um filho. Pelo menos, eu acho que devo tentar.

— Cat.

— Eu sei, eu sei.

— Cat, eu não posso ter filhos. Você sabe disso.

— Está tudo bem. Eu conversei com Megan. Ela é médica, né?

— É.

— Ela disse que você pode reverter. Conseguir reverter a vasectomia.

— Fazer tudo de novo?

— Não é fazer tudo de novo. Fazer o contrário. Ter a cirurgia revertida. Uma vasectomia reversa. É assim que chamam. Em vez de cortar seus... Do que você os chama, tubos?

— Vasos. Acho que é isso.

— Em vez de cortá-los, eles os ligam.

Era um erro. Um lindo erro. Ele só ia sentir dor novamente. É melhor fazer a ruptura e não olhar para trás. Tarde demais.

— E você sabe quais são as chances de dar certo?

— Sei que são poucas. Megan disse. Sei que, quando você faz, eles dizem que deve considerar irreversível.

— Exatamente. Você acha que nunca pensei no assunto? Acha que nunca pensei em reverter? E tentar ter um filho?

Só para fazer você feliz, pensou ele. Só para ter você.

— Mas acontece, Rory. Os homens revertem essa coisa e têm filhos. Assim como alguém sempre ganha na loteria.

— Sabe quais são as chances de ganhar na loteria?

— Como eu disse, eu sei que são poucas. Mas também sei que alguém sempre ganha. Acho que você seria um ótimo pai. Forte, gentil, divertido. Acho que você *é* um ótimo pai.

— Mas estou cansado. Entende isso? Já passei por tudo isso. Mesmo que fosse possível... E eu tenho as minhas dúvidas... Eu já passei por tudo isso antes, anos atrás. Passei por muita coisa. De noites sem dormir e fraldas sujas a encontrar um pedaço de haxixe na gaveta de meias.

— Mas o bebê lhe dará energia. O bebê o fará jovem novamente. O bebê vai lhe dar uma razão para viver.

Ela estava falando a sério. Ela queria tanto. E de fato, verdadeiramente, ela queria passar por isso com ele. Com nenhum outro homem.

Houve um momento em que ele ou tinha que se vestir e ir para casa, ou tomá-la nos braços. Então ele a tomou nos braços e ela deu um beijo na boca de Rory.

— Eu estava com saudade disso — disse ele, a excitação subindo por ele novamente. — Senti muita falta.

— Eu sempre pensei que a gente aprendia a ser mãe com a própria mãe — disse ela. — Mas não é verdade. Eu vejo isso com Megan e Poppy. É o seu filho. É o seu filho que ensina você a ser mãe.

A boca dele estava nela, em toda ela, querendo conhecer aquelas pernas longas, confiá-las à memória para que ele as tivesse para sempre.

— Você também quer isso, não é? — disse ela. — Nós queremos a mesma coisa, não queremos?

Mas naquele momento ele estava beijando as costas dela e não podia falar, e então a pergunta de Cat ficou sem resposta.

Poppy continuou em sua incubadora por três semanas e depois foi liberada para o mundo.

Ela ficou na Unidade de Tratamento Intensivo por tanto tempo que algumas enfermeiras choraram ao vê-la partir.

Elas quase sentiam que era filha delas, pensou Megan. E talvez elas tivessem razão.

As enfermeiras a alimentaram, vestiram-na, exasperaram-se com ela. Monitoraram sua respiração, colocaram um macaco de pelúcia na incubadora e vinham correndo quando ela chorava à noite.

Era verdade que Megan ficara deitada enquanto o bebê era arrancado dela, e foi ela que retirou a modesta quantidade de leite do peito, mas foram as enfermeiras da UTI que colocaram a mamadeira nos lábios de Poppy. Foram as enfermeiras da UTI que não se sentiram esmagadas pelo nascimento de Poppy.

Megan deixou o hospital depois de uma semana, ainda se sentindo como se tivesse sido cortada pela metade e costurada novamente, e ela visitara Poppy diariamente. Ela se sentia mais fracassada do que nunca. Não voltou ao trabalho e não estava cuidando da filha. Não sou médica nem mãe, pensou ela com amargura. Não sou nenhuma das duas coisas. Lawford e os outros viram meus pacientes, e as enfermeiras da UTI cuidaram de Poppy.

Agora esse tempo chegara ao fim. Agora o berço no quarto de seu pequeno apartamento estaria preenchido por um bebê de verdade. Agora ela estava por conta própria. Eles enrolaram Poppy numa roupa de inverno enorme e saíram para o mundo.

Uma das enfermeiras segurava o bebê enquanto Megan lutava para ajustar a cadeirinha no banco traseiro do Alfa Romeo de Jessica. No final, as enfermeiras fizeram isso para ela. Poppy foi colocada na cadeirinha e isso a enfezou. Megan estremeceu. Sua filha ia mesmo ser levada pelo trânsito de Londres?

Jessica dirigiu para casa como se tivesse uma carga de explosivos no banco de trás. Megan suou e se exasperou, amaldiçoando em silêncio os ciclistas beligerantes que ultrapassavam os sinais e todos aqueles fãs de Jeremy Clarkson com suas vans brancas e BMWs. Poppy dormiu a viagem toda.

Kirk estava esperando por ela do lado de fora do apartamento.

— O que ele está fazendo aqui? — disse Megan. — Vai ser assim todo dia? Esse cara simplesmente aparecendo sem ser convidado e sem avisar?

— Megan — disse Jessica. — Ele *é* o pai.

Kirk olhou pelo vidro do carro e ficou com um sorriso largo de bobo na cara quando viu Poppy.

— Não seja dura demais com ele — disse Jessica. — Ele é louco pela Poppy. Dê isso a ele.

Enquanto Jessica e Megan lutaram com as tiras da cadeirinha do carro, Kirk entrou e soltou rapidamente o bebê.

Megan pegou a neném adormecida em seu trono gigantesco no chão, e todos os barulhos de seu prédio — Eminem xingando a mãe no primeiro andar, Sky Sports berrando do segundo andar, um homem e uma mulher gritando um com o outro no terceiro — de repente apareceram sob uma nova luz horrível.

Megan pensou: como posso criar um bebê neste lugar?

Ela teve uma sensação arrepiante de vergonha enquanto levava a filha para seu novo lar, Kirk e Jessica seguindo-a de perto. E, novamente, aquela sensação esmagadora de estar tudo errado. Ela sempre sentia que estava no controle de sua vida. E agora parecia que a vida estava por fim e permanentemente a sufocando.

Megan deitou Poppy ainda dormindo no berço. Jessica beijou os dedos e os colocou na sobrancelha minúscula da neném.

— Meus parabéns, as duas — sussurrou ela, a voz grossa de emoção. — Ela é perfeita. É sua queridinha preciosa.

Depois ela os deixou.

Eles ficaram olhando Poppy dormir por algum tempo e Megan teve que sorrir. A neném estava se sentindo completamente em casa. Três semanas de idade e o peso de um peixe pequeno, e no entanto ela parecia ser dona do lugar. Megan e Kirk se arrastaram para fora do quarto.

— Espero que não se importe de eu ter vindo sem avisar — disse ele. — Telefonei para a UTI. As enfermeiras me disseram que Poppy vinha para casa hoje.

— Está tudo bem. Mas, no futuro, pode me dar um telefonema?

— Claro.

Ela tentou um sorriso fraco.

— Quer dizer, nós nem somos casados nem nada.

— Não. — Ele hesitou. — Mas você precisa entender.

— O que eu preciso entender?

— Eu quero fazer parte da vida da neném. Quero apoiar você da maneira que eu puder. E... Eu a amo. É só isso. Eu amo a nossa filha. Ela é ótima, não é? É fantástica! Uma lutadorazinha de verdade. Ela se saiu tão bem. Vocês duas foram muito bem.

— Engraçado, né? A gente pode amar um bebê sem conhecê-lo. Mas um adulto, não. Não se pode amar um adulto sem conhecê-lo, pode? Não se pode nem gostar muito dele.

— Estamos falando de nós, não é? — Ele sorriu. — Você quer dizer que não me conhece.

Ele observou o rosto impassível de Megan. A que distância eles estavam, pensou ele. As mulheres com quem transamos em outra época e outro lugar. Nada é tão estranho para nós como as antigas amantes. Mas havia uma coisa que Megan não entendia, pensou ele. Ainda não acabara entre nós.

— Bom, talvez agora seja hora de começar a me conhecer — disse ele.

— Por quê?

— Porque temos uma filha e você está totalmente sozinha.

Ela o encarou.

— Não estou sozinha, colega. Nem pense em dizer isso novamente. Eu não preciso da piedade de um garçom de meio expediente. Eu tenho duas irmãs, e Poppy e eu não estamos sozinhas. E eu já o conheço o bastante... O surfista meio velho que quer brincar de família feliz por um tempo, porque está entediado e se encheu do resto.

— Não sou surfista. Sou mergulhador. E... E daí? Acha que você não é fácil de entender?

Megan bufou, incrédula. A droga do atrevimento daquele homem.

— Experimente.

Kirk cruzou os braços, avaliando-a de cima a baixo.

— A filha mais nova, mimada por todos da família. Inteligente na escola, passou fácil por todas as provas. Depois a patricinha foi magoada pelo primeiro namorado que teve a sério.

— Conhece um cara numa festa — disse ela. — Está meio exaltada... como os médicos recém-formados sempre estão. Fica bêbada.

— Conhece um cara numa festa. Vai para a cama com ele. Porque ele é um cara bonitão.

— Não se iluda. Ele só está no lugar certo na hora certa.

— Que seja. Mas talvez ele tenha um pouco mais de vida dentro dele do que todos os nerds que ela conhece da faculdade de medicina.

— Você não os conhece nada.

— Nove meses depois... Não, são só oito meses, né?... Ela é mãe solteira em Hackney. E... Adivinha só? A patricinha descobre que mordeu mais do que pode mastigar.

— Ah, vai se foder.

— Vai se foder você.

Do cômodo ao lado veio um som estranho e agudo de miado — pequeno, mas ininterrupto e felino, como o ronco de uma serra distante.

Megan e Kirk se olharam.

E então perceberam que a neném estava chorando.

— Isso acalma a gente, ter um filho — disse Michael a Jessica enquanto viam Chloe engatinhar pelo chão como uma pequena bêbada. — Você percebe... *Você pode morrer*. Você tem de estar presente para essa coisinha que criou. Mas, ao mesmo tempo, nada coloca você mais em contato com sua mortalidade do que ter um filho. O futuro pertence a ele, não a você. E você fica sabendo... Na verdade, pela primeira vez... Que sua vida só tem um tempo limitado. Então você é refém da vida. Não pode morrer, mas sabe que vai morrer.

Chloe estava de fralda e camiseta. Tinha na mão um DVD sujo de geléia, que ela inseriu em um aparelho portátil que estava no sofá. Um grande ônibus vermelho chamado Beep apareceu brilhando nas colinas verdes, piscando os faróis — as pálpebras — e dando seu sorriso maluco enorme. Uma antiga cantiga de ninar — "O ônibus" — começou a tocar. Chloe começou a balançar de um lado para o outro.

E Jessica pensou: esta é a grande divisão do mundo — não entre ricos e pobres, nem entre jovens e velhos, mas entre aqueles que têm filhos e aqueles que não os têm.

— Elas dançam antes de poder andar — disse Michael, sacudindo a cabeça maravilhado, vendo a filha dançando. — Antes que sequer consigam engatinhar. Não é estranho? A dança é um impulso humano básico. Tão fundamental como comer ou dormir. Essa vontade de dançar.

Houve um tempo em que Jessica não podia suportar ficar perto de Michael. Saber que ele tinha magoado Naoko e colocado em risco a felicidade de Chloe a enfurecia. Mas no fundo do coração Jessica perdoou o cunhado, embora soubesse que não cabia a ela perdoá-lo.

Ela não o perdoara porque sabia que ele sempre gostara dela, ou porque ele parecia estar tentando tanto se recuperar com Naoko, nem porque havia um charme rude nele, que ele sempre parecia ligar no máximo quando Jessica estava presente. Não, Jessica perdoava os pecados de Michael porque ele era tão claramente apaixonado pela filha. Um homem que amava seu filho tanto quanto Michael obviamente amava Chloe não podia ser de todo ruim, podia?

Paulo e Naoko entraram na sala trazendo bandejas de prata com café espresso e aqueles biscoitinhos italianos duros em que os irmãos eram viciados.

— Que cheiro estranho é esse? — disse Paulo sorrindo e agitando a mão na frente do rosto.

Todos olharam para Chloe.

Ela estava apoiada no sofá, sem notar o fedor que emanava de seu bumbum, balançando-se ao ritmo de "O ônibus". Ergueu a perna esquerda do chão enquanto a fralda lentamente começou a se encher e continuou a dançar.

Michael, Naoko, Jessica e Paulo riram até as faces doerem.

— É uma neném muito engraçada — disse Michael, pegando-a e dando um beijo no rosto impassível de Chloe. Ela não tirava os olhos do clipe de "O ônibus". — Uma neném muito engraçada.

Quando voltaram ao carro, prestes a retornar a sua grande casa vazia, Jessica e Paulo ficaram sentados em silêncio por um tempo. Ele esperava que ela encontrasse as palavras. Por fim, ela falou.

— Você só tem a mim — disse Jessica.

— É só o que eu quero na vida — disse Paulo.

dezoito

Ele entrou no consultório, um homem grandalhão, uma graça tranqüila e lenta nos movimentos.

Parecia diferente dos outros homens que vinham ao consultório de Megan e não apenas porque, em um bairro em que as barrigas de cerveja e a palidez de comida ruim eram a norma, ele estava fisicamente melhor do que os outros. O que o tornava diferente era sua cortesia antiquada, a gentileza nas maneiras, quase desconhecidas naquelas ruas.

O boxeador.

— Com quem vai lutar desta vez? — disse Megan.

— Com um garoto mexicano. Bem-preparado. Vi os filmes dele. — Megan a essa altura sabia que isso significava que ele tinha assistido a seu adversário no vídeo. — Melhor boxeador técnico do que pugilista. Incomum nos mexicanos. Em geral eles misturam tudo.

— Parece perigoso.

Aquele sorriso tímido.

— Veremos.

— Sua filha vai assistir... Charlotte?

— Charlotte. Não, ela vai ficar com a minha mãe.

O boxeador era pai solteiro. A esposa, também paciente do consultório, largara marido e filha. Havia outro homem e outro bebê a caminho. Charlotte ficava aos cuidados do boxeador e, enquanto ele estava treinando, da mãe dele. Sem as avós — as vovós — este seria um bairro de órfãos.

O boxeador procurava Megan para fazer um check-up completo antes de cada luta. Da última vez que teve uma competição, Megan encontrou traços de sangue na amostra de urina, indicando danos internos nos rins. Ela não teve alternativa a não ser anotar em seu prontuário e impedi-lo de lutar. Ele ficou amargamente decepcionado, mas aceitou em silêncio, como mais um golpe duro do destino. A maioria dos pacientes dela partia para a briga quando não conseguia o que queria. Mas não o boxeador.

Agora ela verificou a pressão dele, fez exame de HIV, examinou os olhos em busca de sinais de lesão. Procurou por sinais de problemas de pronúncia na voz ou uma batida errática no coração. Depois deu a ele um tubinho plástico.

— Tudo bem — disse ele.

Megan sentia por ele. A única forma que ele conhecia de sustentar a filha era lutando. Mas os anos estavam cobrando seu preço, provavelmente mais o treinamento brutal e interminável do que as lutas, e ele estava descobrindo que era cada vez mais difícil passar no exame médico. O que ela podia fazer? Tinha que examiná-lo. Era a lei.

O boxeador voltou do banheiro com a amostra de urina no tubinho plástico. Megan escreveu no tubo o nome dele e a data, preparando-o para o exame laboratorial.

E estava frio como pedra.

Ela olhou para ele e, sob a pele cor de café, ele corou.

Não era amostra de urina dele. Se fosse, ainda estaria quente. E esta parecia ter sido preparada muito mais cedo. Megan sabia que, quando fosse examinada, a urina não conteria nenhum traço de sangue.

Mas Megan não disse nada, e alguns dias depois confirmou que o boxeador tinha passado no exame médico.

Porque Megan estava começando a entender o que as pessoas fariam por seus filhos.

Qualquer coisa.

— Tem uma coisa que nunca lhe contei — disse Jessica.

Não havia motivo para que ela contasse a ele agora. Motivo algum para que ela contasse a ele esta noite. E nenhum motivo para que ela contasse a ele um dia — a não ser que ela sentia que esta coisa que a corroía por tanto tempo não devia ser um segredo entre eles. Não havia motivo para contar a ele, além do fato de que ele tinha o direito de saber.

Paulo rolou de lado, apoiando-se em um cotovelo.

— Que foi?

— Eu fiz um aborto.

Silêncio entre os dois na luz suave do quarto. Essa palavra difícil, pairando entre eles. E, lenta e dolorosamente, ele começou a entender.

— Quer dizer... O quê? Você fez um aborto antes de nos conhecermos? Antes de mim?

Ela assentiu.

— Muito antes da gente. Quando eu ainda estava na escola. Aos 16 anos.

Ele tentou compreender. A realidade e a ironia selvagem. Aquela mulher, a mulher que ele amava, que não queria nada mais do que ser mãe, terminando uma gravidez em outra vida. Não — na mesma vida que dividia com o marido.

— Por que está me contando agora, Jess?

— Porque quero que você entenda... Este é o meu castigo por ter feito um aborto.

— Seu castigo?

— A razão de eu não conseguir ter nosso filho é que eu matei o bebê.

— Jess, isso não é verdade. Não é seu castigo.

— Eu me estraguei toda por dentro. Eu sei disso. — A voz dela era totalmente calma. Ela pensara nisso por muito tempo. Não havia dúvida em sua mente, só uma aceitação triste. — Nada que alguém diga pode me convencer do contrário. É meu castigo. E eu mereço ser castigada. Mas eu lamento que você seja castigado também.

— Jessica... Você não está sendo castigada. É só uma daquelas coisas. Quanto você tinha? Dezesseis? Não podia ter um filho naquela época... Você mesma ainda era uma criança.

— Cat me levou. Meu pai não soube. Era para ser uma excursão da escola. E eu só acho que... Ferramos com nosso corpo. Nós matamos bebês. E há um preço a pagar por isso.

— Você não matou um bebê, Jess.

— E depois ficamos cheias de surpresa quando nosso corpo não funciona. Não sei o que há comigo, Paulo... Se por dentro eu estou estragada, ou se Deus está me dando uma lição.

— Deus não é tão cruel.

— Mas eu sei que todos os meus problemas... Todos os nossos problemas... Começaram naquele dia. É um castigo. O que mais pode ser?

— E... daí? Você amava o cara?

Ele quis reconfortá-la, realmente quis. Mas havia também essa raiva, esse ciúme — outra pessoa com a mulher que ele amava. Ele não era um homem violento, mas podia ter machucado esse homem facilmente. Não, um homem não — um maldito garoto.

— Ele era o garanhão da escola. O grande astro do futebol. Todas as meninas eram loucas por ele... Não sei se você pode chamar de amor, embora na época parecesse isso. Meu Deus, sim. Desculpe, desculpe.

— Está tudo bem.

Ele ficou comovido. Isso não ia impedi-lo de amá-la. Porque nada podia impedir Paulo de amá-la. Não era esse tipo de amor fraco e condicional.

— Só ficamos juntos uma vez. Minha primeira vez. E depois, quando voltei para a escola, ele tinha contado a todos os amigos e todos ficaram rindo de mim. Rindo da vagabunda que eu era, embora eu fosse virgem. Mesmo quando eu ainda estava sangrando, eles ficavam olhando para mim e rindo.

Ele a pegou nos braços.

— Eu te amo, e ele nunca foi bom o bastante para você, e esse não é o seu castigo.

À medida que as semanas e meses passaram depois da confissão de Jessica, Paulo sentia algo mudando dentro dele. Ele temia que a falta de um filho os levasse à separação. Em vez disso, eles se sentiam mais próximos do que nunca. Eles ficaram próximos de seu lar e das pessoas que os conheciam melhor. Porque, sempre que saíam dessa órbita, mesmo quando iam visitar os pais dele onde o East End encontra Essex, havia perguntas demais que os enfureciam.

— E então, quando é que os dois pombinhos vão começar uma família? — a mãe perguntaria a eles com um sorriso fixo, em geral depois de ouvir uma história sobre as maravilhas da neta Chloe.

— Nós já somos uma família, mãe — dizia Paulo à mãe, repetidamente, até que ela finalmente entendia. — Uma família de dois.

No berço ao lado da cama, Poppy dormia.

Ela parecia minúscula ali, como se nunca viesse a crescer o bastante para preenchê-lo — a cabeça careca saindo do Grobag e pousada de lado, mostrando a testa inchada de bebê, os braços erguidos até as orelhas, como um halterofilista flexionando os músculos, as mãos do tamanho de caixas de fósforo fechadas em miniaturas de punhos. Não havia lençóis nessa cama moderna de bebê — o Grobag era parecido com um saco de dormir, com espaços para a cabeça e os braços de Poppy, completamente seguro, e no entanto Megan não conseguia fugir do mero terror de acreditar que a filha podia morrer a qualquer momento.

Então ela se sentou na cozinha tomando chá de camomila, sem sono pela terceira noite consecutiva, enquanto lá fora, nas ruas de Hackney no início da madrugada, os moradores riam, berravam e brigavam. E enquanto as lágrimas de desesperança rolavam em seu rosto, Megan pensou: depressão pós-parto. Que homem me saiu com essa?

Ela estava exausta, assustada e sentindo-se um completo fracasso. Como devia se sentir? Quem não ficaria deprimida?

Outro golpe para sua auto-estima foi o fiasco do aleitamento. Poppy era pequena demais para mamar no peito no começo, a boquinha mínima como um botão não tinha força suficiente para fazer o movimento de sucção, mas a gorda e jovial inspetora de saúde disse a Megan — *ela* tinha dito a Megan, essa inspetora de saúde como senhora absoluta de uma futura médica — que a "bebê" (a terrível familiaridade da desgraçada daquela mulher, pensou Megan, a intimidade imerecida e enfurecedora) estava pronta para ser alimentada diretamente da "mãe" (ah, vai se foder, sua piranha velha!).

Mas Megan — que lembrava com vergonha de todos os discursos pios que tinha feito sobre as glórias do aleitamento materno para as mães de Sunny View que inundavam seu consultório ("Cheio de nutrientes e anticorpos e totalmente de graça, rá, rá, rá!") — simplesmente não conseguia pegar o jeito. Devia ser a coisa mais natural do mundo para uma mãe lactante, mas Megan sentia como se tivesse recebido ordens de criar asas e voar.

Ela conhecia a teoria, é claro. Conhecia pelo avesso, nos menores detalhes. A mulher devia conseguir colocar a porcaria toda — aréola e mamilo — no fundo da boca do bebê. Mas sempre que Megan tentava, Poppy agia como se a mãe estivesse tentando sufocá-la. Depois ela berrava até ficar azul. Megan pedia, implorava e a embalava no peito duro feito pedra para colocá-la no lugar, pegando Poppy pela lateral do rosto e tirando seu gorrinho de lã. Mãe e filha choravam em perfeita harmonia.

A neném agia como se fosse chamar o juizado de menores, se tivesse idade suficiente para engatinhar até o telefone, e Megan pegava a mamadeira, temendo que a filha morresse de fome se não fizesse isso.

Era um tipo de vida diferente daquela que ela conhecia antes. Agora não havia sono. Quando ela era criança, Megan se lembrava de como o pai admoestava delicadamente as filhas quando elas ficavam choronas e inquietas. *Exauridas*, como ele chamava. É como estou, pensou Megan. Exaurida. Demolida demais para dormir e sem saber quando viria o barulho seguinte exigindo mamadeira, colo ou fralda limpa.

Ia voltar a trabalhar dois meses depois do parto. Como médica, ela teria insistido em pelo menos um intervalo de três meses antes que uma nova mamãe voltasse ao mundo do trabalho. Mas sendo ela mesma a nova mamãe, Megan descobriu que todas as regras tinham mudado. Além das exigências do que restava de seu ano de formatura plena, Megan descobriu que precisava trabalhar, precisava lembrar a si mesma quem ela era antes de a filha nascer.

As irmãs eram ótimas. Cat pegava Poppy quando ela estava no consultório de manhã, porque o Mamma-san só abria na hora do almoço, e Jessica estava lá à tarde. Kirk aparecia com fraldas e várias peças de bebê — protetor de tomadas elétricas, montes de chupetas —, mas cedo ou tarde todos voltariam para a própria vida, deixando-a só com a filha e a noite, e as sensações esmagadoras de decepção consigo mesma. Essa história de ser mãe — ela simplesmente não era boa nisso. Não podia ficar desse jeito para sempre, podia? As irmãs apoiando-a, as lágrimas quando a neném não parava de chorar, o pequeno apartamento abarrotado e os discos tocando alto demais no andar de baixo. Megan ia ter que encontrar uma forma mais permanente de viver.

Ela amava a filha — não havia dúvida nenhuma disso. Mas não podia fazer isso, não era da natureza dela, ela era mais parecida com a mãe Olivia do que percebera, e a filha merecia alguém melhor. Megan sentia que estava dando tudo de si, e o tudo de si era ridiculamente inadequado.

Ela sabia que muitas mulheres passavam pela gravidez e pela maternidade sem ajuda. Ela as via diariamente no consultório. A maternidade solitária estava se tornando o padrão do setor. Então por que era tão difícil para ela? Ou talvez todas se sentissem assim, todas as coitadinhas em carreira solo. Agora ela sabia como era a vida em Sunny View.

O final de seu último ano de formanda estava se aproximando. Megan tinha de fazer um exame de três horas, que era considerado por muitos a parte mais fácil da avaliação final.

— Mas e se eu não passar? — perguntou Megan a Lawford.

— Ninguém é reprovado — disse ele. — Só as pessoas que arruinaram totalmente a própria vida.

— Como se sente? — disse Cat.

Rory arqueou as costas e fechou os olhos, o rosto da mesma cor das ataduras da véspera. Ele gemeu de leve. Os analgésicos não estavam funcionando ou não eram suficientes para um homem que tinha acabado de passar por uma cirurgia invasiva nos testículos.

Ele tinha vontade de vomitar, mas seu estômago estava vazio. Algo estava agourentamente molhado ali. Ele podia sentir o sangue vazando pelo tecido que cobria suas pobres bolas inchadas. Meu Deus, pensou ele. Essas cretinas tiveram algumas aventuras.

— Como eu me sinto? — disse ele refletindo. — Como se alguém tivesse acabado de abrir minhas bolas e depois as grampeasse. Já que você pergunta.

— Mas vale a pena, não é? — disse Cat pegando a mão dele. — Não vale a pena tudo isso?

Ele assentiu.

— É, vale a pena.

Ela deu um beijo delicado nos lábios crestados dele.

Apesar da sensação de ser um macho recém-castrado — o que era mesmo irônico, já que o objetivo da cirurgia era torná-lo novamente um macho com o aparelho reprodutor de um macho plenamente funcional —, ele passou a mão na perna dela. Para cima e para baixo. O tamanho daquelas pernas gloriosas sempre o maravilhava e ele adorava vagar do joelho à coxa. *Está me medindo*, ela sempre dizia, rindo.

— E agora? — disse ela.

Ele gemeu, mudando o peso do corpo.

— Quando eu me curar, vou ejacular em algum pote.

— Fale com meu cunhado, o Paulo. Eu sei que ele fez isso muitas vezes.

— Cat, se há uma coisa que um homem não precisa aprender, é... Aaaaaah! — Ele arfou e vacilou com a dor de soltar lágrimas. — Masturbação.

— Então eles vão contar seu esperma?

— Vão contar. Vão fazer cócegas. Ver se podem pular por arcos. Ver se eles estão ali.

— Eles estarão ali. Eu sei disso.

Ele sorriu para a linda cara de expectativa dela. E, sim, valia a pena para tê-la de volta à vida dele. Mas ela agia como se essa parte, a parte de espermatozóide-encontra-óvulo, fosse a parte difícil.

A parte realmente difícil, segundo a experiência de Rory, era manter um relacionamento por todos os longos anos necessários para criar um filho. Ficar juntos quando vocês são pai e mãe era a verdadeira dificuldade e, em um canto secreto de seu coração, ele não tinha certeza se podia fazer tudo isso novamente.

A idéia de se tornar pai mais uma vez empolgava e apavorava ao mesmo tempo. Porque ele sabia o que exigia, e exigia muito. Mas ele não podia negar isso a ela. Se ela ia ter um filho com um homem, então, por favor, meu Deus, ele queria que fosse com ele.

Mais tarde o filho se sentou na beira da cama, comendo as uvas de Rory, carrancudo.

— E aí, Cat quer ter filhos, não é? — disse Jake.

Rory gemeu, puxando as ataduras para aliviar a dor que sentia embaixo.

— No final das contas — disse ele —, todas elas querem ter filhos.

Kirk tinha a impressão de que a atitude feminina em relação ao boquete mudara com o passar do tempo.

Quando ele era garoto, um boquete era o prêmio definitivo; concedido somente quando uma menina (e na época elas eram meninas, não mulheres) decidia que era com você que ela ia passar o resto da vida — ou pelo menos os próximos meses. Quando conseguia um boquete na época, você achava que era seu dia de sorte. Não era mais assim.

Agora um boquete dava a impressão de que você estava sendo iludido com uma espécie de prêmio de consolação. Os boquetes eram distribuídos a torto e a direito, enquanto o sexo de verdade, o sexo com penetração, o sexo vaginal, o sexo à moda antiga, era negado, o queijo na ratoeira, o Santo Graal.

Não era que as mulheres gostassem de pagar um boquete para um homem. Ao contrário do outro tipo de sexo, em que há penetração, nunca se ouvia nenhuma delas reclamar que um boquete acabava rápido demais.

— Ah, esse boquete foi meio rápido.

Você nunca as ouviu dizendo isso, já ouviu?

Quando ele era garoto, um boquete parecia um presente. Agora que ele era um homem, parecia mais um ato de caridade. O que havia mudado? A ascensão do boquete não podia ser atribuída ao medo da gravidez, porque as adolescentes que ele conheceu na Sidney suburbana tinham um pavor de engravidar que não era compartilhado pelas mulheres independentes e capazes que ele conhecia agora, com seus diafragmas, tampões e pílulas do dia seguinte.

Talvez o boquete tivesse se tornado uma barganha, uma forma de garantir que seria difícil se afastar, e uma forma de dar o poder à mulher. Se uma mulher fizesse isso, por que um homem a deixaria? O que podia ser melhor do que isso?

Ele tocou o cabelo da mulher ajoelhada diante dele. Ela era de Perth, estava em Londres por dois anos depois de um período vagando por aí, preparando-se para voltar para a Austrália e para a vida real.

Ela estivera no Mamma-san em uma mesa grande de bêbados, uma espécie de festa de aniversário, e o sotaque dos dois foi como um sinal verde para a conversa, uma ida a um bar que ele conhecia e depois finalmente à casa dele.

Agora o telefone tocava e ela ergueu os olhos para ele, fazendo contato visual com os olhos arregalados. Muitas delas faziam isso durante um boquete. O contato visual em geral era o gatilho que — ah, meu doce Jesus. Kirk lutou para respirar. Pareceu dar certo. Mas o telefone continuava tocando e ele percebeu que ninguém devia ligar para ele a essa hora.

A secretária eletrônica ligou e ele ouviu a voz de Megan. Ela estava perturbada, percebeu ele com alarme. Alguma coisa ruim tinha acontecido.

"Desculpe te incomodar... Preciso de sua ajuda... Se puder vir... É Poppy... Se recebeu esse recado..."

Ele pegou o fone.

— Megan? Que foi? Tudo bem, tudo bem. Já estou indo, tá? Assim que eu puder.

Ele bateu o telefone, libertando-se da mulher ajoelhada diante dele. Ela ainda o encarava, mas agora havia uma fúria gelada nos olhos estreitados.

— Você está marcando um *encontro* com alguma *piranha* quando está com o *pau* na minha boca?

— Desculpe — disse ele. — Tenho que ir. É a minha filha.

Megan atendeu à porta de camisola. Ela parecia um zumbi. Do único quarto do apartamento, Kirk pôde ouvir o som de Poppy uivando de raiva.

— Eu não sabia a quem recorrer. Não podia chamar minhas irmãs. Elas já fazem muita coisa. E é muito tarde. Que horas são?

— Não sei.

Havia algo no choro de Poppy que enregelou os ossos dele.

— O que há de errado com ela?

— Ela não pára — disse Megan. — Eu já a amamentei, ninei, troquei fralda, aconcheguei.

— Ela está doente?

— Não tem febre. A temperatura não está alta. Ela é forte como um tourinho. — Megan sacudiu a cabeça, cansada. — E ela não pára de chorar. Eu sou médica, não sou? Eu devia saber por quê.

— Bom, você também é mulher. É disso que eu sempre meio que gostei em você.

Kirk entrou no quarto. Era impossível acreditar que uma coisa tão pequenininha como Poppy podia fazer tanto barulho ou expressar tanta raiva. A carinha estava retorcida de fúria, quase roxa de apoplexia e ensopada de lágrimas. Ele a pegou e sentiu o calor da filha através do Grobag, sentiu o cheiro do frescor de sua pele.

Ele riu e os olhos dele se encheram de lágrimas. Ele a amava muito. Nunca soubera que era capaz desse amor puro e incondicional. Sua filhinha.

Ela gritava na orelha dele.

Megan estava na soleira.

— Quer uma xícara de chá ou outra coisa?

— Um chá seria ótimo. Sabe o que eu acho que está errado?

— O quê?

— Acho que ela é um bebê. É só isso. Esse é o problema. — Ele deu tapinhas nas costas de Poppy. O cheiro dela era de leite e da hora do banho. — E eu acho que você está tentando fazer demais sozinha.

Megan puxou a camisola, apertando-a no corpo.

— Vou fazer o chá.

Kirk segurou a filha diante dele, olhando para ela através de uma camada de lágrimas, com um sorriso largo e grato na cara. Poppy estava se tornando inegavelmente linda, perdendo a aparência de feto enrugado que tinha desde o nascimento e começando a se parecer mais com um bebê comum, redondo e com carne rechonchuda.

Mas mesmo quando ela não era bonita, pensou ele, ela ainda era linda. Ele a puxou para perto. A sua menininha linda.

Ela era quente como uma mamadeira, tão nova quanto o amanhã. Ele precisou ter cuidado para não apertá-la demais, ela ainda era muito pequena. Mas era difícil não envolvê-la nos braços e não acreditar que ele a manteria ali para sempre, porque ela o fazia sentir esse amor tão feroz e protetor.

Talvez ele a tivesse abraçado com muita força. Porque, exatamente quando Megan entrou no quarto com duas xícaras de chá, Poppy peidou como um marinheiro flatulento numa noite de sexta-feira — uma explosão grande e gorda de gases que foram amortecidos pela fralda. Depois ela dormiu de imediato.

Kirk e Megan se olharam e riram. Depois Megan pôs um dedo nos lábios dele.

— Pelo amor de Deus, não a acorde!

Kirk beijou delicadamente a neném no rosto. Como uma coisa podia ser tão nova e tão perfeita? Ele a colocou novamente no meio do berço.

— Obrigada — cochichou Megan.

— Ela está crescendo.

— Acho que mais um mês e ela sairá dessas roupas de prematura. Poderá começar a usar roupas de recém-nascida. Todas as coisas que Cat comprou para ela.

— Isso vai ser ótimo.

— Vai ser a melhor coisa do mundo.

Eles foram para a cozinha e tomaram o chá, deixando a porta do quarto entreaberta. Mas a neném estava dormindo profundamente. Depois o chá acabou e eles só ficaram sentados ali, escutando a noite. Mas era tarde, agora que até as ruas de Hackney estavam ficando silenciosas.

— Bom — disse Kirk, levantando-se para sair.

Megan se levantou com ele, puxando a camisola em volta do pescoço. Ela colocou o dedo nos lábios dele novamente.

— Ela tem a sua boca.

— É mesmo?

— É. É mesmo grande. É por isso que ela consegue fazer essa barulheira toda.

Kirk colocou a ponta dos dedos no queixo de Megan.

— Mas ela tem o seu queixo. Esse queixo forte. E os seus olhos.

Ele tocou o rosto dela pela lateral dos olhos, sentiu a curva dura da maçã do rosto.

— Eu estou um trapo — disse Megan.

Ela se afastou dele. Isso, não. Ela não ia querer isso dele. Ela queria mostrar a ele que agradecia por ele ter vindo no meio da noite e queria mostrar que havia um vínculo entre eles — que sempre haveria um vínculo entre os dois. Mas isso, não. Ela não queria isso.

— Você não está um trapo. Você é linda.

— Não diga isso. Por favor. Não diga coisas que não são verdade.

Ela estava constrangida com seu corpo. Era como ser uma adolescente de novo. Só que agora, em vez de aparelhos nos dentes e algumas espinhas, Megan tinha uma cicatriz que nunca desapareceria dividindo-a ao meio, e mamilos feridos e inúteis latejando dos seios duros e doloridos, aqueles seios estranhos, desconhecidos e pesados, e uma barriga que ainda estava inchada como se houvesse um bebê ali.

— Você é linda, Megan. Você sempre será linda para mim.

— Não é verdade. Eu estou um trapo. Olhe.

Ela abriu a camisola, baixando a calça do pijama alguns centímetros e erguendo cautelosamente a camiseta. A cicatriz do parto ainda era lívida. Ele deu um passo na direção dela e ela o viu acompanhar a cicatriz com o dedo, sem tocar realmente nela.

— Foi daí que veio a nossa filha — disse ele. — Não é feia.

Megan tombou a cabeça. Ela queria que ele ficasse. Mas não queria isso dele.

— Estou tão cansada — disse ela.

— Então agora vamos dormir. — Ele baixou com cuidado a camiseta dela. — Nós três.

Então ela deixou a camisola cair no chão e ele se despiu no escuro do quarto, ouvindo a respiração estável da filhinha. Ele subiu na cama. Ela deu as costas para ele, mas não fez objeção quando ele se aninhou nela, em concha.

— Estou tão cansada.

— Então agora durma.

— Talvez de manhã.

— Eu não vou a lugar nenhum.

Ele pôs os braços em volta dela e, enquanto eles se aninhavam, ela sentiu o calor do contato humano e o manto glorioso do sono por fim se fechou sobre seus ossos cansados, e Megan se rendeu.

parte três

a coisa mais natural do mundo

dezenove

Quando Cat tinha 12 anos e Jessie tinha 8, e Megan era um bebê crescido de 4, ficou decidido que as meninas iam morar com a mãe.

A decisão não foi tomada por Olivia, nem por Jack, mas pela própria Cat, de forma independente e sem consultar ninguém.

No ano seguinte à partida da mãe, as coisas ficaram ruins em casa. Parecia haver menos dinheiro do que antes, porque seu pai ficava fora trabalhando o tempo todo — embora anos depois Cat visse como as pessoas às vezes se escondem de sua vida doméstica no trabalho, então talvez o problema não fosse de dinheiro, afinal.

A nova empregada, uma loura rechonchuda de Hamburgo, não conseguia lidar com elas, nem sabia por onde começar. E de repente elas precisavam de muitos cuidados.

Havia uma fúria dentro de Cat que ela não conseguia explicar. Megan tinha começado a urinar na cama novamente e Jessie vivia se desmanchando em lágrimas, reclamando que queria que as coisas voltassem a ser como eram antes. E Cat também.

Comida enlatada, é do que Cat se lembra dessa época. Comida enlatada e a fúria por dentro.

Em seu coração de 12 anos de idade, Cat sabia que as coisas nunca mais poderiam ser como antes. Não depois que o homem do táxi veio pegar a mãe. Era o máximo que ela podia fazer.

Levá-las para morar com a mãe.

Foi surpreendentemente fácil. Cat já sabia fingir bem a indiferença altiva que sua mãe empregava sempre que falava em ajudar, e ela informou à empregada desnorteada que estava tudo arranjado, que elas iam para St. John's Wood pelo futuro próximo.

— *Aber* zeu pai, Cat-kin...

— Meu pai sabe perfeitamente de nossos planos, posso lhe garantir.

As meninas fizeram as malas animadas enquanto a lourona rechonchuda tentou, sem sucesso, falar com Jack Jewell. Elas só pegaram o essencial — pijamas, escova de dentes, um sapo falante de Megan, um monte de Barbies e Kens de Jessie e um disco do Blondie para Cat. Depois elas entraram no metrô, de mãos dadas, Cat e Jessie se revezando para carregar Megan quando ela se recusava a andar mais.

Quando elas estavam no metrô, Jessica mostrou à irmã mais velha seu presente secreto — um punhado de dinheiro do Banco Imobiliário. Cat aceitou com gratidão e não contou a Jessie que ela era uma garotinha boba. Ela ia cuidar bem das irmãs a partir de agora.

St. John's Wood era outro mundo, completamente diferente de seu subúrbio verdejante. Havia negros ali, muitos deles — só anos depois foi que Cat percebeu que eles deviam estar lá para o críquete no Lord's — e todos pareciam ser milionários. Megan tropeçou em um lixo na St. John's Wood Street e era um charuto meio fumado, do tamanho de uma salsicha.

Um bairro negro incrivelmente rico. Foi o que St. John's Wood pareceu a Cat. Ela sabia que podia ser feliz ali.

Essa ilusão foi estilhaçada assim que a mãe das meninas abriu a porta da frente.

"Não é assim que eu sou", Olivia ficou dizendo a Cat — como se ela não tivesse ouvido da primeira vez — enquanto tentava falar com o ex-marido ao telefone, enquanto Jessie e Megan pulavam pelo apartamento imaculado, saindo do caminho da empregada filipina — que sorria para elas com uma certa simpatia, ao que pareceu a Cat — e pegavam em todas as coisas que não deviam ser tocadas por dedos pegajosos de menininhas — "Megan, *não* a minha foto com Roger Moore" — e Cat, cada vez mais desesperada, tentava explicar por que era uma boa idéia elas morarem ali, seguindo a mãe pelo apartamento enquanto o dinheiro de mentirinha caía dos bolsos de seus jeans.

— Mas eu pensei que você fosse gostar de ver a gente. Pensei que seria legal se ficássemos juntas de novo. Eu pensei...

— Você pensou, você pensou, você pensou. Você pensa demais, mocinha.

— Você não *quer* morar com suas filhas? A maioria das mães...

Mas Olivia tinha dado as costas à filha mais velha. Conseguira encontrar Jack e agora falava com delicadeza mas com raiva, com urgência, como se convencida de que ele tivesse planejado aquela invasão só para acabar com seu ninho de amor.

Quando desligou o telefone, Olivia virou-se para Cat, a menina olhou para a mulher e viu que não havia suavidade nela, nem vergonha, nem amor.

Anos depois, Cat não teve problemas em voltar ao tempo em que era a menina de 12 anos parada no apartamento alugado da mãe, as irmãs mais novas agora em silêncio no sofá, as fotos intactas da mãe com várias celebridades sem ser molestadas, o aspirador de pó da empregada zumbindo na distância em outro cômodo, e ouvindo — enquanto a mãe pegava furiosamente o dinheiro de mentira do carpete — que suas esperanças infantis eram ridículas.

— Não entendeu ainda, Cat? — disse a mãe. — A mulher que você quer que eu seja... A mãe que você quer que eu seja. *Não é assim que eu sou.*

E enquanto esperava pelo dia em seu diário em que ela descobriria que havia um bebê crescendo dentro dela ou não, e todas as grandes dúvidas do tipo e-se começassem a se agitar — seria dez anos depois? O risco de abortar ou de gerar um deficiente seria grande demais? Rory ficaria feliz se ela engravidasse ou se sentiria preso? — havia uma coisa que ela sabia com uma completa certeza.

Se engravidasse, ela nunca seria o tipo de mãe que a própria mãe fora. Cat tinha de ser melhor do que isso.

Ela podia não ser a melhor mãe do mundo — a outra data, o possível aniversário no calendário do ano que vem ao mesmo tempo a empolgava e apavorava, ela que ficara sem filhos por tanto tempo — e ela podia não ser uma mãe particularmente boa. Tinha visto com a irmã mais nova que a realidade da insônia e das manchas de leite não tinham nenhuma semelhança com a expectativa.

Mas ela sabia que não podia fugir da vida que estava criando. Ela nunca seria tão cruel, nem egoísta, nem fria.

Não é assim que eu sou, pensou Cat.

Era esse o problema, segundo a compreensão de Rory.

Antigamente, uma mulher tinha um bebê com o primeiro homem que conhecia. Mas hoje em dia era muito mais provável que ela tivesse um filho com o *último* homem que conhecia.

Dava para ver como ter um filho com o primeiro homem que conhecia podia causar todo tipo de problemas, e eles eram principalmente os problemas de que ela sentiria falta.

Uma educação. Uma carreira. Sexo por diversão. Muito disso, com uma seleção ampla e variada de homens. E todos aqueles momentos inestimáveis, quando você sabe que é jovem, livre e solta no mundo. Ver o sol nascer numa praia da Tailândia, passear por Paris em um carro esporte conversível, acordar ao som do Caribe do lado de fora da janela aberta... E mesmo que a mulher hipotética de Rory nunca fizesse nenhuma dessas coisas, pelo menos a possibilidade estava sempre ali.

Mas não se pode adaptar uma cadeirinha de bebê em um conversível esporte. Simplesmente não dá.

Ele sabia como isso mudara seu mundo. A mãe dele constantemente o lembrava quando Jake nasceu — *sua vida agora não é mais sua.*

Ela estava tentando encorajá-lo. Mas parecia que estava proferindo uma pena de prisão perpétua.

Então ele não teve dificuldade para entender por que as mulheres do mundo moderno precisavam tanto de um filho com o primeiro homem que conheciam como precisavam de um buraco na cabeça. Mas não foi tudo longe demais na direção contrária? E os problemas de ter um filho com o último homem que conheciam?

Os parceiros mais recentes — era como elas os chamavam, *os parceiros mais recentes*, as mulheres que tinham evitado seus namorados de infância, a gravidez indesejada, os amassos na faculdade e uma mixórdia de romances formados nas férias ou no trabalho, nos clubs e nos bares. As mulheres que viveram quinze anos mais ou menos libertas da maternidade e deixavam uma pequena janela para os bebês, dez anos fugazes de fertilidade.

Elas tiveram a educação, a carreira e o sexo por diversão. E agora estavam prontas para gerar à força um bebê enquanto ainda existia a opção biológica.

Mas havia o problema — a maioria dos homens bons, e talvez até os melhores, já desaparecera. Certamente havia um elemento aleatório no homem mais recente, assim como havia no primeiro. Rory se preocupava com os parceiros mais recentes. Ele se preocupava que não fossem tão inteligentes como as mulheres pensavam. Os parceiros mais recentes eram como as compras de última hora na véspera de Natal. Simplesmente não havia muitos para escolher.

E quanto ao próprio Rory? Seria o amor da vida de Cat ou só um cara que por acaso estava ali? A idéia o deprimia. Não era assim que se trazia uma nova vida ao mundo. E no entanto ele não sabia como recusar a ela, nem dizer que ele tinha essas dúvidas.

Não se podia dizer a uma mulher que você amava que você não tinha certeza se queria ter um filho com ela.

Não era natural.

— Ninguém fode com sua cabeça como uma dona-de-casa entediada — disse Michael a Paulo. — Pense só nisso. As crianças cresceram ou estão crescendo. O velho dorme vendo futebol. E ela de repente pensa, *para o que exatamente eu estou me poupando? Vou para a academia* — é isso que ela pensa, né —, *vou fazer a dieta do Dr. Atkins. Ainda sou uma mulher relativamente nova. Tenho minhas necessidades.*

— E depois tem você — disse Paulo.

— E depois tem eu — disse Michael, a voz pesada de resignação. No final, ele não fora capaz de manter as mãos longe de Ginger. No final, ele a trouxera de volta para mais do que atender a telefonemas ou colocar formulários do imposto de renda no correio. Michael podia resistir a tudo, menos a ajuda contratada.

Meu irmão é um viciado, pensou Paulo com tristeza. Michael achava que tinha o controle de tudo, mas Paulo sabia que não era mais assim. O vício o estava dominando. E Paulo via por fim que não era a busca de diversão que levava Michael a fazer as coisas que fazia. Era a busca de uma novidade, a busca de alguém que não fosse a esposa dele.

A diversão não tinha nada a ver com isso.

Paulo sabia que Michael e Ginger estavam escapulindo no início da noite para o Hilton do bairro — uma hora em que a ausência deles de casa seria explicada facilmente pelo trânsito, pelo trabalho até tarde — ou talvez sequer fosse explicada.

Paulo ficava deprimido quando pensava neles transando em um quarto estéril de executivo, com os sachezinhos de chá e café, a passadeira ridiculamente estacionada num canto, a placa de Não Perturbe afastando a camareira. Paulo podia sentir a culpa e o arrependimento em seu irmão, mas estavam enterrados sob camadas de toda aquela velha autoconfiança.

Michael achava que ia se safar dessa.

— O bom nas mulheres casadas é que uma hora elas têm de estar em algum lugar — disse Michael. — Não é como as solteironas, que querem que você fique com elas, converse sobre seus sentimentos e saiam para jantar. As casadas têm de ser bem vorazes.

Paulo estava cansado de ouvir sobre a vida sexual do irmão. Houve uma época em que ele se arrepiava só de ouvir as aventuras de Michael, que ele sempre travestia com uma espécie de filosofia pessoal, uma forma de ver o universo.

E no entanto isso fora quando eles eram rapazes, antes das promessas que fizeram no casamento, e agora ele estava enjoado disso. Que Michael ferrasse a vida dele, se quisesse. Paulo só queria vender carros. Ele queria que os figurões do centro financeiro aparecessem com suas gordas bonificações de seis dígitos e falassem com ele da Ferrari Pininfarina de seus sonhos. Mas os negócios estavam devagar, na maior parte dos dias a loja ecoava com as vozes dos dois irmãos e ninguém olhava os carros à venda.

— Tem uma exposição de carros em Hong Kong — disse Paulo. — A Baresi Brothers foi convidada pela junta de comércio. Duas passagens da classe executiva. Hotel.

Paulo passou ao irmão um folheto elegante. A capa mostrava a silhueta alta de Hong Kong se erguendo por trás da Ferrari F1 do ano seguinte. Uma asiática bonita de saia curta sorria exultante no capô.

— Já vi isso — disse Michael. — É. Vai ser ótimo.

— Pensei em levar a Jessica. Se puder cuidar de tudo sem mim. Faria bem a ela sair por uma semana ou mais. Vou tirar minhas férias desse ano.

— Vá em frente. Não está acontecendo muita coisa por aqui. Vai ser ótimo.

Paulo assentiu. Estava combinado. Ele se virou e de repente parou. Faria uma última tentativa de deter aquela loucura. Antes que fosse tarde demais.

— Eu te vi com a sua filha, Mike. Eu sei que você a ama. Sei que quer ser um verdadeiro homem de família.

— Não quero ser um homem de família. Eu sou um homem de família.

— Mas se perder Naoko vai perder tudo. Sabe disso, não é? Seu casamento. Sua filha. Sua família. Você não quer isso, quer?

Michael estava vendo Ginger em sua caixa de vidro. Nunca se imaginaria que ela podia enlouquecer alguém em um Hilton. E tudo isso antes da hora do chá. Paulo viu o irmão estremecer, como se esse comportamento lhe desse dor física.

— Não posso evitar, Paulo.

— É claro que pode!

Michael sacudiu a cabeça.

— Você acha que isso vai terminar quando se apaixonar. Ou quando se casar. Ou quando se tornar pai. Mas não termina nunca... Essa *fome*. — Michael olhou para o irmão com um amor triste. — Você acha que são os filhos que fazem o mundo girar. Acha que é só isso. Não é, Paulo. É desejo. É foder. *É sempre foder com alguém novo*. É isso que está no centro de tudo... De todo o grande jogo. Querer. Desejar. Chame como quiser. Os filhos são só um subproduto.

— Não para mim. Não para a minha mulher.

Michael sacudiu a cabeça.

— Acha que as mulheres são diferentes? Elas são iguais a nós. Esse é o grande segredo. As mulheres são iguais a nós. Elas obtêm prazer onde podem. E ninguém fode tanto com a sua cabeça como uma dona-de-casa e mãe entediada. — Michael se interrompeu, pensando, e olhou o outro lado da loja vazia. — A não ser que você se case com ela, é claro.

Poppy sorriu para Jessica.

Foi um sorriso triunfante, cheio de gengivas e amplo, com um pequeno tremor nas pontas, mas definitivamente tinha como objetivo a tia. Em um bis ela chutou, como se tentasse recuar no berço.

— Ela me reconhece, não é? — disse Jessica. — Está começando a me reconhecer!

— Olha só a safadinha — disse Megan, esfregando o sono dos olhos. — Toda docinha e delicada, agora que você está aqui.

— Ah, ela não é uma safadinha. — Jessica estendeu a mão para o berço e pegou Poppy nos braços. A neném gorgolejou de prazer. — Ela é um anjinho!

— O anjinho ficou berrando por metade da noite. Foi tão ruim que o cara do andar de baixo aumentou o volume do CD do 50 Cent. Mas não existe um *rapper* vivo que possa competir com Poppy.

A bebê olhou para a mãe com uma cara impassível. Kirk entrou na sala enxugando o cabelo molhado.

— Temos que sair daqui — disse Megan a ele.

— Nem me fale.

— Tem alguma coisa errada com ela? — disse Jessica, erguendo Poppy para inspecioná-la, afagando o cabelo fininho.

— Cólica — disse Megan.

— Cólica? Os cavalos é que têm isso.

Megan assentiu.

— Cavalos e bebês. Ela berra como se fosse o fim do mundo. Depois dorme... Mas quando você está completamente acordada. E quando você finalmente consegue dormir, ela começa a berrar até ficar azul de novo.

Jessica nada disse, segurando a língua. Ela embalou Poppy nos braços, a neném fazendo ruídos de apreciação. E depois ela disse:

— Você tem sorte em tê-la, Megan.

— Eu sei disso, Jess — disse Megan com um sorriso duro. Ela queria reconhecer o amor que sentia pela filha. Mas essa não era toda a história, e ela precisava que a irmã soubesse que nem todos os finais são felizes quando se tem um filho. — Eu sei. Eu tenho sorte. Mas nunca pensei que podia ser tão cansativo.

Megan foi para a cozinha e voltou com duas chupetas projetadas para parecer a boca de animais. Uma mostrava um urso sorridente, a outra um tigre lambendo os lábios.

— Se ela ficar totalmente louca, coloque uma dessas na boquinha.

— Chupetas? — disse Jessica, como se Megan tivesse aparecido com dois baseados. — Pensei que você fosse *contra* chupetas. Pensei que os bebês ficassem viciados em chupetas, e que elas não eram boas para a dentição e essas coisas.

Megan riu.

— Eu era antimamadeira. Era antichupetas. Era contra correr para o bebê sempre que ela chorava. E aí eu tive Poppy e sabe o que mudou? Tudo. As boas intenções, os livros sobre bebês, a crença firme no aleitamento materno, tudo foi pelo ralo. É tudo besteira, Jess. Grande parte disso. Você tem que passar por isso. Precisa sobreviver.

Megan colocou uma das mãos na testa bojuda da filha. Poppy se aconchegou nos braços de Jessica, afastando friamente o rosto da mãe.

— Um bebê de verdade — disse Megan retirando a mão.
— O mundo real.

A melhor coisa em ensinar pessoas a mergulhar era aquele momento em que um iniciante vinha à superfície pela primeira vez.

Uma pequena porcentagem dos novatos entrava em pânico — arrancando a máscara, puxando ar como se tivessem sido exumados de um túmulo aquático claustrofóbico —, mas a maioria deles ficava em êxtase. Delirando de alegria com a vida marinha abundante, os corais psicodélicos, a sensação de voar à qual o mergulho se assemelhava tanto.

Era outro mundo lá embaixo — um mundo melhor, um mundo mais livre —, e a maioria das pessoas se apaixonava por ele à primeira vista. Mas você não via essa sensação no novo emprego dele. Sete manhãs por semana, Kirk ensinava iniciantes a mergulhar em uma piscina nos fundos de uma residência particular em Battersea. E, em Battersea, tudo era diferente.

Sem peixes, sem corais, sem a sensação de todo aquele espaço ilimitado contendo naufrágios há séculos e montanhas mais altas do que o Everest, e quedas d'água maiores do que o Niágara.

Só uma caixinha azul cheia de uma água clorada demais onde mulheres e homens jovens — e quase todos estavam na casa dos 20 e dos 30, preparando-se para duas semanas de verão no oceano Índico ou no Caribe, ou no mar Vermelho — lutavam com pressão flutuante neutra, limpeza da máscara e todos os outros fundamentos.

Na sala dos fundos de uma loja de mergulho na Edgware Road, ele orientou os alunos pela teoria necessária para conseguir autorização para mergulhar, e foi como tentar explicar magia.

Não havia muito dinheiro envolvido. Nunca havia, com o mergulho. Fazia-se isso por amor. Mas o amor não pagaria o aluguel, então à tarde Kirk subia numa bicicleta de corrida que não pertencia a ele e entregava sanduíches e café em endereços do centro financeiro até que chegasse a hora de ir para casa e render Jessica.

Megan sabia tudo sobre o trabalho dele de ensinar na piscina de uma casa em Battersea. Mas ele não contou a ela sobre seu segundo emprego, de entregador de lanches a corretores de valores, banqueiros e corretores de seguros. Ele não contou a ela porque queria que ela tivesse orgulho dele. Assim como ele se orgulhava dela.

Era Megan que ele queria. Era Poppy que ele queria — ela era uma criança linda e ele sabia que os choros intermináveis um dia iriam parar e as coisas iam ficar melhores.

Mas sua vida em Londres — as ruas cinzentas, os rostos sem um sorriso, o desejo de escapar até entre as pessoas que não pensavam em morar em outro lugar — não era o que ele imaginava que deveria ser a vida.

Sexo, dormir, sol, mergulho de verdade — todas essas coisas, suas coisas preferidas, de algum modo foram consignadas ao passado. E ele se perguntava. Ele se perguntava repetidamente.

"Até que ponto podemos desistir por uma pessoa que amamos e ainda continuarmos amando?"

Jessica empurrava Poppy pelas ruas sujas e apinhadas, pensando que a maioria das mães por aqui parecia totalmente esgotada.

Velhas antes do tempo. Manchas nas roupas que uma organização de caridade rejeitaria. Cabelos gordurosos e despenteados. Com um susto, ela percebeu que elas a lembravam de Megan.

Mas a irmã não tinha a raiva delas. Essas mulheres tinham raiva do mundo, de seus filhos — a linguagem que usavam quando as crianças se demoravam no balcão da doceria! Mais pareciam marinheiros de folga do que jovens mães fazendo compras com os filhos! — e da própria Jessica quando ela guiava desajeitada o carrinho moderno de três rodas pelas multidões de mães jovens de Hackney e sua prole que berrava, reclamava, despida e de cara suja.

— Ei, meu bem, cuidado com as malditas rodas — disse uma delas, sem se incomodar em tirar o cigarro da boca. — Você quase atropelou a merda do meu pé, né?

— Desculpe — disse Jessica, sorrindo educadamente.

Com sua figura magra, as roupas imaculadas, a maquiagem cuidadosa e o decoro cabal, Jessica não parecia nada com uma cria cheia de palavrões de Sunny View. E no entanto ela sabia que elas a tomavam por uma companheira e isso fazia o coração de Jessica se arrepiar de alegria.

Uma jovem mãe, a caminho do parque, um pouco de ar fresco para a bebê, colocada no mundo a partir de sua carne e seu sangue.

vinte

No final da manhã, o parquinho foi tomado pelas jovens mães de Sunny View. Com seus bebês maiores gingando com um propósito solene entre elas e os pequenos cochilando nos carrinhos, as mulheres vagavam pelo carrossel e pelos balanços, e se apoiavam no trepa-trepa, conversando e fumando.

Elas tinham uma atitude de proprietárias do parquinho, porque apenas alguns anos antes estavam entre as adolescentes que se reuniam aqui no final da tarde, vagando preguiçosamente pelos balanços, ou delicadamente girando no carrossel, conversando e fumando.

Jessica e Poppy continuaram um tanto afastadas delas, concentrando-se em alimentar os ferozes patos do East End que viviam no parque. Jessica atirou pão dormido para eles e os olhos azuis e brilhantes de Poppy se arregalaram de espanto enquanto os patos grasnavam e lutavam entre si.

— Ela é uma gracinha, a sua filha.

Era uma das jovens mães. Mal tinha saído da adolescência, com um rosto bonito e dois meninos de cabelo à escovinha se esmurrando aos pés dela. Jessica percebeu assustada que a mulher — mais uma menina — estava falando com ela sobre Poppy.

— Uma gracinha mesmo — repetiu a mulher. Ela deu um longo trago no Marlboro. — Ela tem... O quê? Quantos meses?

— Cinco. — Jessica espantou os patos para longe e aproximou mais Poppy. — É meio prematura.

— Prematura? Eles superam isso. — Ela indicou um dos brigões de cabeça raspada a seus cuidados. — Trinta e cinco semanas, esse aqui. Ele mais parecia um maldito Kentucky Fried Chicken do que um bebê. Agora nem dá para saber.

As jovens mães começaram a fazer arrulhos de deleite para Poppy, e Jessica se viu arrastada mais para dentro do grupo.

Olhando para aquelas mulheres, não se esperaria que elas fossem capazes dessa gentileza. Eram, afinal, as mesmas mulheres que Jessica vira gritando insultos no supermercado do bairro. Talvez, pensou Jessica, os filhos lhes permitissem mostrar uma ternura que ficava ausente do resto de suas vidas.

Ela se empoleirou num balanço vago enquanto as mulheres faziam um estardalhaço em volta de Poppy, como se todo bebê novo fosse um milagre que elas sequer podiam começar a explicar. E era engraçado — elas queriam saber o nome da neném, mas ninguém perguntou pelo nome de Jessica.

Jessica descobriu que ela não importava em nada.

— Nem parece que ela acabou de ter um filho, não é? — comentou uma das mamães de Sunny View.

Houve um murmúrio de concordância. Jessica riu com modéstia, balançando Poppy em seus joelhos. O bebê sorriu, lutando para manter a cabeça estável.

— Você é um docinho, hein? — disse outra jovem mãe, afagando o rosto rosado de Poppy com um dedo manchado de nicotina. — Parece com a mamãe ou com o papai?

— O pai dela é italiano — disse Jessica, a cabeça emocionada com a mentira e meio que acreditando em si mesma. — Ele é louco por ela. Ele nos chama de *suas duas meninas*.

— É ótimo quando eles estão presentes — disse uma das mães de Sunny View.

— Jessie?

E de repente Cat estava lá, no meio de todas as mulheres que fumavam, das crianças com cabelo à escovinha e dos bebês de cara gorducha, e quase era possível ver seus rostos se endurecendo na presença de uma estranha bem-vestida, bem-falante e patentemente sem filhos.

— O que está fazendo aqui? — disse Jessica, confusa.

Cat acenou com um saco.

— O mesmo que você. Alimentando os patos.

Jessica juntou as coisas de Poppy — luvas do tamanho de caixas de fósforo, um gorro de lã com orelhas de animal, a mamadeira — e levou a neném enquanto Cat empurrava o carrinho vazio.

— Tchau, Poppy — disse a mulher que tinha falado primeiro com Jessica. — Seja uma boa menina para a sua mãe.

Cat olhou para Jessica.

E Jessica aproximou mais Poppy de si.

Do outro lado do lago, elas se sentaram em um banco cheio de marcas, o pão e os patos já terminados, Poppy dormindo nos braços de Jessica. O riso distante das mães de Sunny View vagava para elas através da água.

— Sabia que vou ter que fazer o ciclo de FIV? O médico recomendou por causa da minha idade. *Minha* idade! Rory é quase 15 anos mais velho do que eu.

Jessica estudou o rosto adormecido de Poppy. Não disse nada.

— De qualquer forma — disse Cat. — Vai ser como... Sei lá... Uma maratona com obstáculos. Todos aqueles obstáculos, Jess. As injeções, os exames. — Ela sacudiu a cabeça. — Seu humor mudando com o tempo. O tempo todo, todos aqueles obstáculos, sem jamais saber se vai dar certo.

— Eu sei o que é isso, Cat. Eu mesma fiz.

— É claro que fez. Eu sei que você fez.

Jessica ficou olhando para o outro lado do lago, como perdida em seus sonhos, sem realmente ouvir. Cat estava falando mais rápido agora. Desabafando. Querendo que ela soubesse. Querendo terminar com aquilo.

— Eles colocaram dois óvulos fertilizados dentro de mim.

— Rory está funcionando novamente, então?

— É, Rory está funcionando de novo.

— Que bom, eu sempre gostei de Rory.

— E aí eu tenho que esperar, tenho que esperar duas semanas, as duas semanas mais longas da minha vida.

— E agora você está grávida.

A voz de Jessica era calma e sem emoção, com apenas um toque de ironia. Não era uma pergunta.

Cat olhou para a irmã e quis abraçá-la, perguntar a ela — sabe o quanto você é amada?

Para Cat, parecia que Megan tinha disparado pela vida, atropelando tudo o que estava no caminho — o divórcio dos pais, a escola, namorados e homens. Até a depressão pós-parto da irmã mais nova, ou a exaustão, ou o que fosse, pareceu desaparecer quando Kirk se mudou para lá.

Mas Jessica, pensou Cat — desde o começo tudo fora difícil para Jessica. Cat sentiu uma onda de vergonha, porque ela estava aqui para magoar ainda mais a irmã.

— E agora estou grávida, Jess.

Jessica riu e isso assustou Cat.

— Sabe como eu sei? Porque você não andaria isso tudo até o East End se não tivesse dado certo.

Cat exalou como se tivesse prendido a respiração por minutos. Talvez não fosse assim tão ruim.

— Eu queria que você fosse a primeira a saber, Jess. — Pegando o braço da irmã, de repente sentindo-se à vontade para tocar nela. — Nem Rory sabe ainda.

Jessica franziu a testa para Poppy, assentindo. Depois olhou a irmã, esperando que ela continuasse. Mas Cat pensou, o que mais há para dizer?

— Nunca pensei que daria certo — disse ela, ciente de que estava tagarelando. — Todos aqueles problemas. Rory tendo que passar por uma cirurgia só para poder se masturbar. Parecia tudo tão frágil, desde o começo. Quais são as chances de sucesso? Menos de 30 por cento. — Ela deu de ombros, desanimada. — É um milagre. Nunca pensei que fosse dar certo comigo.

— Engraçado — disse Jessica, agora sem rir. — Porque quando eu fiz a FIV, nunca me ocorreu que não ia dar certo comigo.

— Ah, Jessie. Não quero que se sinta mal com esse bebê.

Jessica pegou as mãos da irmã.

— Meus parabéns, Cat. E obrigada por pensar em mim. — Ela sorriu, revirando os olhos. — Não se preocupe. Não vou pirar. Não vou dar um ataque. Não estou com inveja. Não estou triste. Bom, talvez um pouco. É natural. Mas estou feliz por você. Você será uma boa mãe.

— Não tenho certeza se Rory quer — disse Cat. Ela queria que a irmã soubesse — *não é perfeito. Não pense que é perfeito.* Ela estava preocupada com dinheiro, com onde morariam. Mas sobretudo estava preocupada com o pai do bebê. *Não é perfeito.*

— Rory será um bom pai — disse Jessica pensativamente, o indicador acompanhando o contorno da boca de Poppy. — Ele é como Paulo, gosta de crianças.

Cat ficou agradecida por ser aquela que precisava ser tranqüilizada, estimulada a desabafar.

— Mas acho que ele está fazendo isso por mim. Não sei, Jess. Pode ser um erro terrível.

— Quando o bebê nascer, ele vai se apaixonar por ele. Todos eles se apaixonam. — Jessica olhou para o parquinho do outro lado da água. As mães de Sunny View tinham ido embora. Jessica sacudiu a cabeça. — Quero que você fique bem, Cat. E o bebê. É claro que quero. Mas não fale comigo de milagres. A FIV não é um milagre... É um grande negócio. — Agora a voz dela estava amarga e seus olhos transbordando da injustiça de tudo isso. — Quanto estão cobrando hoje em dia? Três mil libras? E você, Cat... É só uma consumidora. De repente você quer um filho como queria um carro ou as férias no passado. E você consegue o que quer, não é, Cat? Então me poupe dessa conversa de milagres, está bem?

Cat se levantou lentamente, querendo sair dali. Ela errara em vir, errara em tentar se importar com a irmã mais nova. Elas eram adultas com uma vida complicada. Não se podia mais confiar só no "um beijinho e vai passar".

— Jessie, o que eu posso dizer? A FIV dá esperanças às pessoas que não têm nenhuma. É boa o bastante para mim. Que foi? Os bebês que são concebidos naturalmente não têm problemas? As mulheres que concebem naturalmente não têm problemas? Olhe a Megan. Ela estava pronta para se superar. E não se trata realmente da FIV, não é, Jess?

Poppy gemeu de raiva. Ela começou a chorar, a cara ficando primeiro rosa, depois vermelha, depois roxa.

— Agora olha o que você fez — disse Jessica, irritada.

Ela não pode ser mais corajosa, pensou Cat. É demais, é difícil demais. Minha irmã foi corajosa por muito tempo. E agora toda aquela coisa sombria está sobrepujando a coragem de Jessica, seu coração gentil.

— Por que acha que procurei você primeiro, Jess? Porque eu sei que deve doer. Mas eu preciso de você. Preciso que você continue sendo a minha irmã. Preciso que você seja uma tia maravilhosa para este bebê. Assim como é com Poppy.

— Esta sou eu — disse Jessica, quase submersa pelo choro da neném. — A tia Jessica.

— Tenho que ir — disse Cat, cansada. Ela pensou: o que eu devo fazer? Me desculpar? Não posso fazer isso.

— Você devia ter cuidado melhor de mim, Cat.

— Do que está falando?

— Eu era só uma criança. Dezesseis anos. Uma jovem de 16 anos. Você tinha 20. Na universidade. Uma mulher adulta. — Ela sacudiu a cabeça. — Devia ter cuidado melhor de mim.

Cat estava genuinamente chocada.

— Ainda está pensando em toda aquela velharia? Você precisa superar isso, Jess. O que mais podíamos fazer? No que você ia se transformar... Numa mãe aos 16 anos? Não tem nada a ver com nada.

— Acha que um aborto é *bom* para você?

— Eu não disse isso, disse?

— Pergunte a sua irmã. Pergunte a Megan. Vocês, mulheres de carreira, realmente me fazem rir. Você acha que é outra forma de contracepção. Eles arrancam o bebê de você. Com um aspirador. Uma porra de aspirador. O que isso faz com você? Eu te conto. Isso estraga a sua vida.

— Não é sua culpa. Nada disso foi sua culpa. Não havia mais nada a fazer.

— *Estraga a sua vida.*

— Não é sua culpa, Jess.

Mas agora Poppy estava apoplética de raiva. Jessica a embalou furiosamente. Cat nunca tinha visto um bebê daquela cor. Ela estava berrando como se nunca fosse parar.

— Ela está bem? — disse Cat.

Jessica voltou toda a sua atenção para o bebê, fazendo ruídos tranqüilizadores, *shhhh-shhh, shhh-shhh*, que pareciam ondas ou o vento. A neném sufocou um soluço ranheta e ficou em silêncio.

— Megan não consegue fazer isso — disse Jessica com um sorriso. — Ela só chora sem parar a noite toda. — Ela afagou a pele nova da neném. — Você está deixando sua mãe maluca, não é, querida?

Pelo menos temos um ao outro.

Era o que Rory estava planejando dizer quando a FIV falhasse, como certamente aconteceria.

Quais eram as chances? Ele não precisava de um médico ou um *bookmaker* para dizer a ele que eram mínimas.

As pessoas pensavam que a fertilização in vitro era algo por que só a mulher passava. E é claro que era verdade que fora Cat que se enchera de hormônios, que tivera o corpo transformado em uma fábrica de óvulos. Mas ele também estava ali — vendo-a enfiar aquelas agulhas na linda barriga achatada, ele estava ali vendo seu humor mudar do otimismo cauteloso para o puro desespero, prendendo a respiração o tempo todo, esperando que alguma coisa desse errado.

Pelo menos temos um ao outro.

Ele achava que eles tinham que tentar. E ele tentou porque a amava. Mas no fundo ele se preparou para o fracasso.

Eles tentaram, disse ele a si mesmo, durante os 15 dias mais longos da vida dele, a contagem regressiva, quando só o que eles podiam fazer era esperar para ver se os dois óvulos fertilizados colocados nela tinham aderido. Pelo menos tentamos, fizemos o máximo e teria sido ótimo, é claro que teria, mas pelo menos temos um ao outro. Não é o fim do mundo e não é o fim para nós.

Mas é assim com as chances pequenas.

Às vezes elas acontecem.

Eles estavam parados no meio do dojo deserto, sentindo o cheiro de suor e esforço de todos aqueles corpos que tinham ido embora.

— Está feliz, não está? — perguntou Cat a ele. — Era o que você queria também, não é?

— Está brincando? — disse ele rindo. — É a melhor coisa do mundo.

E enquanto ela o enchia de beijos, ele se esqueceu de todas as dúvidas. A melhor coisa do mundo! Um menininho — ou talvez uma menina! — que era metade ele e metade ela. Outra vida humana criada do amor entre eles. Era a coisa mais natural do planeta, e no entanto parecia um tanto mágica. O nascimento de uma criança, essa maravilha diária.

A amargura de seu divórcio de Ali não bloqueou sua lembrança de como foi quando Jake nasceu — o orgulho que os dois sentiram, a onda de felicidade esmagadora e o amor que se liberta de você, todo aquele amor que você nem sabia que existia.

Ele beijou Cat no rosto, a cabeça dela nas mãos, seus sentimentos por ela e o filho ainda não nascido um só, inseparáveis.

— Você conseguiu — disse ele. — Você conseguiu mesmo.

— Consegui, não foi? — disse ela rindo. — E você quer isso tanto quanto eu... Tem certeza disso?

— É a melhor coisa do mundo.

Ele foi sincero. Ele se lembrava das incertezas irritantes quando Cat saiu para o Mamma-san e ele ligou para o filho para contar a novidade.

— Que ótimo, pai — disse Jake, dando a impressão de que alguém mudara seu mundo sem perguntar a ele se haveria algum problema. — Mas o que isso quer dizer para mim? Eu sou tipo o meio-irmão maior desse bebê, ou um tio, ou nada disso? Essa é a minha família ou você está começando outra família?

Rory não teve respostas para o filho adolescente.

E havia mais uma coisa. Aquele bebê — aquela criança mágica que não nascera ainda — delimitava as fronteiras da vida de Rory. Quando Jake nasceu, Rory não pensou em quanto tempo viveria. Isso não ocorreu a ele. Ele tomava como certo que viveria pelo tempo que Jake levasse para crescer — e isso se provara correto.

Mas Rory não era mais um jovem. Antes de Cat aparecer no dojo naquela noite, ele tinha sentido isso em sua aula. As dores e os protestos das articulações e músculos que passaram meio século no planeta. Ele ainda podia fazer um *mawashi-geri*, um chute com giro de corpo, de tirar o chapéu, mas depois as dores intensas no joelho disseram a ele que era hora de pegar mais leve.

Quando o bebê nascesse, ele teria mais de 50. Ele se lembrava do pai na mesma idade. Um velho, sua corrida quase terminada, só a mais ou menos dez anos de morrer de um ataque cardíaco fulminante.

Rory podia dizer a si mesmo que agora era diferente, era outra época. Ao contrário do pai, ele nunca fumara. Ao contrário de muitos outros de sua geração, ele nunca usava drogas. Seu trabalho o mantinha em boa forma — numa forma melhor do que qualquer homem de meia-idade tinha o direito de estar.

Mas só um idiota tentaria negar a marcha do tempo. E quando este bebê estivesse na adolescência, Rory seria inquestionavelmente velho. Isso se chegasse lá. Se não morresse na mesma idade do pai. Se conseguisse evitar o câncer, os ataques cardíacos e os derrames. Se ele não fosse atropelado por um ônibus.

E se as coisas que tinham acontecido no passado acontecessem novamente? E se sua história particular se repetisse? E se ele não ficasse com Cat, assim como não tinha ficado com a mãe de Jake? E se eles não conseguissem sustentar o relacionamento por mais tempo do que qualquer relação que ele tivera?

A geração dele se acostumava com seus relacionamentos, seus casamentos, girando em torno dos três Es — esbanjar tempo, estragar a vida do outro e exasperar o outro. Os três Es eram considerados a norma.

E como uma filosofia moral, ou filosofia amoral, os três Es certamente tinham suas vantagens.

Ele nunca teria conhecido Cat se a ex-mulher não tivesse se apaixonado por outro. Fugir dos destroços do primeiro casamento o deixara livre para encontrar o amor de sua vida. Aquele novo bebê nunca teria existido sem sua visita ao tribunal de divórcio.

Mas o que mais doía no término de seu casamento — o que tinha acabado com seu coração e o dilacerava ainda agora — foi ver seu filho mudar, deixando de ser uma criança brilhante e cheia de vida e passar a ser o rapaz assustado e retraído que não confiava em ninguém.

Ali atribuía alegremente a mudança em Jake às transformações infelizes da adolescência. Mas no fundo, e com uma culpa que ele sentiria até o dia de sua morte, Rory sabia que se devia ao divórcio.

Ali gostava de fingir que os três eram mais felizes do que foram quando estavam juntos. Talvez mentir para si mesma sobre seu filho fosse a maneira dela de lidar com o problema. Porque, como qualquer pai ou mãe podia viver sabendo que tinha provocado feridas em seu filho que durariam a vida toda?

Tudo voltou a ele, a raiva e a tristeza insondáveis do divórcio, a sensação de ter seu filho arrancado dele. Ele se lembrava de quando Ali e Jake tinham se mudado para a casa do homem que ia restaurar a felicidade de Ali. Rory não podia telefonar para Jake para dar boa-noite — "Uma invasão de nosso espaço", disse Ali —, então Rory dirigia até a casa deles e estacionava do lado de fora até que via a luz se apagar no quarto do filho.

Boa noite, boa noite.

Estaria ele um dia estacionado na frente da casa de um estranho e veria a luz se apagar no quarto de seu novo filho?

"Esta é a melhor coisa do mundo", dissera ele a Cat, colocando delicadamente uma das mãos cheias de cicatrizes na barriga da mulher, e ele verdadeiramente sentia isso.

Mas ele não tinha palavras para dizer a ela que o bebê também delimitava a distância de sua vida, esse serzinho era um lembrete de sua própria mortalidade e da forma como a natureza dizia a ele que tudo neste mundo tem um fim.

vinte e um

— É hilário — disse Brigitte a Cat. — Você está espremendo um antes de chegar aos 40! Está mesmo fazendo isso! Largando um no último minuto! Acho que é... *hilário.*

Cat sorriu, insegura.

— Bom, não estou muito preparada para a mudança, você sabe disso.

— Não, não, não — disse Brigitte. — Não me leve a mal. Parabéns a você... E a Rory, é claro. Quem teria pensado que ele viria com essa? Eu só acho que é hilário. Espere um minuto.

Brigitte desapareceu na cozinha. Era o início da noite no Mamma-san e o restaurante estava vazio, os únicos sons eram o murmúrio do pessoal da cozinha preparando-se para a noite e a chuva fustigando as janelas. Cat tocou a barriga novamente. Era bom estar debaixo de um teto numa noite como essa. Brigitte voltou trazendo duas taças e uma garrafa de champanhe.

— Vamos beber a você. Minha Cat esperta.

Cat hesitou.

— Eu adoraria, mas acho que não devo. — Ela deu um tapinha na barriga. — Sabe como é.

Brigitte gemeu.

— Ah, sem *essa*. É uma noite especial. Só uma. Não vai te machucar.

Brigitte rasgou o selo com habilidade, soltou o arame e começou a desarrolhar a garrafa. A rolha saiu com um *pop* discreto. Ela serviu duas taças e passou uma a Cat.

— Eu realmente não quero. Mas obrigada.

Cat afagou o braço de Brigitte. Ela devia tanto àquela mulher que não queria magoá-la. Mas, ao mesmo tempo, tinha que dar todas as chances ao bebê.

— Vai ficar toda pudica comigo, não é, Cat?

Brigitte segurava uma taça em cada mão. Ela tomou um gole de uma delas.

— Não é nada disso. É só que... Bom, não parece certo. Mas obrigada pela idéia. Mesmo. Mais tarde, está bem? Depois do parto.

Brigitte secou a taça rapidamente e ergueu a outra em um brinde que era quase de zombaria.

— Depois do parto — disse ela. — Claro. Só me prometa que não vai se transformar numa daquelas mães afetadas e renascidas que renunciam ao passado louco.

— Nem tenho certeza se tive um passado louco — disse Cat. — Mas acho que sei o que quer dizer. Certamente eu vivi a vida de solteira por tempo suficiente. A vida livre. Mas ela está envelhecendo, não é?

A cara de Brigitte ficou impassível. Ela tomou a bebida e não disse nada. Cat pegou a taça vazia da mão dela e a encheu de água. Não havia muita gente neste mundo com quem dividir uma taça... Só as irmãs e Brigitte.

— Não posso dizer que vou sentir falta disso — disse Cat. — Todos aqueles homens que ou acabaram de romper com a melhor mulher do mundo, ou com a maior puta do universo.

— Hmmmm — disse Brigitte, reservada.

— Engraçado. Quando eu era adolescente, via minhas duas irmãs e só o que eu queria era ser livre. Ninguém me prendendo. Mas ser livre não deu muito certo para mim. Eu sempre senti que devia ter sido mais feliz do que fui. Para falar a verdade, eu estava começando a me sentir desesperada. E eu odeio me sentir desesperada.

Brigitte estava sorrindo para ela.

— Ah, sem essa, Cat. Você não acha que o que está fazendo é meio desesperado?

— O que estou fazendo?

— Tendo um filho na última hora com o homem que por acaso está à mão.

— Na última hora!

— Bom... Quase isso. Qual é. É muito mais desesperado do que qualquer coisa que você fez como solteira. E é hilário.

Cat podia sentir o gelo por dentro. Ela não queria que fosse assim. Queria que Brigitte ficasse feliz por ela.

— Quer por favor parar de falar desse jeito? — Ouvindo sua voz tremer de emoção e odiando isso. — O que quer que seja meu bebê, garanto a você que ele não é hilário. Não há nada de engraçado nele.

— Ah, mas é engraçado. Mulheres como você me fazem rir, Cat. Mesmo. Todo o seu papo de independência e liberdade, e depois agarra a primeira oportunidade que tem para bancar a *hausfrau*.*

*Dona-de-casa, em alemão. (*N. do E.*)

— Eu pretendo continuar trabalhando. Não pode ser de outro jeito. Rory adora o trabalho dele, mas não paga muito.

— Então, como vai trabalhar? Já pensou nisso tudo?

É claro que ela pensara no assunto. Não tanto quanto tinha pensado na dúvida que vira nos olhos de Rory, e não tanto quanto tinha pensado se o bebê ficaria bem ou não. Mas ela pensara em sua vida como mãe trabalhadora, embora tudo parecesse impossivelmente distante.

— Vou voltar a trabalhar depois de 12 semanas. Se estiver tudo bem para você. Minhas irmãs vão ajudar. Rory não dá aulas depois das oito. Vai ficar tudo bem.

Brigitte terminou o champanhe. Ela agora não estava sorrindo.

— Mas você terá que sair mais cedo, não é? Porque seu bebê vai começar a ter dentes, ou a vomitar, ou vai sentir falta da mamãe. Ou, quando ficar um pouco maior, vai se vestir de burrico na peça de Natal da escola. E a mamãe terá que estar presente, não é?

Cat sacudiu a cabeça, os olhos cheios de mágoa. Ela nunca teria acreditado que aquela conversa seria possível. Além das irmãs, de Rory e do pai, não havia ninguém com quem se importasse mais do que Brigitte. Ela ensinara a Cat a ser uma mulher adulta, independente e forte. E agora estava retirando seu amor, como todo mundo retirava seu amor no final.

— Você age como se minha gravidez fosse uma espécie de traição.

Brigitte riu.

— Você não me traiu, Cat. Está traindo a si mesma. Em dois anos, vai estar empurrando um carrinho por uma rua de subúrbio e vai se perguntar o que aconteceu com a sua vida.

Cat terminou de beber da taça e se sentou cuidadosamente.

— Sabe qual é o verdadeiro problema, Brigitte? Não são as mães afetadas. São as velhas azedas como você.

— Velhas azedas como eu?

— É, são as velhas incendiárias como você que tiveram medo de que um filho tolhesse seu estilo. Você devia ter tido um filho, Brigitte. Teria feito de você uma pessoa muito mais legal.

— Sem essa, Cat. Não vamos brigar. Não estou demitindo você nem nada. Você sabe o quanto preciso de você.

Cat baixou a taça de champanhe vazia e pegou o casaco.

— Sei que não está me demitindo, Brigitte. Mas eu me demito.

Cat não se virou quando Brigitte chamou seu nome, e ela saiu do Mamma-san pensando, *ah, mas que inteligência.*

Ela ouvira falar de mulheres que perderam o emprego durante a licença-maternidade, muitas delas. Mas não conseguia se lembrar de ninguém que tivesse ficado desempregada simplesmente por ter um pãozinho no forno. Ela afagou a barriga, duas vezes, e se perguntou o que eles iam fazer. Os três. Sua pequena família.

Do lado de fora do restaurante, Jessica estava parada na chuva, esperando por ela.

— Não quero que seja desse jeito, Cat — disse ela à irmã.

Cat não tinha certeza do que Jessica estava falando. Ela não queria ficar ensopada até os ossos? Não queria estar tão cheia de mágoa e raiva? Não queria ficar sem um filho numa família que de repente estava cheia de mães?

Cat não sabia exatamente o que Jessica queria dizer, mas sabia exatamente como se sentia.

Então Cat pegou a irmã nos braços, sentindo o cheiro de Calvin Klein e café, e a abraçou com força, amando-a muito, sua carne e seu sangue, parte de sua pequena família também, e, naquele momento, na chuva do lado de fora do restaurante deserto, por algum tempo elas ficaram inconscientes do bebê que já estava crescendo entre elas.

Quando Poppy não estava chorando, ficava deitada entre os pais e eles a olhavam como se ela fosse uma bomba que não explodira, capaz de estourar na cara deles a qualquer momento.

A neném dormia, mas os adultos não conseguiam dormir. Eles mal conseguiam se arriscar a respirar, para não acordar a filha.

Havia algo de verdadeiramente atordoante no choro dela. Quem teria acreditado que um corpinho tão pequeno podia produzir um barulho de estourar os tímpanos, tão cheio de tristeza, ultraje e fúria? Os pais do bebê — exaustos e assustados, incapazes de trocar uma palavra que não estivesse relacionada com a filha e com o padrão de sono desconcertante — estavam muito impressionados.

Era sem dúvida o bebê mais barulhento da história do mundo.

Os primeiros dentes de leite de Poppy estavam apontando para fora das gengivas rosadas, fazendo com que de seu nariz mínimo, minúsculo, quase inexistente, escorresse uma coriza transparente de bebê, e isso era o suficiente para transformar a casinha deles num completo caos.

Megan por fim caiu em um sono inquieto pouco depois do amanhecer e logo em seguida foi acordada pelo despertador.

Agora ela subia cansada a escada de Sunny View, pensando no bebê, esse intruso misterioso que de certa forma tinha se plantado no centro do mundo deles, da vida deles, tão inimaginavelmente alterado.

Quando Jessica chegou para cuidar de Poppy, a carinha perfeita e luminosa da neném — a cara que fazia Megan doer de amor de uma forma que nenhum rosto de homem já conseguira — acendeu de prazer.

Poppy ficara feliz em ver Jessica. O bebê reconhecera a tia. E enquanto andava pelos corredores de concreto cheios de lixo em Sunny View, Megan se perguntava se a filha gostava mais de Jessica do que da própria mãe. Será que Poppy até *amava* Jessica? Mas quem poderia culpá-la?

Jessica era tranqüila e amorosa com a neném. Megan ficava permanentemente tensa e irritadiça, não a mãe que pretendia ser, e ela não podia atribuir tudo a uma falta de sono.

Megan ficava esperando eternamente que alguma coisa terrível acontecesse. Às vezes, quando a filha se exauria de tanto chorar e finalmente adormecia, Megan se deitava ao lado do berço dela, apurando o ouvido para a respiração da filha, desesperada para se certificar de que ela ainda estava viva. Durante horas, Megan queria que a neném dormisse mais do que qualquer coisa no mundo, mas quando dormia era como se estivesse morta, e isso apavorava Megan.

Ela fora escravizada pelo amor que sentia pela filha e sabia que nunca seria livre. Era o primeiro amor de sua vida que não podia acabar, o amor que nunca acabaria nela, o amor que era infinito. A idéia ao mesmo tempo a enchia de alegria e a deprimia.

Ela bateu na porta arranhada.

Não houve resposta, embora ela pudesse ouvir música dentro do apartamento — Justin Timberlake prometendo divertir você a noite toda. Ela bateu novamente, mais alto e por mais tempo. Por fim, a porta foi aberta, e Megan entrou em um ambiente de penúria constante.

Pilhas de roupas sujas adornavam a mobília. O ar estava espesso de fumaça de cigarro e haxixe. Um cachorro esquelético saqueava os restos de uma dezena de caixas de comida.

— Eu quero um médico de verdade! Totalmente qualificado! Eu conheço meus direitos!

— Agora sou totalmente qualificada, Sra. Marley.

O rosto da Sra. Marley se retorceu de suspeita.

— Quando foi que isso aconteceu?

— Na semana passada.

De alguma forma ela passara na avaliação final. Houve madrugadas gastas escrevendo sua tese enquanto Kirk aninhava a filha que berrava, e manhãs de exaustão no consultório gravando em vídeo suas habilidades de médica — não é fácil conseguir que a câmera focalize quando você está examinando a glândula prostática astuciosa de um prisioneiro — enquanto Lawford ficava sentado por perto, tomando notas para seu relatório.

Houve também o exame, a prova de múltipla escolha, e Lawford estava certo — Megan, a princesa dos exames, podia ter passado dormindo. O que ela quase fez, com os olhos se fechando e a cabeça tombando sobre o papel, umas manchas de leite amareladas no blusão.

— Meus parabéns, doutora — disse a Sra. Marley com um esgar.

— Obrigada.

— Vamos esperar que a senhora não cometa mais nenhum erro, agora que é uma médica adequada.

Megan não disse à Sra. Marley que ultimamente tudo que ela realmente fizera tinha sido lutar durante o ano de formatura, demonstrando o que chamavam de "competência mínima". Todos aqueles anos de faculdade de medicina e os horrores do pronto-socorro, depois dos 12 meses como recém-formada sem registro, recebendo os doentes e mortos que entravam e saíam, o Ronald McDonald da profissão médica, e no final eles lhe diziam que eram os professores orgulhosos de *competência mínima*.

Esta sou eu, é verdade, pensou Megan. A senhorita Competência Mínima.

— Qual é o problema, Sra. Marley?

— São meus nervos. — Ela recuou na defensiva, os braços cruzados no peito grande. — Não é mental. Não sou maluca. Só não consigo me levantar de manhã. Não consigo sair de casa.

— Sente agorafobia?

A Sra. Marley fez um olhar vago.

— Medo de aranhas?

— A senhora não gosta de sair de casa?

Ela assentiu.

— Eu andei tomando os comprimidos. Mas eles acabaram.

Megan consultou suas anotações.

— Essa receita devia durar mais duas semanas.

— É, bom, não durou, não é?

— A senhora os tomou como foi recomendado?

— Essa porra não estava funcionando, estava? Então eu dobrei a dose.

— Sra. Marley. — Megan suspirou. — O Dr. Lawford receitou um antidepressivo tricíclico poderoso para a senhora. Ele controla a serotonina em seu sistema nervoso central. A senhora não pode...

— Eu conheço meus direitos — insistiu a Sra. Marley.

Daisy vagou pela sala e começou a afagar apaticamente o cão. Megan foi até ela e se ajoelhou. A criança só vestia uma camiseta suja. Parecia não tomar banho havia dias.

— Daisy, meu bem, não devia estar na escola?

— A mamãe disse que eu não preciso ir, senhorita.

A Sra. Marley explodiu.

— Como a Daisy pode ir para a escola se eu não consigo sair de casa? Sua cretina surda.

Megan se endireitou.

— Eu lamento muito. Não quero fazer isso. Mas preciso pedir à assistência social que venha aqui.

O rosto da Sra. Marley se ensombreceu.

— Assistência social? Não quero nenhuma droga de intrometido por aqui.

— Esta criança está sendo negligenciada. Agora sei que a senhora não está bem...

Daisy começou a chorar baixinho.

Megan colocou a mão no ombro da criança e virou-se para a mãe.

— Ninguém quer que Daisy seja afastada da senhora. Não se pudermos evitar isso.

— Se pudermos evitar? Meu irmão te mostrou antes e vai mostrar de novo!

A Sra. Marley deu um passo na direção de Megan e ela se afastou da mulher e da filha. Havia uma sensação doentia e de embrulho na boca do seu estômago, e era um tipo de medo diferente de qualquer coisa que ela conhecia.

Porque, se alguma coisa acontecesse a ela, o que seria de sua filha?

Jessica e Naoko empurravam os carrinhos pelas multidões de final de tarde.

Poppy estava dormindo no carrinho de três rodas, enquanto Chloe estava sentada ereta, os olhos brilhantes como botões, um pingüim sorridente nos braços. Chloe nunca ia a lugar nenhum sem o pingüim.

Quando as mulheres pararam para tomar um café, Chloe colocou o pingüim no chão e apertou um botão em uma das asas grossas. Ele imediatamente ganhou vida e começou a cantar com sua voz mecânica.

Pula, pula — todo mundo pula assim!
Pula no mar e mergulha nele.
Pula, pula — todo mundo pula assim!
Não quer pular como um pingüim?

Enquanto o pingüim pulava, Chloe sacudia a cabeça, rindo sozinha.

— Essa é nova — disse Jessica. — O negócio com a cabeça.

— Ela acaba de perceber que a cabeça se move para os lados — disse Naoko.

Quando elas saíram da cafeteria, começaram a se despedir. Naoko afagou o rosto adormecido de Poppy, Jessica se curvou para dar um beijo em Chloe e — por insistência da menina — no pingüim.

Foi aí que elas os viram.

Michael e a mulher estavam se despedindo na calçada do Hilton, seu beijo deslocado naquele lugar cheio de executivos e mulheres vestindo o invariável cinza empresarial. Michael e Ginger, a recepcionista que não estava fazendo por menos.

Jessica olhou para Naoko. Ginger era dez anos mais velha do que a amiga e de jeito nenhum era tão bonita. Então... Por quê? Por que um homem se arriscaria a perder a esposa e a filha em troca de um sapato velho como aquele?

Chloe tirou vantagem da pausa para ligar o pingüim.

Pula, pula — todo mundo pula assim!

Naoko se curvou e desligou o pingüim, dizendo apenas uma palavra à filha.

— Chega.

Quando a neném finalmente dormiu, eles fizeram amor — nada parecido com o sexo feroz da primeira noite, sobre os casacos da festa, mas o sexo que pareceu a Megan que cabia em uma biblioteca — abafado e apressado, observado pelas placas de Silêncio, Por Favor.

Mas ela gostava desse homem que lhe dera uma filha e atravessara o mundo para encontrá-las, ela gostava dele cada vez mais.

Ela sabia do segundo emprego de entrega de sanduíches, embora nunca deixasse transparecer, e seu emprego servil não o tornava patético para ela. Isso a comovia. Não fazia com que ele parecesse um fracasso aos olhos dela, fazia com que ele parecesse um homem de verdade. Ele faria qualquer coisa por elas. Então ela agora confiava nele.

— Pensei que eu podia fazer uma diferença no mundo — sussurrou ela. — Eu acreditava mesmo nisso. E olhe para mim. Só igual a todo mundo. Receitando antidepressivos e ligando para a assistência social.

— Não pode ajudar essas pessoas — respondeu ele aos sussurros. — Elas são pobres demais, doentes demais, consomem drogas e comida vagabunda demais, cigarro e birita. Estúpidas demais.

— Não, existem pessoas boas aqui. — Ela pensou na Sra. Summer, no boxeador, em Daisy. Pensou em todas as pessoas boas e decentes que conseguiam viver naqueles conjuntos habitacionais horríveis. — Não são todas iguais.

— Agora você deve pensar em Poppy. Em nós. É sério, Megan. Temos que ir embora.

Ela sorriu. Parecia que ele tinha passado a vida toda sonhando em ir para um lugar novo. Um lugar onde o mar era mais azul, as praias mais brancas, a água mais limpa. Como diabos ele fora parar em Hackney?

— Que lugar você tem em mente?

— É sério, Megan.

— Não estou rindo de você. Sinceramente. Eu adoro. Adoro a idéia de sair de tudo isso.

Ele a abraçou, animado.

— Um lugar com um mergulho decente. Um lugar onde eu possa dar aulas. São os melhores lugares do planeta. Qualquer centro de mergulho importante me receberá. O oceano Índico, o Caribe. Até no meu país... a Austrália.

De repente ela não estava sorrindo.

— Acha que quero ficar deitada em uma praia a minha vida toda? Acha que vou desistir do meu trabalho?

— Precisam de médicos em todo lugar. Por que tem de clinicar em um lugar onde não respeitam você... Nem a nada? Um lugar sujo, cheio de bêbados e idiotas ignorantes?

— Você odeia isto aqui.

— É verdade. Mas não estou aqui por causa do lugar. Estou aqui por sua causa. E da neném.

— É aqui que eu posso fazer o maior bem. Não é verdade o que você diz... E, mesmo que fosse, o que você acha que um médico faz? Acha que eu só devo tratar dos ricos? De pessoas legais? Não é assim que funciona. Não foi para isso que fui treinada.

— Foi treinada para quê? Não para esta vida. Certamente não foi para esta vida.

Megan vasculhou a memória. Durante todos aqueles anos de estudos, ela sem dúvida vira a si mesma como médica.

Em seus pensamentos ela era calma, gentil e infinitamente capaz. Levando esperança para os desesperados. Esse tipo de coisa. Ela nunca imaginara que seria fisicamente ameaçada pelos pacientes. Ela pensara que eles ficariam gratos, que a amariam, ou que pelo menos a respeitariam. Ela nunca imaginara que um deles a veria como uma piranha de classe média que os privava dos comprimidos por que eles ansiavam e destruía a vida deles chamando a apavorante assistência social. E Megan nunca imaginara que ficaria tão cansada.

— Acho que eu queria fazer a diferença. Sim, é isso. Eu queria tornar as coisas um pouco melhores. O que há de errado nisso?

— Nada. Mas você não pode salvar o mundo, Megan. Olhe para nós. Quer dizer, só olhe nós dois lutando com a neném toda noite. Essa coisinha não pára de chorar e nós achamos que o céu está desabando.

A bebê se agitou no berço ao lado da cama deles.

— Fale baixo — sussurrou Megan.

— Como você vai salvar o mundo? — sussurrou Kirk em resposta. — Nós nem conseguimos cuidar da gente.

vinte e dois

Da janela do Ritz-Carlton, Jessica podia ver o eterno alvoroço do porto de Hong Kong.

Havia algo de mágico naquele lugar, mas parecia além do alcance dela. Era uma cidade que era constantemente reinventada, onde novos sonhos deslocavam os antigos e em toda parte havia terras sendo tomadas do porto e arranha-céus reluzentes sendo erguidos sobre ele enquanto a terra ainda estava úmida.

No porto havia navios de todo tipo e de toda idade. Aerobarcos levando apostadores para Macau, rebocadores a vapor acompanhando enormes navios de cruzeiro, antigos juncos de madeira com suas velas laranja e, sempre, as balsas Star verdes e brancas, disparando entre Central, Wanchai e Tsim Sha Tsui. Havia um filme antigo que Jessica vira tarde da noite, em que um homem tinha se apaixonado por uma mulher que vira pela primeira vez na balsa Star. Jessica pensou que parecia um bom lugar para se apaixonar.

Emoldurando o desfile caótico do porto, havia dois prédios reluzentes, as torres corporativas da ilha de Hong Kong que davam para a floresta de prédios de apartamentos no lado de Kowloon, e para além delas as colinas verdes dos Novos Territórios.

Jessica sabia o que havia do outro lado daquelas colinas e de repente percebeu que queria ir lá, queria ver enquanto tivesse oportunidade. Quem sabe se ela voltaria a este lado do mundo?

— Eu queria ir à China — disse ela.

Paulo não respondeu.

Ele estava deitado na cama, ainda com *jet lag* depois de cinco dias, folheando apaticamente um maço de folhetos do Hong Kong Motor Show. Na capa daquele que ele segurava, duas chinesas sorridentes de cheong-sams estavam sentadas no teto de um carro caro.

— Paulo? Eu quero conhecer a China.

— A China? Querida, você está olhando para ela.

— Não foi isso que eu quis dizer.

— A quem você acha que Hong Kong pertence agora? Não a nós, Jess. Os britânicos voltaram para casa. Fim do império e essas coisas.

— Eu quero dizer o continente. Do outro lado da fronteira. Você entendeu. A República Popular da China.

Ele sorriu.

— Podemos fazer isso, se quiser. Mas não acho que seja tão legal como aqui. Aposto que aqueles comunistas não podem fazer um cappuccino decente. Por que não podemos ficar em Hong Kong?

— Eu gostaria de conhecer, de qualquer forma. Enquanto estivermos aqui. Quem sabe se vamos voltar?

Ele se espreguiçou e sorriu, com aquela estranha sensação sonífera de estar num quarto de hotel cinco estrelas do outro lado do mundo. Ele adorava o modo como Jessica ficava parada junto à janela, meio virada para ele, a luz do final da tarde em seu lindo rosto. Ele não podia recusar nada a ela.

— Vem cá, mocinha atrevida, e vamos conversar sobre isso.

— Para quê? — disse ela rindo. — Você está cansado demais.

— Tá legal, tudo bem, vamos dar uma olhada na China. — Ele bocejou e atirou o folheto para o lado. — Um dia deve bastar, não é? Quer dizer, quanto tempo é preciso para ver a China?

Paulo fechou os olhos e Jessica voltou-se para a vista a tempo de ver a balsa Star ancorando abaixo dela. Multidões de executivos elegantes de cabelos pretos, homens e mulheres, desembarcaram, derramando-se na Statue Square e em sua vida de trabalho na Central.

A maioria deles provavelmente morava naqueles arranha-céus intermináveis que ela podia ver do lado de Kowloon, brotando como uma floresta no alto da península chinesa. Ali as famílias deles estariam esperando quando eles pegassem a balsa Star de volta para casa. Os maridos e as esposas. Duas daquelas lindas crianças de cabelos de cuia que víamos no metrô de Hong Kong, desenvoltas com seus uniformes escolares antiquados, olhando para o futuro e o futuro daquele lugar maravilhoso.

E de repente, a um só tempo, Jessica entendeu a origem da magia de Hong Kong.

— Sabe o que é? — disse ela em voz alta, embora soubesse que o marido estava dormindo. — Eu nunca vi um lugar tão cheio de vida.

— Alguém aqui já trocou as fraldas de um bebê antes? Mamães? Papais? Vamos, não sejam tímidos.

Cat olhou para Rory.

— Vai — sibilou ela. — Você me disse que trocava as fraldas de Jake o tempo todo.

— Mas isso foi há anos.

— Você me disse que sua ex-mulher era uma piranha preguiçosa que não acordava à noite.

— Me deixa em paz.

— Levanta a mão!

— Não!

A instrutora do curso pré-natal sorriu para os alunos. Eles a olharam, ou olharam o boneco rosado deitado de costas no tapete entre eles. O boneco estava usando uma fralda encharcada. Era um daqueles bonecos que podiam chorar e urinar nas calças. Como um bebê de verdade. Era só colocar água.

A instrutora era de um daqueles tipos de mãe que sempre deixavam Rory pouco à vontade. Um corpo grande num vestido solto. Cabelos compridos e esvoaçantes que provavelmente deviam significar sua crença na liberdade pessoal, mas que só pareciam desleixados e sujos. Brincos étnicos e um sorriso beatífico, como se ela conhecesse os segredos do universo.

— Trocar as fraldas do bebê quando ele fez xixi ou cocô é uma das habilidades mais fundamentais da criação de filhos.

— Eu vi minha irmã trocar a neném dela — disse uma das mães grávidas. Ela era típica da turma. Mal saída da adolescência, ornada de tatuagens e pedaços de metal que de repente saíam do tornozelo, dos peitos e da bunda. Estava acompanhada de um jovem carrancudo de pele ruim.

Bebês fazendo bebês, pensou Rory, lembrando-se de uma antiga música de Sly and the Family Stone que devia ter — meu Deus! — quase 40 anos! Sua avó deve conhecer, pensou ele. Essas crianças. Elas não sabem no que estão se metendo.

— Alguém?

Cat deu uma cotovelada nas costelas dele.

— Ai! — disse ele.

A instrutora virou o sorriso para ele. As mães grávidas e seus homens de expressão vazia deram pela presença de Rory pela primeira vez.

— Ah, ah, ah, fiz isso uma vez, anos atrás. Meu filho.

— Experiência verdadeira de primeira mão — disse a instrutora, fingindo estar impressionada. — Vamos ver do que você se lembra.

Rory se juntou à instrutora no tapete. Ainda sorrindo, ela deu a ele uma fralda nova, uma caixa de lenços umedecidos e um vidro de creme.

— A maioria dos recém-nascidos tem eritema tóxico — disse ela.

Rory deve ter aparentado alarme.

— Assadura de fraldas. É essencial manter o bebê limpo. — Ela assentiu animada. — Pode começar.

Rory pensou. Não era tão difícil. Era verdade que era ele que acordava no meio da noite enquanto Ali dormia depois de alguns copos, ou talvez uma garrafa, de algo branco e frutado. Sentindo um surto de confiança, ele tentou endireitar o bebê falso, pronto para fazer a troca.

De repente a cabeça do boneco saiu em suas mãos.

— Desajeitado.

A turma caiu na gargalhada.

— Nunca erga um bebê pela cabeça — disse a instrutora com severidade, o sorriso por fim desaparecido.

— Eu só o estava endireitando — disse Rory, tentando desesperadamente colocar a cabeça de volta. — É claro que na vida real eu não faria...

Ele tinha conseguido devolver a cabeça ao boneco, mas enquanto o apalpava com o lenço umedecido percebeu que era o lado errado. A turma riu novamente. A instrutora pareceu decepcionada.

— Que coisa — disse um gaiato. — É O *Exorcista*. Essa cabeça vai começar a rodar daqui a pouco. "Sua mãe chupa um pau no inferno! Sua mãe chupa um pau no inferno!"

Ah, que conversa adorável em um curso para pais, pensou Rory.

Ele puxou a cabeça e a enfiou do lado certo. Colocou o boneco no tapete e tirou a fralda molhada. As partes íntimas de plástico rosa estavam inundadas. Rory limpou-as delicadamente com o lenço umedecido, controlando a respiração para que se acalmasse um pouco, depois aplicou rapidamente uma camada de creme e começou a procurar por outra fralda. Ele se curvou para o bebê falso, sorrindo de orgulho, a fralda pronta para ser colocada. Depois o boneco esguichou um jato de água na cara dele.

A turma aplaudiu e gritou.

— A propósito — disse a instrutora, sorrindo calmamente em meio aos risos —, a urina fresca é estéril e não causa mal nenhum.

Ah, sim. Agora eu me lembro, pensou Rory, está tudo voltando.

É um completo pesadelo.

A aula terminou com a instrutora dizendo a eles que na semana seguinte lidariam com a cor das fezes — do amarelo vívido ao verde-claro, aparentemente — e, como presente especial, eles iam se reunir com um bebê, o filho de seis meses de uma formada no curso.

A caminho de volta para o carro, Rory fez da reunião com um bebê o foco de sua insatisfação.

— Como é possível *se reunir* com um bebê? Ninguém *se reúne* com bebês. O que ele vai fazer? Ficar parado com um coquetel na mão, batendo papo e tagarelando sobre o tempo?

— Talvez ele lhe dê umas dicas sobre troca de fraldas.

— É tudo uma besteirada.

Cat o encarou.

— Você não quer mesmo fazer isso, quer?

— É claro que eu quero. São só essas aulas idiotas. E toda essa conversa de mamãe e papai e bebê. Nós não somos assim.

Ela sacudiu a cabeça, pensando no assunto. Pensando realmente no assunto pela primeira vez.

— Não, você não quer mesmo fazer isso. — Ela o encarou e foi como se tivesse percebido que Rory era alguém que ela não conhecia de verdade. — Não é sua culpa. Eu devia ter previsto. Eu o obriguei a fazer isso. E agora está tudo se revelando.

— Sem essa, Cat, vamos para casa. Seus hormônios estão malucos.

Ela sorriu com tristeza.

— O problema não são meus hormônios. É você. São todas as suas dúvidas.

Ele tentou pegar a mão dela.

— O que é isso? Estamos nessa juntos.

— É o que me pergunto. Porque parece que estou sozinha.

— Cat, pare com isso. Você sabe que eu não gosto dessas mulheres de brincos grandes.

— Parece que você está aqui porque... Sei lá. Por causa de sua consciência, ou porque você se sentiria culpado em ir embora, ou porque eu prendi você. É o que parece. Sabe o que eu acho?

— Vamos parar com isso. Não pode ser bom.

— Eu acho que você não tem coragem para seguir até o fim.

— Isso não é verdade.

— Eu acho que você não está realmente aqui para este bebê e para mim. Se estivesse, uma velha hippie num curso pré-natal não teria importância nenhuma. Acho que suas malas já foram feitas. Eu acho que... cedo ou tarde... você vai embora.

— Eu quero esse filho tanto quanto você.

Ela sorriu com tristeza, sacudindo a cabeça, e isso partiu o coração dele.

— Eu acho que você é como a minha mãe — disse ela, e ele sabia que essa era a pior coisa que ela podia dizer.

O trânsito era uma loucura.

Bicicletas deslizando como cardumes pelas ruas abarrotadas — ela esperava isso na China continental, mas não todos aqueles carros, nenhum deles em sua própria pista, todos constantemente buzinando, mesmo quando estavam presos em um dos engarrafamentos aparentemente eternos e indo a lugar nenhum. O que aconteceria quando as bicicletas acabassem e todos só tivessem carros?

Enquanto o trânsito parava novamente, uma picape encostou ao lado do táxi dela. A traseira era alta, uma gaiola de arame, o tipo de coisa que os jardineiros de Jessica usavam em casa. Mas aquela gaiola estava cheia de porcos.

Lotada de porcos, grotescamente superlotada, porque havia duas vezes mais dos animais curiosamente pequenos do que podia ser colocado confortavelmente na caçamba da picape. Eles eram atirados uns por cima dos outros, como se não tivessem mais direitos nem sentimentos do que os sacos de composto orgânico dos jardineiros, e agora lutavam para conseguir espaço, subindo uns nos outros, os olhos brilhando de um pânico louco à medida que erguiam desesperadamente as cabeças no ar e guinchavam com um pavor que revirou o estômago de Jessica.

Ela queria ir para casa.

Não era isso que ela esperava, não era igual a Hong Kong. A China era suja, desesperada e cruel. Pequim era um lugar difícil, sufocado de poeira do deserto de Gobi que não parava de invadir. Se Hong Kong parecia cheia de vida, então aqui todos pareciam estar lutando para viver. Lutando pela vida, pelejando por ela, subindo uns nos outros sem consideração nem piedade.

O velho motorista do táxi contemplava Jessica e Paulo pelo retrovisor.

— *Meiguo?*

O jovem intérprete no banco do carona sacudiu a cabeça.

— *Yingguo*. — Ele se virou para eles. — São ingleses. Não americanos.

Ele tinha grudado neles na vasta extensão de concreto da Praça da Paz Celestial enquanto eles olhavam a brancura épica do retrato gigantesco de Mao Tsé-tung, e pelas últimas horas ele agira como seu guia, intérprete e acompanhante enquanto eles vagavam pela Cidade Proibida, as antigas ruelas *hutong* e os shoppings cafonas para turistas. Ele era um camponês, um jovem bonito, um estudante de arquitetura que se chamava Simon. Quando perguntaram pelo nome chinês dele, ele disse que era muito difícil para eles pronunciarem.

— O que você faz? — perguntou ele a Paulo. — Qual é seu trabalho na Inglaterra?

Paulo suspirou, olhando carrancudo pela janela. Em princípio ele ficou feliz em responder às perguntas constantes de Simon. Mas fora um longo dia. E as perguntas não paravam nunca.

— Ele vende carros, Simon — disse Jessica. Ela deu um beliscão em Paulo. — Não há necessidade de ser rude.

— Bom. Parece a Inquisição Espanhola, com esse cara.

— Quanto ganha? — disse Simon, com a inocência de quem pergunta como eles gostam do clima.

— Não é da sua conta — disse Paulo.

Simon virou-se para Jessica.

— Vocês são casados? Ou são namorado e namorada?

— Somos casados — disse Jessica.

Ela sorriu e ergueu a mão esquerda, exibindo a aliança.

— Está vendo?

Simon pegou a mão dela e examinou a aliança.

— Tiffany. Qualidade muito boa. Mas a Cartier é melhor. Casados há quanto tempo?

— Cinco... Não, seis anos.

Simon assentiu pensativamente.

— Onde está o bebê? — disse ele por fim.

— Meu Deus — disse Paulo. — Aqui também, não. Estamos de férias, colega.

— Sem bebês — disse Jessica.

— Seis anos e nenhum bebê? — disse Simon.

— É isso mesmo — disse Jessica. — Um casal esquisito, não é?

Ela pegou a mão do marido e ele a apertou, ainda olhando a China pela janela.

Simon virou-se em seu banco e disse alguma coisa ao motorista. O velho assentiu.

O trânsito parado começou a se mover.

Quando acabou o trabalho da manhã no consultório, Megan chamou sua paciente extra.

— Tem um homem na recepção com um *cachorro* — disse Olivia Jewell, entrando na sala — e eles estão *dividindo* um pacote de *batata frita*.

— Não se preocupe, mãe. Ele não vai mordê-la.

Olivia olhou para ela de um jeito que fez Megan sorrir — o mesmo olhar demorado e sobressaltado que tinha divertido milhões de espectadores trinta anos antes.

— Nós estamos falando do cachorro, não é, querida? — Olivia olhou a salinha de Megan. — É aqui que obrigam você a trabalhar todo dia?

— Eu sei que não é bem aquilo a que você está acostumada. Então por que não vai ver o Dr. Finn?

Finn era o médico particular da mãe desde que elas eram crianças. Megan se lembrava da recepção do consultório dele na Harley Street. Tapetes grossos, revistas elegantes, sofás confortáveis e um candelabro que impressionara profundamente Megan. Mais parecia um saguão de hotel do que uma sala de espera do NHS. Só anos depois ela percebeu que o maior luxo de todos era que o Dr. Finn podia passar trinta minutos com cada paciente.

— O Dr. Finn se aposentou no ano passado. Não gosto do substituto dele. Fica arengando sobre o meu cigarro. E além disso, eu queria ver você.

Megan esfregou os olhos.

— Qual é o problema?

— Meu Deus, você está horrível.

— Poppy fica acordada a maior parte da noite. Ela fica inquieta quando Jessica vai embora. Kirk está tirando uma folga para cuidar dela, mas ela sente falta da Jessie.

— Eles dão tanto trabalho, não dão?

— Como poderia saber?

— Que maneiras encantadoras com uma paciente.

— Devia ir lá e vê-la um dia desses.

— Tenho essa intenção. É seu apartamento. Ele me deprime, Megan.

— É, me deprime também. Olha, podemos terminar logo com isso? Tenho que ir para casa e render o Kirk. Qual é o problema?

O problema era que as alfinetadas nos braços da mãe estavam piorando. Ela estava com a visão turva em um dos olhos. Às vezes ficava tão cansada que mal conseguia acender um cigarro.

O rosto de Megan era uma máscara ilegível, mas ela estava chocada. Ela achava que a velha era solitária. Mas era pior do que isso.

— Precisa procurar um especialista. — Megan começou a escrever um nome e endereço. — Um neurologista. Alguém que conheço em Wimpole Street. Muito perto do antigo consultório do Dr. Finn, na verdade.

— O que é? O que há de errado comigo?

— Você precisa procurar um especialista. Pode conversar com ele sobre a seus sintomas. Ele quase certamente vai lhe pedir para fazer uma ressonância magnética. Você também deve se preparar para uma punção lombar.

— *Que merda é uma punção lombar?*

— Não fique alarmada. Por favor. Uma amostra do fluido é retirada de sua espinha e passa por uma série de testes.

— Megan, o que há de errado comigo?

— É o que eles vão descobrir.

— Mas o que *é*?

— Não cabe a mim fazer conjecturas.

— Você sabe o que é, Megan. Você *sabe*.

— Não, não sei mesmo.

— Não vou embora até que me diga.

Megan respirou fundo.

— Tudo bem. Pelo que você disse, parece com as primeiras fases da esclerose múltipla.

A mãe vacilou.

— Vou terminar numa maldita cadeira de rodas?

— É improvável. A maioria das pessoas com o diagnóstico de esclerose múltipla nunca precisa usar uma cadeira de rodas. Mas é imprevisível. Não existem duas pessoas com EM que tenham os mesmos sintomas. Se for mesmo EM... E não sabemos ainda.

— Tem cura?

— Não.

— É incurável? Não podem curar? Ah, meu Deus, Megan!

Ela pegou a mão da mãe, sentindo os ossos e a pele cansada.

— É incurável, mas não é impossível de tratar. Existem alguns produtos de beta-interferon muito eficazes. São autoinjetáveis.

— Enfiar uma agulha no meu braço? Está falando sério? Eu não poderia...

— E há uma escola de pensamento que diz que o que funciona melhor para controlar os sintomas da EM é a maconha. Mas você não pode conseguir isso no NHS. Nem na Harley Street.

Olivia tombou a cabeça.

— Eu posso estar enganada. Por favor. Procure o especialista, por favor.

A mãe ergueu a cabeça.

— Eu sinto muito, mãe.

A mãe estendeu os braços e Megan foi até ela, mas naquele momento ouviu o som de gritos, vidro se quebrando e um cão latindo. Megan correu para fora.

Lawford estava no chão lutando com Warren Marley. Ele parecia ter acabado de atirar nas recepcionistas a velha mesa de centro do consultório. Havia cacos de vidro e pedaços de madeira barata em todo o carpete. Quando viu Megan, o rosto de Marley se retorceu de fúria.

— Por *sua* causa! Minha irmã perdeu a menina dela! Daisy! Pra porra da assistência social por *sua* causa!

Quando chegou em casa naquela noite, Megan falou com Kirk sobre o sonho dele de ir embora.

Como daria certo? Para onde eles iriam? Todos aqueles pequenos pedaços do paraíso onde ele podia ensinar mergulho e ela podia fazer o que fora treinada para fazer — será que eles podiam realmente morar em um lugar assim? Ela o pressionou, vendo se o sonho podia sobreviver no mundo real. E os vistos? Permissão para trabalhar? Creche? Ela estava pronta para sair de Londres.

Ela estava pronta para outro tipo de vida.

Porque ela agora via que Kirk tinha razão.

Quando você tem um filho, tudo muda. Você não pode se preocupar com o resto da raça humana. Tem que ser egoísta, precisa pensar em seu filho e encontrar um lugar que seja seguro para sua própria carne e sangue.

Assim que você se torna mãe ou pai, tudo passa a ser a geração seguinte. A nova família.

Você não pode nem se preocupar com os próprios pais.

Sem choro.

Foi a primeira coisa que Jessica percebeu.

Não exatamente o silêncio, porque era um longo dormitório mal-iluminado com berços espremidos dos dois lados, cada um deles ocupado por um bebê novinho ou já em idade de engatinhar, e o ar bolorento estava cheio da tagarelice monótona de crianças pequenas falando consigo mesmas. Mas não havia choro.

— Por que eles não choram? — disse ela.

— Talvez sejam bebês felizes — disse Simon.

Não, não era isso.

— Que lugar é esse? — disse Paulo. — É uma espécie de lar. É um orfanato.

Ela teve medo de entrar. Teve medo do que podia encontrar. Negligência, crueldade e sujeira. Como os porcos empilhados uns por cima dos outros na gaiola de arame, e ninguém sequer olhava para eles. Mas não era assim naquele lugar.

À medida que eles andavam lentamente pelo dormitório, ela viu que aquelas crianças estavam limpas e alimentadas. Elas olhavam para Jessica e Paulo com uma curiosidade confusa, mas não estavam assustadas nem intimidadas. Eram tratadas com gentileza e afeto.

Mas elas eram tantas que eles perceberam que não havia sentido em chorar. Suas lágrimas não eram como as lágrimas de um bebê lá de fora, não eram como as lágrimas de Chloe ou de Poppy. Suas lágrimas não eram o fim do mundo para uma mãe e um pai, e aquelas lágrimas só seriam ignoradas.

Porque elas eram muitas.

— Quatro milhões de meninas — disse Simon. — Quatro milhões de meninas como estas na China.

— São todas meninas? Todas estas crianças são meninas?

Ele assentiu.

— Por causa da política de filho único do governo. As pessoas só têm um filho ou uma filha. Muitas preferem um menino. Em especial no interior. Uma gente rude. Sem educação.

Quatro milhões de meninas no orfanato por causa da política de filho único.

E no entanto, em toda parte, da Praça da Paz Celestial de Pequim, eles viram o outro lado desta política — uma geração de crianças obesas, excessivamente toleradas, os maiores fedelhos mimados da Ásia, os Pequenos Imperadores da China. E agora que Jessica pensava no assunto, todos os Pequenos Imperadores pareciam ser meninos.

Uma enfermeira se aproximou deles, saindo do outro lado do corredor.

— Quer bebê? — disse ela.

— Ah, obrigado, mas só estamos olhando — disse Paulo. — Jessica? Temos que pegar um avião.

— Muito difícil ter bebê agora — disse a enfermeira, ignorando-o. — Muitos ocidentais vêm. Acham fácil. Ah... Vai na China, consegue bebê fácil. Mas não tão fácil. Muita papelada. Precisa agência adequada. Chamado programa internacional para crianças.

Simon deu um pigarro.

— Eu tenho — disse ele.

Jessica e Paulo o encararam.

— Você administra um programa de adoção? — disse Jessica.

— Conheço um. Posso apresentar.

— Por um bom honorário, aposto.

Simon abriu os braços.

— Eu preciso comer.

— Jessica, estamos sendo enganados, não vê isso? Eu não me importaria se fosse um vaso Ming falsificado e um dragão de jade para o consolo da lareira. Mas não uma criança, Jess. Isso, não.

Ele gesticulou desanimado para as filas intermináveis de berços. Os berços eram antiquados e pesados. Dentro deles, os bebês estavam bem enrolados, embrulhados como pequenas múmias egípcias, de modo que seus braços estavam presos dos lados, enquanto os mais velhos tinham uma abertura atrás das calças onde seus traseiros nus apareciam, facilitando a ida ao banheiro para eles. E Jessica não conseguiu deixar de sorrir, porque eram tão lindos. Anjinhos sérios de olhos amendoados, alguns com tufos surpreendentes de cabelos, todas aquelas erupções de plumagem preta estilo Elvis.

Paulo sacudiu a cabeça. Não se pode chegar em casa das férias com um bebê. Não se pode fazer isso. Era loucura.

— Não esquece, você lidar com os governos de dois países — disse a enfermeira.

— Espere aí um minuto — disse Paulo. — Ninguém falou...

— Seu governo e governo chinês. Precisa conferência. Vistos. Permissão. Não tão fácil. Não tão fácil como ocidentais pensam.

— Ah, mas a agência ajuda — disse Simon a Jessica. Ele tinha desistido de Paulo.

Mas Jessica não estava ouvindo nenhum deles.

Estava andando até o final do dormitório, onde uma garotinha de uns nove meses estava de pé, instável no berço, segurando as barras para ter apoio.

Jessica a viu cair de bumbum com um baque, depois se arrastar implacavelmente para cima. Ela caiu novamente. E se levantou novamente.

Depois eles estavam parados ao lado do berço da neném. Paulo pensou que ela parecia um daqueles desenhos animados do que devia ser um alienígena — olhos imensos e arregalados, uma boquinha minúscula e um nariz ainda menor que parecia ter sido colocado ali posteriormente. Aquele narizinho estava escorrendo.

— Essa é Pequena Wei — disse a enfermeira.

— O que aconteceu com a Grande Wei? — perguntou Paulo.

— Grande Wei foi para Shenyang.

— Shenyang? Onde fica isso?

— Cidade no norte. Região de Dongbei. Uns 10 milhões de pessoas.

Que país, pensou Paulo. A China. Eles têm cidades de 10 milhões de pessoas *de que nós nem ouvimos falar.*

Jessica estava olhando a Pequena Wei. A criança olhou para ela e depois para Paulo. Ele evitou aqueles olhos enormes e tocou o braço da esposa, como se estivesse tentando acordá-la. Era hora de ir.

— Eu sei, Jess. Sei como se sente. Sei de verdade. Esta criança... É trágica.

— Será que é mais trágica do que eu? É o que me pergunto.

— Quer ajudar os milhões que passam fome? Faça uma doação. Preencha um cheque. É sério. Você sabe... Apadrinhe a menina. Ligue para o comitê de caridade de Oxford. Autorize um débito automático. Dê um pouquinho todo mês. Será uma boa coisa que estará fazendo. Mas é o máximo que você pode fazer.

— Sabe por que eles não choram, Paulo? Porque não são amados. Não tem sentido chorar se você não é amado. Porque ninguém vem.

Paulo viu a mulher estender a mão para o berço e pegar a Pequena Wei.

Jessica tocou delicadamente a nuca da criança, claramente esperando que ela repousasse em seu peito, como Poppy fazia quando a tia a tocava da mesma forma. Mas a cabeça da Pequena Wei continuou teimosamente ereta enquanto ela olhava os dois narigudos de cada lado dela.

— Foi você quem falou em adoção — disse Jessica.

— E foi você quem disse que preferiria ter um gato — disse Paulo.

— Olhe para ela — disse Jessica. — Só olhe para ela, Paulo. Esta criança precisa de alguém que a ame. E olhe para mim. Só olhe para mim. Eu quero ser mãe de alguém. É muito simples.

Paulo sacudiu a cabeça e olhou as duas. Era loucura.

Mas ele viu a Pequena Wei enquanto ela colocava a mãozinha no peito de Jessica, os dedos como palitos de fósforo, e um bloco de gelo dentro dele começou a derreter.

Talvez, afinal, ela tivesse razão.

Talvez fosse mesmo muito simples.

parte quatro:

nascida na época certa

vinte e três

Quando a neném finalmente estava dormindo, Megan ficou deitada na cama imaginando que podia ouvir o som dos dois oceanos da ilha.

Ela sabia que era impossível. O apartamento deles ficava em Bridgetown, no lado oeste da ilha, onde ela cuidava de turistas que se acidentavam nos grandes hotéis de St. James, perto das águas que marulhavam suavemente no Caribe.

Mas Megan preferia acreditar que podia realmente ouvir o outro mar, do outro lado da ilha, sua parte favorita, onde não havia hotéis de luxo e só alguns turistas mais intrépidos, e onde as ondas enormes do Atlântico fustigavam as rochas de Bathsheba e a costa leste de Barbados.

Uma ilha com dois mares. Ela nunca vira nada parecido com isso. E ela se perguntava quantos dos turistas que afluíam para a costa oeste de Barbados tinham ciência da majestade primitiva da costa leste. Tudo o que ela ouvira sobre Barbados era verdade — as imagens de cartão-postal de areias brancas, palmeiras e o sol interminável. Mas havia outro aspecto no lugar, indomado e imprevisível, que nunca seria encontrado nos folhetos vistosos. Era visto nas páginas de *The Advocate* e *The Nation*, todos os crimes envolvendo drogas e facas, algumas armas de fogo, e era possível ouvir isso no vento da noite. O coração da ilha era selvagem.

Era difícil ficar tão longe das irmãs, e a ausência delas deixava um vazio terrível na vida diária. Ela sentia falta dos telefonemas, dos cafés da manhã em Smithfield, de saber que elas estavam a apenas uma curta viagem de metrô. Ela sentia falta das horas abnegadas que Jessica dedicava a Poppy, tinha saudade da presença constantemente tranqüilizadora de Cat.

Desde que se entendia por gente, Megan se julgava auto-suficiente — aquela que passara pelo divórcio dos pais sem sofrer nada, a estudante nota A, a princesinha da faculdade de medicina, a irmãzinha médica, durona e inteligente. Foi somente quando se mudou para o exterior que ela viu que a auto-imagem como a irmã mais nova e inteligente sempre se baseara no apoio incondicional da família. Mas Megan tinha vindo para este lugar para começar uma nova família. Ela teria preferido que alguém cuidasse de sua filha por amor. Mas o amor estava fora de cogitação, então os dólares barbadianos teriam de fazer isso. Poppy já estava matriculada na creche Plantation Club em Holetown, e Megan estava entrevistando candidatas a babás. Pela primeira vez em sua vida profissional, ela não precisava se preocupar com dinheiro.

Havia trabalho para ela aqui. Muito. Mas era um tipo de trabalho diferente do que ela conhecera no passado. Pensando nisso, parecia que seus pacientes em Londres eram vítimas da pobreza. Em Barbados, eles eram vítimas da riqueza.

Ontem ela visitara três hotéis diferentes em St. James. Cuidara de uma criança que tinha sido queimada por uma água-viva, uma mulher que quebrara o nariz quando o jet ski arrancou sem ela e um homem de 50 anos que rompera uma cartilagem no joelho enquanto tentava fazer windsurfe pela primeira vez. A jovem esposa do homem — tinha de ser a segunda ou a terceira — ficara parada segurando o bebê enquanto Megan examinava o marido e passava uma receita de analgésicos.

É típico, pensou Megan. Eles ficam sentados diante de uma tela de computador o ano todo e depois imaginam que são o Action Man assim que chegam aos trópicos. Ah, sim, sempre haveria muito trabalho para ela por aqui.

Megan também era chamada para ver as vítimas de queimadura solar, os que tinham bolhas causadas pelo contato com mancenilheiras venenosas que cresciam junto à costa de St. James e, é claro, um monte de gente com o que em Hackney chamavam de LIC — lesões inexplicadas por cerveja.

Os derrames suspeitos, os possíveis ataques cardíacos e outras emergências eram enviados diretamente para o excelente hospital Queen Elizabeth, em Bridgetown. Era decepcionante que não houvesse doenças tropicais para que ela curasse — Barbados se livrara delas havia muito tempo. Então a medicina que Megan praticava em sua nova vida parecia curiosamente leve se comparada com o que ela conhecera no passado.

Em Hackney, ela era procurada por viciados em heroína, vítimas de esfaqueamento, alcoólatras, os obesos crônicos e todos aqueles moradores de Sunny View que fumavam até morrer. Aqui era mais provável que ela tratasse de alguém que quebrara a cabeça ao ser atingido por um coco.

Era quase como se ninguém pudesse se machucar de verdade aqui, ninguém sequer tivesse de morrer e as férias nunca tivessem fim.

Ela sentiu Kirk se agitar ao lado dela e ficou imóvel enquanto ele se virava e gemia na escuridão, fingindo estar dormindo, para o caso de ele acordar e procurar por ela, para o caso de ele querer sexo e não dar a ela uma oportunidade de preparar uma desculpa. Eles nunca conseguiram voltar ao que foram na primeira noite.

Mas ele não acordou e não procurou por ela, então Megan ficou deitada ali na noite barbadiana, ouvindo os ventos chicotearem por Bathsheba, do outro lado do paraíso.

Cat pegou o elevador para o apartamento da mãe.

Mesmo um quarto de século depois, ainda havia uma parte dela que era eternamente aquela menina de 11 anos animada e desajeitada, toda pernas, braços e olhos, vendo a mãe aplicar a maquiagem, sorrindo para ela no espelho, seu mundo de 11 anos prestes a se despedaçar.

"*Agora você é a minha mocinha, Cat. Sim. Jessie é grande também, mas ela é tímida e Megan ainda é um bebê. Mas você é minha mocinha e sei que você vai ser corajosa, não vai?*"

Cat assentira insegura, e então o táxi estava lá com o homem no banco traseiro, esperando para levar a mãe delas para sempre.

Nos anos seguintes, quando Cat e as irmãs sofreram o golpe de ter o pai ausente, ela realmente tentara — tentara muito ser corajosa. E enquanto o elevador se abria no andar da mãe, ela ainda estava tentando.

Mas Cat tinha medo de que a mãe sempre tivesse o poder de magoá-la e que ela nunca fosse corajosa o bastante.

Cat tocou a campainha e o rosto de Olivia apareceu diante dela.

— Recebeu meu recado, não é?

Cat assentiu.

— Recebi.

Elas entraram no apartamento. Parecia muito menor do que Cat se lembrava daquele dia, havia muito tempo, quando ela tentara se mudar com as irmãs para lá, mas igualmente imaculado, igualmente intocado por quaisquer patinhas sujas de criança. Havia fotos de sua mãe, jovem e bonita, na companhia sorridente de pessoas mais famosas do que ela. Antigamente essas fotografias pareciam espantosamente glamourosas para Cat, e agora pareciam na verdade patéticas, quase comoventes.

Aqueles comediantes, machões piegas da televisão — tantos deles, todos aqueles policiais durões, detetives particulares geniosos e agentes especiais sub-James Bond — e *starlets* desaparecidas, a maioria havia muito esquecida. Era o melhor que a mãe podia fazer? Fora por isso que ela desistira das filhas? Por um bonitão no banco traseiro de um táxi e uma vida de pequenas glórias? E no entanto mesmo agora Cat se magoava ao ver que não havia fotos das filhas de Olivia. Cat ficou com raiva de si mesma e pensou: por que eu me importo?

No cômodo seguinte havia o som de alguma tarefa doméstica sendo realizada. O rosto moreno de uma arrumadeira ou empregada apareceu na soleira da porta e depois se foi.

— Você vai ter um filho — disse a mãe, acendendo um cigarro.

— É verdade — disse Cat. — Mas, por favor, não fume.

— Eu conheço o pai?

— O pai não está presente.

— Ah, querida. Ele largou você, não foi?

Eu estou na sala há dois minutos, pensou Cat, e já estamos voando na garganta uma da outra. Eu devo ser superior a isso, pensou ela.

— Eu não deixei que ele ficasse por tempo suficiente para isso acontecer. — A mãe ergueu as sobrancelhas. Será que esse gesto batido significava realmente alguma coisa? — Lembra do que você me disse uma vez? — disse Cat. — *Seus pais estragam a primeira metade da sua vida e seus filhos estragam a segunda.*

— Eu disse isso? — Olivia riu, claramente satisfeita consigo mesma. — É verdade.

— Bom, e os seus pais? Me parece que eles estragam mais do que qualquer um. Mas só se você deixa. Só se você permitir.

A mãe riu novamente.

— Você não é uma daquelas bandoleiras de esperma de que ando lendo, é?

— Bandoleira de esperma?

— Uma daquelas mulheres que só querem um homem pelo tempo que leva para engravidar.

— Sim, esta sou eu, exatamente. Uma bandoleira de esperma. Toma. É disso que você precisa.

Cat abriu a bolsa, pegou um maço de cigarros e deu à mãe. Olivia fechou a porta onde a cara da arrumadeira tinha aparecido e depois examinou o conteúdo do maço — uma coisa embrulhada em papel-alumínio.

Ela olhou a porta fechada e depois abriu o embrulho, revelando um pedaço de haxixe de bom tamanho.

Olivia deu um sorriso duro para Cat.

— Deve ter sido difícil para você — disse a mãe.

Cat sacudiu a cabeça.

— Eu trabalhei com cozinheiros por anos. Eles podem ser um bando de doidos, alguns deles. Não foi tão difícil.

— Eu quis dizer comprar *drogas* para mim, querida. Quis dizer vir aqui.

— Tudo bem. Tem também um número de telefone. Se der certo. Se você quiser mais.

Cat deu à mãe uma caixa de fósforos do Mamma-san com um número de celular escrito na face interna da tampa.

— Pode ligar para esse número e perguntar pelo Dave Sujo — disse Cat.

— Perguntar por... *Dave Sujo?*

— É isso mesmo. É ele quem cuida do pessoal da cozinha.

— Por "cuidar" você quer dizer vender drogas pra eles?

— Não, quero dizer que ele aparece uma vez por semana e passa a roupa deles.

— Você espera realmente que eu vá telefonar para alguém conhecido por Dave Sujo e comprar drogas dele?

Cat suspirou.

— Não ligo para o que vai fazer. É para o seu benefício, e não o meu.

— Você é uma idiota insensível, não é? — Olivia grunhiu, exaltando-se de repente.

— Bom, eu tive uma boa professora — rebateu Cat.

Depois ela mordeu o lábio. Ela se lembrou de que nos poucos anos em que a mãe estivera presente, ela nunca fora de bater, mas quando a coisa pegava fogo era uma grande atiradora de sapatos. Cat não queria que a mãe atirasse sapatos hoje. Ela era uma mulher doente e Cat queria ir para casa, deitar-se e sentir o bebê empurrando os limites de seu mundinho.

— Sabe o que fazer com esse troço? Você acende...

Olivia ergueu a mão.

— Não sou sua tia solteirona de Brighton, você sabe disso. Meu Deus. Minha geração inventou a sua cultura.

— Não é a minha cultura.

Cat se virou para ir embora.

— Eu realmente gostei — disse Olivia, a voz se suavizando, os dedos remexendo nervosos a caixa de fósforos. — De você ter vindo aqui. Fazer isso. Sei que faz muito tempo. Eu vejo as suas irmãs. Mas você, nunca.

Cat se virou para encará-la.

— Bom — disse ela. — Entendo que isso é obra sua, e não minha. E não fique tão sentimental. Só estou fazendo isso porque Megan me pediu.

— Eu achava vocês lindas, você sabe disso.

— O quê?

— Vocês três. Você e suas irmãs.

Cat riu.

— Megan é bonita. Jessie você pode chamar de linda. Mas não eu.

— Não se menospreze, querida. Você tem um belo par de pernas. Tenho um amigo... ele é psiquiatra... e ele acha que isso era parte do problema. É difícil para uma mulher. As filhas se transformando em lindas mulheres exatamente quando tudo está começando a descer a ladeira. Lindas crianças que se transformam em lindas mulheres. Minhas três meninas.

— Suas três meninas?

Cat deixou as palavras da mãe pairarem no ar e seu silêncio dizia: *você não tem o direito de nos chamar assim.*

Olivia semicerrou os olhos para o telefone de Dave Sujo, as mãos tremendo. Ela agora é uma velha, pensou Cat. Quando minha mãe se tornou uma velha?

— É difícil quando as duas estão longe. Megan em Barbados. Jessica ainda na maldita China. Quanto tempo ela vai ficar fora?

— Tenho certeza de que as duas vão lhe mandar um postal.

— Sabe por que eu preciso disso, não é? Você sabe por que estou virando uma usuária de drogas nos anos de meu crepúsculo?

— Megan me contou. — Uma pausa. — Eu sinto muito.

— Mesmo?

— É claro que sim. Eu não desejaria isso a ninguém.

— Não me dê as costas, Cat. O especialista que Megan me recomendou... não é bom. A dor está piorando. E os tremores. E sabe o que é engraçado? A esclerose múltipla não diminui sua expectativa de vida. Seus músculos se vão, você treme como uma folha e fica cega feito um morcego. Mas ela não mata você. Você tem de conviver com ela.

É um mundo cruel, pensou Cat. Pergunte às três crianças que você abandonou. Mas era difícil odiar sua mãe hoje. Estava mais difícil do que jamais fora.

— Espero que isso lhe dê algum alívio — disse ela, indicando o maço de cigarros. — Espero sinceramente.

De repente Olivia a pegou pelo braço. Cat podia sentir os dedos longos e ossudos da mãe apertando a carne pouco abaixo do cotovelo. Era o aperto firme que você daria em uma criança teimosa que estava prestes a fazer algo de que logo se arrependeria. O choque do contato físico inesperado com a mãe fez Cat prender a respiração.

— Estou com medo, com medo do que vai acontecer comigo — disse Olivia, agora se defendendo. — Estou assustada com o que isso vai fazer de mim. A pessoa em que vou me transformar. Preciso de alguém que cuide de mim. Eu preciso de *você*, Cat. Não tenho mais ninguém.

Cat olhou a mãe. Talvez, se ela tivesse pedido ajuda vinte anos antes — talvez na época elas ainda tivessem uma chance. Mas você deixou que ficasse tarde demais, pensou Cat. Já não há mais tempo.

Com a maior delicadeza que pôde, Cat tentou retirar a mão da mãe. Mas o aperto de Olivia ficou mais forte e o coração de Cat se encheu de pânico. Era como ser presa pelo passado, ainda sentindo a dor de todas aquelas velhas feridas, sabendo que jamais poderia se libertar de todos aqueles anos arruinados.

Seus olhos se encontraram. A voz de Olivia era branda, mas o aperto não afrouxava.

Não era o aperto de uma velha, pensou Cat. Era cheio de uma determinação férrea e de força física. O aperto de alguém que estava acostumado a conseguir tudo do seu jeito, a curvar o mundo à sua vontade. Cat podia sentir seu coração batendo, podia sentir o perfume da mãe, podia ver a velha começando a respirar com dificuldade. As unhas de Olivia entravam fundo na carne, cinco pontos de dor que se fundiam em um, e seu braço começou a latejar. Cat pensou: ela nunca vai me deixar ir embora, vai?

— Fique comigo, Cat — disse Olivia. — Quer que eu implore?

Mas, agora com mais firmeza, Cat tirou o pulso da mãe e a afastou. As duas mulheres deram um passo para longe uma da outra, como se finalmente tivessem concluído uma dança antiga.

— Não é assim que eu sou — disse Cat.

Quando Paulo viu que a loja dos Baresi Brothers estava trancada e às escuras, disse ao taxista que esperasse.

Sua cabeça ainda estava embaçada do *jet lag* da viagem de avião. Ele tocou a campainha e apertou o rosto na vidraça. Por um momento a China pareceu um sonho. A visão pela vidraça era exatamente a mesma que ele tivera antes, mais de um mês atrás. Cinco semanas sem uma só venda? Isso não estava certo.

Ele ficou fora por tempo demais, agora ele entendia. Mas levava muito tempo para se tornarem pais instantâneos, e eles ainda não tinham chegado lá.

Paulo voltou ao táxi e deu o endereço de Michael ao motorista. O táxi se arrastou pela Holloway Road e Paulo teve uma sensação arrepiante de medo.

Ele tirara Londres e o trabalho da cabeça, e isso fora um erro. Mas era a única forma de lidar com a maratona que foram solicitados a correr antes que a Pequena Wei pudesse vir para casa.

Foram entrevistas incontáveis na agência de adoção, no orfanato e na embaixada da Grã-Bretanha. Toda a vida dos dois ficou sob um microscópio — sua situação financeira, as referências pessoais, a experiência com crianças, a adequabilidade para a adoção. Tudo precisou ser traduzido para o inglês e o chinês, cada avaliação, opinião e recomendação, e tudo levou mais tempo do que se esperava.

Só o que os manteve sãos foram os momentos de magia entre toda a burocracia e a espera, os dias em que eles tinham permissão para levar a Pequena Wei para passear em seu carrinho novo pelo Palácio de Verão e o zoológico de Pequim, e a Praça da Paz Celestial tão grande que pareciam estar andando na superfície da Lua, empurrando a Pequena Wei até que ela dormisse, ignorando os olhares de surpresa e os sorrisos de moradores e turistas. Passando tempo com a filha bebê, apavorados com seu amor por ela, não mais uma família de dois.

Agora eles estavam esperando pela aprovação final das autoridades chinesas antes de poderem se candidatar a um passaporte britânico temporário para a Pequena Wei, e ele pensou que eles podiam perdê-la agora, e isso era demais para se suportar. Simplesmente não havia espaço na mente de Paulo para se irritar com o irmão e a empresa. Mas quando o táxi encostou diante da casa de Michael, seu coração estava aos saltos e a cabeça tentava compensar o tempo perdido.

Michael abriu a porta de cuecas e uma camiseta suja. Estava barbado e com os olhos turvos. Enquanto os irmãos se abraçavam, Paulo pensou que havia algo de metálico no hálito dele. Ele seguiu Michael para dentro de casa. A TV berrava um game show diurno. O ar estava espesso e viciado.

— Quer uma grapa? — disse Michael, pegando a garrafa na mesa de centro.

— Não é meio cedo?

Michael deu de ombros e se serviu. Não havia palavra em italiano para alcoólatra, como o pai dizia a eles.

Paulo olhou a sala de estar. O cercadinho de Chloe ainda estava ali, com brinquedos espalhados. Mas onde antes havia o estranho chinelo Teletubby agora havia latas de cerveja e roupas sujas. Paulo pegou o pingüim de Chloe e apertou o botão em seu pé sintético. Mas ele não funcionava mais.

— Onde estão Naoko e a neném?

Michael afundou no sofá.

— Em Osaka — disse ele, os olhos vagando para o riso enlatado da TV.

Paulo pegou o controle remoto e a desligou.

— Elas voltaram para o Japão?

Michael olhou para o irmão e assentiu. Paulo se sentou ao lado dele e o pegou nos braços, abraçando-o com força, embalando o irmão como se ainda fossem meninos e Michael tivesse acabado de perder sua primeira briga.

— Eu falei, Michael — disse Paulo. — Eu disse que isso ia acontecer.

— Até parece que eu tive um monte de mulheres — disse Michael, a voz abafada. — Eu tive uma a mais do que se podia. Uma extra. Uma a mais do que o normal.

De repente enojado, Paulo soltou o irmão, levando um bafo de grapa na cara.

— Talvez ela volte.

Michael vasculhou a mesa de centro, ergueu uma calça de estampa tipo camuflagem ali esquecida havia muito tempo e encontrou os papéis que estava procurando. Ele os passou a Paulo. Era a carta de um advogado. As palavras frias e formais nadavam nos olhos de Paulo. *Comportamento irracional. Provisão financeira razoável. Solicitação de divórcio. A casa da família.*

— Eu lamento muito, Michael.

Isso nunca vai acontecer comigo, pensou Paulo. Isso só acontece com homens como o meu irmão.

— Nunca se sabe — disse Michael, como se lesse a mente dele. — Nunca vai funcionar com a gente como era com o papai. Ficar em casa toda noite. Feliz com uma mulher. Eu sei que você acha que eu sou uma pessoa ruim.

— Eu te amo, seu idiota.

— Mas você acha que sou ruim. Mas eu não sou, Paulo. Isso pode acontecer com qualquer um. Pode acontecer com você.

— Michael... Eu vou voltar logo. Agradeço o que fez por mim enquanto eu estava fora. Se pudesse só segurar o forte por mais um tempinho.

— Acho que hoje tirei o dia de folga. — Ele pegou o controle remoto e mirou na TV. Ela irrompeu numa música estridente e risos altos. — Os negócios estão meio lentos.

— Está tudo bem. O que você achar melhor. Olha, Michael. Todos os meus cartões de crédito estão estourando. Ficamos em Pequim e lá não é mais barato do que Londres, não é mais barato do que Hong Kong. Mas mais algumas semanas e vou voltar com Jessica e o bebê. Tem certeza de que vai ficar bem até lá?

Michael encheu o copo novamente.

— Sem problemas — disse ele. — O que mais pode acontecer?

vinte e quatro

Um floco de milho estava pendurado na franja da Pequena Wei.

Só Paulo estava ali para ver. Jessica estava passando outro dia entre as multidões que faziam fila na embaixada britânica em Jianguomenwai. Ela estivera lá todos os dias daquela semana, levando um tíquete com seu número, só para ouvir horas depois que ainda não havia novidades. A solicitação de passaporte para a Pequena Wei ainda não fora processada.

Então, em seu modesto quarto no Sheraton de Pequim, só Paulo viu o pedaço molhado de cereal pendurado do cabelo que nunca fora cortado, e algo naquele floco de milho pendurado acima da perfeição inocente daquele rosto atingiu seu coração e despertou nele sentimentos que ele sequer podia nomear.

Foi apenas um pequeno momento na vida de sua filha, um momento que um dia se perderia para sempre, mas não até que ele morresse. Ele sempre se lembraria do floco de milho na franja da Pequena Wei.

E Paulo sabia que ele estava se tornando um tipo diferente de homem, agora que tudo naquela criança — em especial aquele floco de milho na franja fina — o tornava dolorosamente ciente da vida em toda a sua beleza efêmera. Paulo se tornara pai e seu coração não era mais dele.

Ela agora era filha deles. Eles tinham a papelada em duas línguas para provar isso. O que os prendia em Pequim, o que os impedia de voltar para sua vida, eram as filas, os burocratas e as horas intermináveis na embaixada britânica em Jianguomenwai. Então a pequena família esperava num limbo, cansada de andar pela Praça da Paz Celestial, permanecendo no quarto, o ar-condicionado zumbindo.

A Pequena Wei começou a se retorcer na cadeirinha alta, de repente rugindo de protesto. Murmurando palavras tranqüilizadoras, Paulo limpou o rosto dela, retirou o babador Hello Kitty e a tirou da cadeirinha.

— Hora de uma soneca, lindinha.

Com o bebê em um dos braços, ele foi até a janela — trinta andares abaixo, as ruas apinhadas de Pequim apitavam e buzinavam na luz poeirenta — e puxou as cortinas. Os enormes olhos castanhos da Pequena Wei piscaram para ele no escuro.

Paulo a deitou delicadamente no trocador e verificou a fralda, cheirando o ar e sentindo a umidade com o dedo. Depois de constatar que ela ainda não fizera nada, ele a colocou no berço que estava do lado de Jessica na cama. Depois ele foi até o CD player que se aninhava debaixo de uma TV de tela plana gigantesca e pôs o único disco da Pequena Wei.

Eles o compraram no shopping na rua da Paz Eterna. Uma coletânea de cantigas de ninar que pareciam inalteradas desde a infância de Paulo. "Bobby Shaftoe". "Incey

Wincey Spider". "Bow Wow Says the Dog". "One, Two, Buckle My Shoe." Elas pareciam vir de outro século. Até para Paulo, suas referências a galinhas gordas e porcos afetuosos, senhores e senhoras, manhãs úmidas e nevoentas e sapinhos namoradores pareciam pré-históricas. Ele não conseguia imaginar o que a Pequena Wei sentia com elas. Mas, assim que ouvia os acordes de abertura de "Bobby Shaftoe", ela se aninhava para descansar.

Bobby Shaftoe terá um filho
Para nos braços balançar
"nos braços ou nos joelhos
Bobby Shaftoe vai me amar".

Paulo se deitou na cama e fechou os olhos. De onde vinham aqueles versos estranhos? Eram vitorianos? Quando ficou claro que a Pequena Wei gostava muito daquele CD, ele olhou o encarte para descobrir quem tinha composto as músicas e quem as estava cantando. Mas não havia informação no CD, era como se as cantigas de ninar simplesmente estivessem ali, e sempre estariam ali, uma geração após a outra.

Paulo caiu no sono, perguntando-se se os filhos da Pequena Wei iam ouvir as mesmas palavras e músicas que a acalmavam no berço do Sheraton de Pequim. Depois, a próxima coisa que ele sabia era que estava acordando porque Jessica irrompeu no quarto, gritando e rindo, acenando um passaporte vermelho, e dentro do passaporte havia uma foto de uma criança que parecia um Buda rosado, de bochechas gorduchas e expressão impassível, olhando calmamente para o mundo.

Toda a empolgação acordou a neném e Jessica a pegou, acalmando-a com beijos, enquanto Paulo esfregava o sono dos olhos e tentava se lembrar do que queria mostrar à esposa. E então, de repente, ele se lembrou. Mas quando ele olhou, viu que o floco de milho no cabelo da filha se fora, desaparecido para sempre, e junto com a enormidade das notícias de Jessica ele se sentiu tolo tentando explicar os sentimentos que o agitavam.

Então ele ficou só olhando a mulher segurando a filha e sorriu, enquanto Jessica ria e mostrava o passaporte à filha, lendo seu nome sem parar. *Wei Jewell Baresi.* Muitos pais adotivos davam seus nomes ocidentais a bebês chineses, mas Jessica sempre disse que não era necessário. A neném já possuía um nome lindo.

Todas aquelas nações e culturas e histórias para fazer essa garotinha, pensou Paulo, e ele se sentiu explodindo de orgulho.

Minha filha, o futuro.

Não era lugar para ser gorda.

O pessoal da revista era formado de jovens agressivamente modernos, ou de pessoas mais velhas que tinham sido modernas por vinte anos ou mais. Os jovens eram uniformemente pálidos, como se mil noites em *nightclubs* tivessem clareado sua pele, enquanto os mais velhos eram estranhamente sem cor, quase de matiz laranja — a cor da pele parecendo ter sido artificialmente escurecida, enquanto a cor do cabelo parecia tingida quimicamente.

Mas todos tinham aquele olhar faminto do exageradamente moderno e encaravam Cat com curiosidade enquanto ela gingava entre suas mesas, grávida de oito meses, vinte quilos mais pesada do que o normal e horrivelmente envergonhada de seu andar — este estranho movimento de balanço lateral que a fazia se sentir como um caranguejo inchado e gigante. Ela desabou, precisando de ar, na cadeira diante do editor-executivo.

Todas as revistas e livros sobre gravidez faziam com que a mudança no corpo da gestante fosse como uma experiência materna fortalecedora — em títulos como *Você está grávida! E 40 semanas maravilhosas!*, e *Parabéns! Você está grávida!*, havia referências além da conta a "suas novas curvas sensuais". Mas Cat não se sentia bonita, nem fortalecida, nem deliciosamente cheia de curvas. Pela primeira vez na vida, ela se sentia desmazelada. Inchada, distendida e pouco à vontade. Ela se sentia tão saliente como uma baleia em uma palestra dos Vigilantes do Peso.

À noite seus peitos maiores a faziam se sentir como se estivesse dividindo a cama com dois gordos desconhecidos que não conseguiam ficar quietos. Havia só uma compensação em se transformar na Mulher-elefante, e eram aqueles chutezinhos por dentro que pareciam surgir sempre que ela se deitava para descansar.

— Andei olhando seus clippings — disse o editor. Um cara simples vestindo Adidas retrô, frio demais para sorrir.

— Fico feliz em fazer outras coisas — disse Cat, tocando a barriga com aquele triplo afago instintivo. — Não precisa ser crítica de restaurantes. Sei que vocês já têm um crítico de restaurante.

— Travis, não é? Você gosta de Travis?

— Ah, ele é ótimo, o Travis. Ah, eu adoro. É tão... rabugento. O modo como consegue dar a impressão de ter nojo de tudo.

— É, ele é bom. — Ele coçou o cavanhaque pensativamente. — Gostaria de lhe oferecer uma coisa. Mas está meio complicado no momento.

— Por quê?

Por fim, um sorriso. Como de um tubarão anoréxico.

— Como posso dizer isso? Porque não posso encomendar trabalho a alguém que pode ter um filho daqui a meia hora. Olha... Eu mesmo tenho filhos. Dois meninos... Um e três anos.

Cat pensou: bom, quem teria acreditado nisso? Às vezes parece que sou a única pessoa do mundo que vai ter um bebê.

— Logo você vai ficar ocupada demais para escrever mil palavras sobre alguma pequena fusão inteligente. Não sabia disso?

— Mas eu preciso de um emprego. E não posso trabalhar em restaurantes porque fica tarde demais...

Ela se interrompeu. Ele não era um sujeito ruim. Ela simpatizara com ele quando soube que ele tinha filhos. Mas tudo na expressão aflita e constrangida dele dizia uma coisa.

Não é problema meu, senhora.

Cat sentiu como se o mundo do trabalho de repente a estivesse ignorando. Ela também se sentia velha e, embora houvesse gente mais velha do que ela naquele escritório — todos aqueles moderninhos de 40 anos, veteranos de Ibiza e mentes de internet endurecidas por raves —, eles de certa forma pareciam mais novos do que Cat, com a barriga de fora e as vidas livres e o cabelo artificialmente clareado.

Cat se levantou para ir embora, tocando a barriga novamente. Para baixo, para cima, para baixo. Um movimento quase imperceptível que dizia, *não se preocupe, não se preocupe, não se preocupe, neném.*

Poppy estava sentada na cadeirinha alta, comendo iogurte com os dedos. Um pratinho de uvas esperava por ela na mesa, fora de alcance, o presente por terminar o café da manhã, ou pelo menos por conseguir sujar toda a cara.

A babá, uma jamaicana grandalhona chamada Lovely, ria com aprovação enquanto Poppy empurrava outro punhadinho de iogurte mais ou menos na direção da boca.

No princípio Lovely parecera tudo o que Megan podia esperar de uma babá. Cuidar de Poppy era muito mais do que um emprego para ela — ela parecia genuinamente louca pela criança. Megan ficou comovida ao ver que Lovely até tinha uma foto emoldurada de Poppy no pequeno quarto de hóspedes em que ela ficava durante a semana, antes de voltar na sexta-feira à noite para sua enorme família no distrito escocês. Lovely era perfeita. Só havia um probleminha, um problema mínimo.

Megan só queria que Lovely se lembrasse de qual das duas era a mãe de Poppy.

Ela viu Lovely colocar uma uva na boca de Poppy.

— Lovely?

— Sim, senhora?

— Lembra do que combinamos sobre as uvas?

Silêncio. Poppy olhava a mãe, o queixo mastigando a uva.

— Nós dissemos... As uvas devem ser descascadas.

— Tem muita coisa boa na pele.

— Tem, mas ela é pequena demais.

— Um ano de idade.

— Mas ela foi *prematura* — disse Megan, começando a ficar agitada. — Já passamos por isso tantas vezes, não foi? Com bebês prematuros, você não conta a partir de quando *nasceu*, mas de quando *devia* ter nascido.

Kirk entrou na cozinha, carregando nos ombros um grande saco cheio de equipamento de mergulho. Ele beijou a filha na cabeça.

— Vamos fazer um mergulho noturno no Sandy Crack — disse ele. — Não espere acordada. Tchau, Lovely.

— Tchau, Sr. Kirk.

Megan andou até a mesa e pegou uma caixa de suco de fruta.

— E o que é isso?

— Suco de maçã — disse Lovely, mal-humorada e ressentida. Ela limpou ternamente o rosto de Poppy e a ergueu com delicadeza da cadeirinha.

— Lovely — disse Megan —, este suco tem *açúcar*. *Açúcar*. Poppy tem que tomar suco *sem açúcar*. Pensei que tivéssemos combinado...

As duas a olhavam. A filha e a babá. Abraçadas, e encarando Megan com exatamente o mesmo olhar.

O olhar delas dizia, sim, está tudo muito bem, reclamar do suco sem açúcar e as uvas descascadas e todo o resto. Mas você não fica aqui o dia todo.

Fica, mamãe?

— Abaixe a calcinha — disse Megan, pegando um par de luvas de borracha.

A mulher abaixou cuidadosamente a parte inferior do biquíni. Uma bunda parecida com um porco-espinho albino — rosada, redonda e cheia de incontáveis espinhos pretos.

— Parece que você se sentou em um ouriço-do-mar — disse Megan. — Pode colocar a calcinha. Vou lhe receitar um remédio para a dor.

Megan começou a reunir suas coisas, olhando pela janela para as velas brilhantes dos windsurfistas. Um barco de mergulho estava indo para o hotel, a bandeira vermelha com a faixa branca em diagonal ondulando na brisa. Ela se perguntou se Kirk estava a bordo.

— Só isso? — disse a mulher.

Ela estava em meados dos 30, bronzeada e tonificada, com luzes caras nos cabelos, sem dúvida uma mulher influente em Londres. Acostumada a conseguir o que queria. Megan via muitas desse tipo em Barbados.

— Os analgésicos são a melhor coisa para você — disse Megan. — No caso desses espinhos de ouriço-do-mar, é muito melhor deixar que eles se dissolvam. Tentar arrancá-los causará mais mal do que bem.

A mulher se endireitou. Sem dúvida ela era formidável em uma conferência importante. Mas não parecia tão impressionante com um monte de espinhos de ouriço na bunda.

— Não se ofenda, por favor, mas você é médica mesmo? — perguntou ela. — Ou só uma espécie de... sei lá... enfermeira de hotel?

Megan sorriu.

— Sou médica. Mas se estiver insatisfeita com meu diagnóstico de alguma forma, pegue um táxi e vá à emergência do hospital Queen Elizabeth, em Bridgetown.

A mulher pareceu apavorada.

— Um hospital local?

— Eles são muito bons no Queen Elizabeth. Peça-lhe que dêem uma olhada em você. Consiga uma segunda opinião para suas nádegas.

Do outro lado da janela, ela podia ver que o barco de mergulho tinha parado perto da praia. Figuras de traje de mergulho subiam ou pulavam na água rasa. Kirk estava entre eles. Que bom. Eles podiam almoçar juntos. Megan deu um sorriso simpático para a mulher.

— Aproveite o resto de suas férias. Espero que se sinta melhor logo.

O centro de mergulho ficava na extremidade da praia do hotel. Megan andou pelo saguão palaciano, retribuindo as saudações dos funcionários do hotel, e desceu para a areia. Ela sentiu o vento do mar no rosto e respirou fundo. Esta era uma vida melhor.

Mas quando se aproximou do centro de mergulho viu que Kirk estava sentado na areia com uma garota em traje de mergulho.

Ela parecia uma daquelas suecas que apareciam na ilha — esportiva, independente e mais nova do que Megan podia se lembrar de ter sido. Kirk estendeu a mão e empurrou uma mecha molhada do cabelo louro do rosto da garota, e isso fez Megan prender a respiração. Antes que eles pudessem vê-la, Megan deu meia-volta e subiu pela praia.

Depois ela seguiu de carro pela ilha até a costa leste, estacionou o pequeno Vitara em uma colina acima de Bathsheba e passou as horas seguintes olhando o Atlântico se quebrar nas formações rochosas.

Ela ainda não podia ir para casa.

Não estava na hora de render a babá.

O vôo de Pequim a Londres levava dez horas.

A moça do balcão de check-in da British Airways devia ter simpatizado com a Pequena Wei, que estava sem esforço se transformando de um bebê bonitinho em uma criança radiante que engatinhava, porque os três descobriram que tinham sido passados para a classe executiva.

Jessica imaginou ninar a criança e beber champanhe na volta para casa. Mas foi como viajar com um macaco selvagem.

A Pequena Wei gritou quando foi presa no colo de Jessica para a decolagem. Ela uivou de ultraje quando foi impedida de andar pela cabine. Três meses depois do primeiro encontro, seu andar estava se tornando mais firme e ela gostava de tentar sair em cada oportunidade.

E embora Paulo a embalasse, a segurasse e dissesse a ela que tudo ia ficar bem, ela chorou baldes durante as horas intermináveis acima das montanhas negras da Mongólia, onde a estação das chuvas passara e o dia parecia durar para sempre.

— Meu Deus — murmurou um executivo gordo que tomara uma taça a mais do clarete de cortesia.

Paulo, ainda segurando a Pequena Wei, virou-se para ele, a cara branca de fúria.

— Os bebês podem chorar, o senhor sabe. Bebês podem chorar. Desculpe se ela o está incomodando, eu lamento muito, mas *os bebês podem chorar*. E se o senhor tiver alguma coisa a dizer sobre *a minha filha*... Então diga a mim. Não fale dela em voz baixa. Diga na minha cara ou não diga nada. Entendeu?

O executivo assustado se retraiu por trás de seu John Grisham. Paulo se virou, tremendo de emoção enquanto embalava a Pequena Wei.

Jessica nunca o vira com tanta raiva. Seu marido era um homem sossegado e gentil — este fora um dos motivos para ela se apaixonar por ele.

Mas, quando o executivo gordo na classe executiva reclamou do choro da Pequena Wei, Paulo descobriu uma ferocidade nele que ela nunca vira antes.

E o engraçado, pensou Jessica, é que parecia a coisa mais natural do mundo.

vinte e cinco

Era um país de furacões.

Eles nasciam em algum lugar a leste de Barbados e, embora pudessem aparecer a qualquer momento entre junho e novembro, em geral passavam longe, ao norte da ilha. Mas nem sempre.

Megan estacionou o Vitara em um monte acima de Holetown. Tinha acabado de pegar Poppy na creche Plantation Club, e ela agora brincava satisfeita na cadeirinha do carro com um dinossauro roxo chamado Barney. Megan olhou da filha para o céu e o mar, e os viu ficarem pretos.

As nuvens rolavam e se agitavam na direção da terra, a chuva já fustigava o vidro do carro e os ventos chicoteavam e uivavam pelas palmeiras curvadas.

— Não sei o que fazer, Poppy — disse ela em voz baixa. — Não sei se devemos tentar ir para casa.

As ruas já estavam se esvaziando. Os bajans estavam pegando seus filhos, instalando as barreiras antitempestade nas janelas e se protegendo. Uma velha com uma criança pequena em um braço e um filhote de cabra no outro bateu no vidro do carro de Megan.

— Quer ficar conosco, senhorita? Você e sua garotinha? Até que passe? Este parece que está vindo para cá.

— Obrigada, mas acho que vou tentar chegar em casa.

A mulher assentiu e se afastou.

Megan engrenou o carro e desceu lentamente para St. James, com medo de derrapar nas folhas de palmeira e cana-de-açúcar que se espalhavam pela estrada. O vento nas árvores assumiu um tom estridente e pela primeira vez ela ficou assustada, percebendo que não havia muito tempo para voltar a Bridgetown.

Ela olhou pelo retrovisor e viu Poppy conversando com o dinossauro. Talvez, se estivesse sozinha, ela se arriscasse a ir para casa, mas não com um bebê na traseira. Megan decidiu que elas se refugiariam em um dos hotéis até que o furacão chegasse ou passasse ao largo delas e fosse para a Martinica ou a República Dominicana.

Ela estava quase no hotel quando viu o barco de mergulho. Tinha sido pego desprevenido pela tempestade, ou talvez em um dos locais de mergulho mais adiante, e agora oscilava inseguro para a praia, a bandeira vermelha e branca agitando-se loucamente.

Era o barco dele? Megan sentiu um calafrio no coração.

Ela estacionou o carro e soltou Poppy rapidamente da cadeirinha. O saguão do hotel estava quase deserto, mas havia uma jovem que Megan conhecia na recepção.

— Pode ficar com ela por uns minutos?

Megan colocou Poppy nos braços dela e a criança ia reclamar, mas começou a sorrir quando a mulher passou a elogiar exageradamente o dinossauro roxo.

Megan correu e escorregou no piso de pedra molhado do saguão para a praia. As venezianas de madeira já estavam erguidas no pequeno bar da piscina. Um guarda-sol azul tombou perto dela e de repente alçou vôo. Ela olhou para o mar, enchendo-se de pânico quando viu que o barco tinha sumido.

Andando devagar, Megan se afastou do hotel, em direção ao centro de mergulho, o vento provocando lágrimas em seus olhos e a areia picando as pernas nuas.

O centro de mergulho parecia abandonado. Os jet-skis, caiaques e velas coloridas dos windsurfistas tinham sido colocados na areia, longe da tempestade. Mas não estava trancado e havia uma espécie de movimento lá dentro, e foi onde ela o descobriu com a turista sueca, a mesma garota que vira antes, nos fundos escuros do centro de mergulho, em meio ao monte de tanques vazios, trajes de mergulho e os tubos de borracha enroscados dos reguladores.

Eles já haviam terminado, vestiam as camisetas e os shorts e nem mesmo se abraçaram. Mas Megan não podia se enganar. Aquilo significava que ela estava totalmente só novamente, sozinha com a filha.

E, pensou Megan, não há ninguém mais só do que alguém que está sozinho com um bebê.

Na vidraça da loja dos Baresi Brothers, em plena vista da rua movimentada do norte de Londres, dois jovens de capuz mexiam na porta de um Alfa Romeo.

Paulo estava de pé, desnorteado, esperando que o irmão aparecesse com um bastão de beisebol nas mãos, ou pelo menos um celular, e ligasse para a polícia. Mas não havia sinal de Michael e os dois jovens encapuzados continuaram com sua atividade sem ser interrompidos.

Paulo bateu no vidro. Mas agora eles tinham aberto a porta e o barulho do alarme abafava os seus protestos. Quando ele entrou no Showroo eles estavam no carro e o que estava sentado no banco do motorista estava experimentando várias chaves na ignição.

— Ei! Eu chamei a polícia, seus filhos-da-puta!

Eles o olharam por sob o capuz, criaturas malignas de Mordor, e de repente se saltaram do carro. Paulo andou na direção deles cautelosamente e agora ele recuava enquanto eles o ameaçavam, o rapaz com o pé-de-cabra assumindo um movimento agressivo e fazendo um sinal com a cabeça para o parceiro. Depois eles fugiram e ele os deixou ir, feliz por vê-los pelas costas, e ele estava totalmente sozinho na loja saqueada.

Só havia dois carros ali. O Alfa Romeo vandalizado e um velho Maserati. Duas Ferraris e um Lamborghini Gallardo tinham desaparecido. Faltava metade de seu estoque. A metade boa e extremamente cara. Ou fora vendida, ou roubada. Eles estavam ricos, ou arruinados.

Ele encontrou o irmão no escritório. Deitado de costas, uma garrafa vazia de grapa ainda nas mãos.

Paulo se ajoelhou e o sacudiu.

— Onde está o estoque, Michael?

— O quê? Hein? Paulo?

— Me diga que você vendeu. Você vendeu, não é? Trabalhamos tanto por esse estoque.

Michael se sentou, gemendo.

— Tivemos um pequeno rombo.

Paulo pegou a garrafa e a atirou na parede.

— Seu canalha idiota, você é um imbecil, Michael.

— Relaxa. Temos seguro, não temos?

— Acha que eles vão pagar por isso? Você está fora de si e metade dos garotos espertos de Holloway na nossa vitrine? Os caras do seguro vão pensar que estamos envolvidos. Vamos ter sorte se não formos para a prisão.

— Bom — disse Michael.

— Bom o quê?

— Você foi embora há três meses. Três meses na China. Fiquei três meses sozinho, com uma visita ou outra, e isso só para fazer você se sentir melhor por ter se afastado.

— Você *me disse* que podia cuidar de tudo. Você *me disse* que podia cuidar da loja enquanto eu estivesse fora. — Ele se levantou e andou pela sala, arrancando os cabelos. — Meu Deus, Michael, o que vai acontecer com a gente? Eu tenho uma família para sustentar.

Os olhos de Michael eram fendas cruéis e invejosas.

— Sorte sua.

Eles não tinham nada quando fundaram esta empresa. Um taxista e um motorista de cooperativa, tentando a sorte com um empréstimo do banco. E agora eles estavam sem nada novamente. Ele queria o melhor para a filha dele. O plano era esse. Toda uma vida com o melhor possível. E ele a decepcionara antes mesmo que as malas dela fossem desfeitas.

Houve um som na loja e Paulo saiu do escritório. Um homem atarracado com o cabelo cortado rente e um pescoço rosado e grosso estava olhando a porta danificada do Alfa Romeo.

— Estamos fechados — disse Paulo, erguendo a voz acima do alarme.

— Michael Baresi?

Paulo de repente entendeu que o homem era o marido de Ginger. Ele pensou no irmão bêbado e caído no chão, na família dele desaparecida, e não conseguiu permitir que mais uma coisa ruim acontecesse a Michael.

Então Paulo respirou fundo e soltou o ar com um suspiro.

— É, sou eu — disse ele. — Eu sou Mike Baresi.

Paulo viu o punho vindo e teria realmente preferido sair do caminho, mas não parecia haver tempo, e ele sentiu a martelada em cheio na boca, algo duro e metálico — uma aliança? Seria engraçado, não é? — abrindo seu lábio inferior. O golpe fez Paulo girar e quase cair no chão. Quando se virou para o marido de Ginger, o homem estava esperando para dizer alguma coisa. Foi quase um sermão.

— Ela voltou para mim e para as crianças. Não sei o que você fez para virar a cabeça dela. Mas esta não é ela. Isso... tudo isso... acabou.

Quando o homem foi embora, Paulo olhou a loja e conseguiu desligar o alarme do Alfa Romeo. Ele voltou ao escritório e descobriu Michael chorando baixinho. Paulo pôs os braços no ombro do irmão e o beijou de leve na cabeça.

— Eu a perdi, Paulo. Perdi o amor da minha vida.

A princípio Paulo pensou que o irmão estivesse falando de Naoko, a boa esposa que o deixara, ou talvez até de Ginger, a esposa entediada que tinha virado a cabeça dele e agora ia voltar para o marido.

Mas era claro que não. O amor da vida do irmão? Paulo tinha fotos dela em uma gaveta em algum lugar.

Só podia ser Chloe.

Cat parou junto à vitrine de um bazar de caridade, os olhos atraídos para um carrinho de bebê que parecia antiquado.

Era o tipo de coisa que se via em fotos em preto-e-branco de babás uniformizadas empurrando os carrinhos na Berkeley Square entre as duas guerras.

Não era um carrinho comum nem era do tipo dobrável, mas um carrinho verdadeiramente obsoleto. Um produto retrô, é claro — uma versão moderna do original, assim como fazem as versões contemporâneas do Fusca e do Mini. Mas Cat não achou ruim.

Ela entrou e admirou o carrinho. Era sólido e seguro, o que a tranqüilizava. Era todas as coisas que ela queria para o bebê, todas as coisas que ela achava que estavam faltando em sua vida. Mas era enorme — daria a impressão de estar empurrando seu filho em um tanque panzer. Cat podia imaginar a luta com o carrinho firmemente empacado na soleira da porta da Starbucks, o bebê berrando, todo mundo olhando.

— Cat?

E então Rory estava ao lado dela, um sorriso tímido e surpreso no rosto, e a princípio ela pensou que ele devia tê-la seguido. Mas ela viu as duas sacolas que ele estava carregando, cheias de quimonos brancos usados. O kit de caratê.

— Só vou deixar isso aqui. Coisas de alunos meus que cresceram e não cabem mais. Às vezes os garotos não conseguem começar a fazer artes marciais por causa do uniforme de que precisam. Vai comprar esse carrinho?

— Só estou olhando.

Ela podia sentir o rosto ardendo. Comprar para o filho que ainda não nascera em um brechó. O que tinha acontecido com ela? Cat sentia como se tivesse sido deixada de lado da própria vida.

— Coisas assim... Eu ficaria realmente feliz em ajudar. O que quer que tenha acontecido entre a gente. O que quer que você pense de mim. Quero ajudar. Você só precisa pedir. — Rory olhou em dúvida para o carrinho gigante. — Talvez possamos comprar algo novo...

— Não vejo as coisas de segunda mão como um sinal de fracasso — disse ela, de chofre. — Eu tenho duas irmãs mais novas. Elas foram criadas com as minhas roupas. Não fez mal nenhum a elas.

— É claro que não — disse ele com brandura. — E aí... Está tudo bem?

Ela tocou a barriga. Parecia a coisa mais estranha do mundo, e no entanto ainda a mais natural. Esta nova vida, ligada a ela, crescendo dela. Parte dela que viveria por muito tempo depois que ela se fosse.

— O neném está indo bem.

Ela viu o alívio no rosto dele. Alguém que tinha sido pai, pensou ela. Alguém que entendia dos milhares de coisas que podiam dar errado.

— Todos os exames foram ótimos.

— Não me deixe fora disso, Cat.

Ele era um homem bom. Ela sabia disso. Este era o motivo para ela tê-lo amado. Mas não era o bastante. Querer fazer o que era certo simplesmente não era o bastante. Porque o que aconteceria quando ele as deixasse? O coração de Cat ficaria amargurado e haveria mais uma criança ferrada no mundo cujos pais se odiavam.

— E eu lhe disse — disse ela. — Não quero alguém que não possa ir até o fim. Falam das mulheres sendo velhas demais para ter filhos, mas acho que tem sentido o problema do homem que é velho demais. Talvez não biologicamente. Mas emocionalmente. Psicologicamente. Eles não têm fôlego. Sabe o que quero dizer?

Ela viu a exasperação e o ressentimento acenderem nele — *é meu filho também*, escrito em todo o rosto de Rory —, mas passou, substituídos por algo de que ele não estava preparado para desistir.

— Admito que tenho algumas dúvidas, Cat. Não posso evitar. Mas não acho que seja uma coisa ruim. Não acho que uma pessoa deva ter um filho levianamente. Você quer uma garantia para toda a vida. Mas ninguém pode lhe dar isso.

— Continue, diga-me para comprar uma torradeira se eu quero garantias.

— Você sabe o que eu percebi? As famílias estão uma bagunça. Mesmo quando elas são boas... Estão uma bagunça. *Mesmo quando elas são boas*. Precisa de dinheiro?

— Posso ajudar?

Era a senhora do brechó, espiando os dois através de bifocais.

— Eu trouxe isso aqui — disse Rory.

A senhora olhou as sacolas.

— Aah, parecem muito *da moda* — disse ela, vendo o tamanho das roupas. — Muito *ching-ling*.

— Na verdade são roupas para caratê — explicou Rory. — Mandei lavar a seco, mas acho que algumas estão meio surradas.

— Ah, as crianças ficam felizes com qualquer coisa — cacarejou a senhora do brechó. — Essa é a vantagem das crianças... Elas aceitam qualquer coisa que você dê a elas.

Cat achou o sorriso da senhora doce como a cara de uma criança no dia de Natal.

— O que houve com a sua boca? — disse Jessica, colocando a Pequena Wei debaixo do braço para poder tocar o lábio ferido dele.

Paulo encolheu sob os dedos dela.

— Um marido ciumento me deu um murro na cara porque a mulher dele andou bordejando por aí.

Jessica o olhou por um momento e depois riu.

— Você é engraçado. O papai é engraçado, não é?

A Pequena Wei gorgolejou para ele. Ela estava com as três chupetas de sempre — uma na boca de botão de rosa, e uma em cada mãozinha. Todas eram de um amarelo vivo e, quando ela dormia no berço, que era colocado bem junto do lado de Jessica na cama do casal, as chupetas faiscavam e brilhavam no escuro como pirilampos dourados.

Ela era uma criança calma e feliz, e seu vício em chupetas era o único sinal de uma insegurança desconhecida que havia bem no fundo dela. Passaria com o tempo, acreditava Jessica. Eles expulsariam o medo.

— Eu ia colocá-la para dormir.

— Estou vendo. Assim vestidas, as duas. A Pequena Wei de pijama. E você parece a Suzie Wong.

Jessica estava usando um cheong-sam chinês preto com enfeites vermelhos em torno da gola alta e atravessando um ombro. Era apertado como uma luva cirúrgica, com uma abertura do lado que ia até os quadris. Ela passara a usar esse vestido sempre que colocava a pequena Wei para dormir.

— Acha que é idiotice?

Ele sorriu.

— Você está incrível. Para ser franco, acho que talvez ela seja nova demais para apreciar. Sabe como é. Esta reverência à cultura dela.

Não era só a roupa. No corredor, havia um rolo de caligrafia chinesa onde antes estava um pôster emoldurado de *O beijo*, de Gustav Klimt. Máscaras da ópera de Pequim adornavam a cozinha. E de cada lado da estante do quarto da Pequena Wei, espremidos entre sapos falantes, dinossauros dançantes e bonequinhos do Ursinho Pooh, havia dois leões chineses vermelhos, vigiando a criança que de algum modo se encontrava em um subúrbio verdejante de Londres. E o coração de Paulo doía porque ele sabia que tudo teria de sair dali quando eles se mudassem, todas aquelas coisas amorosamente colocadas teriam de ser dispostas em caixas de papelão quando eles se mudassem para outro lugar porque ele tinha fracassado com elas.

— É loucura? — disse Jessica, tocando a gola alta do cheong-sam. — Talvez seja. Mas não sabemos nada sobre ela. Não sabemos quem era a mãe dela. Não sabemos quando ela nasceu. Hoje pode ser o primeiro aniversário dela. Ou talvez seja no mês que vem. — A Pequena Wei olhou para Jessica, como se estivesse acompanhando a conversa. Jessica afagou distraída o rosto da filha. — Não sabemos, Paulo. E o caso é que... Nunca vamos saber. Nem ela. Mas de uma coisa ela sempre terá certeza... Ela não é realmente nossa filha. Ela é chinesa. E eu quero que ela tenha orgulho disso.

A Pequena Wei olhou os dois com os olhos castanhos arregalados e Paulo se perguntou, como diabos alguém podia ter abandonado aquela menina? Como alguém podia abandonar qualquer criança? E como eu pude decepcioná-la tanto?

— Você a ama tanto quanto uma mãe verdadeira — disse ele. — Mais do que a mãe verdadeira dela. É isso que conta.

— Eu só quero que ela tenha orgulho de ser quem é, orgulho de sua herança, orgulho do lugar de onde veio. Não quero que ela pense que esta é sua segunda opção. Porque, veja só, eu sei o que é se sentir a segunda opção.

Paulo tocou a lateral do corpo da esposa e sentiu a pele por baixo da seda do vestido, e ele sabia que nunca ia deixar de desejá-la.

— Você nunca foi a segunda opção. Não para mim. As outras nem chegam perto.

— E depois disso, depois que ensinarmos a ela a ter orgulho de seu país, só o que temos de fazer é amá-la. Deve dar certo.

— Vai dar certo.

E ele agora acreditava. Eles tinham atravessado o mundo para se conhecer. Ele não conseguia acreditar que fosse só uma coincidência. Fora o destino. *Nascida do ventre errado — encontre a entrada certa*. Se ao menos ele pudesse ter mantido seu lado no trato. Se ao menos ele pudesse ter feito seu trabalho. Então tudo teria ficado perfeito.

Os três subiram a escada. A casa finalmente parecia um lar. Levara muito tempo, mas pelo menos eles tinham achado seu lugar. E agora tudo teria que acabar, pensou Paulo com amargura, sentindo-se um fracasso pela primeira vez na vida. Ele se lembrava de quando era criança e tinha acabado de perder a primeira briga no pátio da escola, e daquela sensação esmagadora de vergonha que vinha quando você estava do lado errado da luta. Michael tentara restaurar parte do orgulho do irmão emboscando o atacante de Paulo no ponto de ônibus. Mas agora eles eram adultos e não havia ninguém para curar seu orgulho ferido. Agora ele estava por conta própria.

A Pequena Wei começou a choramingar quando eles entraram no quarto escuro. Jessica falou baixinho com ela enquanto passava gel em suas gengivas, onde os dentes novos estavam nascendo, e Paulo saiu do quarto em silêncio porque sabia que a mulher ficaria com a filha até que ela adormecesse.

Quando Jessica finalmente voltou para a sala, ele estava esperando por ela. Ele queria acabar logo com aquilo. A notícia terrível de que ele tinha decepcionado a família.

— Jess, vamos ter que apertar os cintos.

Ela assentiu.

— Tudo bem.

— Os negócios não vão bem. Michael... Bom, tudo deu errado enquanto eu estava fora. Parece que a empresa acabou.

— E a casa? — Um instante de medo nos olhos dela. — Podemos ficar com a casa?

Com o bebê, a grande casa e seu jardim enorme tinham começado a fazer sentido. Mas com a empresa quebrada, os pagamentos da hipoteca de repente pareciam astronômicos, uma montanha a escalar todo mês.

Paulo tombou a cabeça.

— Vamos ter que desistir da casa, Jess.

Jessica assentiu, absorvendo a novidade. Mas ela não aparentou medo de mais nada. Era Paulo que estava apavorado.

— A hipoteca... Não acho que vamos poder pagar todo mês. Não com o que vou ganhar.

— Eu entendo. O que você vai fazer?

Ele deu de ombros, o sabor amargo da humilhação na boca, como se ele estivesse indeciso. Mas ele sabia o que teria de fazer. Teria de voltar à estaca zero.

— Só entendo de carros. Se não puder vendê-los, então vou dirigir um.

Ela estendeu a mão e o tocou.

— Tudo bem. Mesmo. Quer dizer um táxi?

— É. Um táxi de novo.

— O que há de errado com isso? Os táxis de Londres são os melhores do mundo. Você me disse no dia em que nos conhecemos. Lembra? Você estava dirigindo um.

Paulo sorriu.

— Eu me lembro de tudo.

— Não se preocupe — disse ela, a voz cheia de sentimento. Por tanto tempo ele tinha sido o lado forte; estimulando-a, instando-a a nunca desistir, a continuar lutando. E agora era a vez de Jessica. — Vamos para uma casa menor. Voltamos para a cidade. Mais perto de nossas famílias.

— Mas a neném adora o jardim.

A voz dele era calma, e no entanto havia pavor em seus olhos, um desespero real nas palavras. O medo de ser pobre de novo, de fazer um trabalho que odiava e voltar para casa tão cansado que caía no sono diante da televisão. Depois acordar no dia seguinte e fazer tudo de novo. O medo de se transformar no próprio pai.

— Ela pode brincar no parque — disse Jessica.

— Mas, Jessie... Você adora a casa.

— E vou adorar a casa nova também.

Ele olhou para a esposa e sentiu que podia se desfazer em pedaços esta noite. Ele ouviu a voz do pai de muito tempo antes — *vocês, meninos, nunca ficarão ricos trabalhando para os outros*. O que ele mais queria neste mundo era ser um bom provedor para sua família. Ele sentira orgulho de ter ganho tanto dinheiro nos últimos anos. Pensara que isso fazia dele um homem. E agora tudo estava acabado. Agora ele ia ter que encontrar outras maneiras de ser um homem.

— Eu a decepcionei, Jessie. A você e à neném. Que tipo de homem eu sou? Você merece coisa melhor do que eu.

Ela sorriu.

— Você nunca nos decepciona — disse ela, pegando o rosto dele nas mãos, e ele viu o fio de aço na voz dela.

Desde o momento em que a vira pela primeira vez, ele quis protegê-la, cuidar dela. Mas talvez em todo esse tempo ela estivesse cuidando dele.

— Acha que eu te amo porque você ganha bem? Porque temos uma casa grande? Eu te amo porque você é bom, é fiel, e porque, de certo modo, você não é feio. Você sempre esteve presente, Paulo. Em todos esses anos querendo um filho. Todos os exames e as decepções. Você nunca desistiu de mim, não é?

Ele afastou o rosto dela, envergonhado das lágrimas nos olhos. Ele tinha tanto do que se envergonhar nesta noite. Mas ela segurou o rosto dele, e ela não o deixaria ir.

— Por que eu faria uma coisa dessas? — disse ele, a voz abafada.

Ela entrou nos braços dele e ele novamente sentiu a curva de seu corpo por baixo da seda do cheong-sam.

— Pode ficar com o vestido por enquanto? — disse ele, toda a dor e a humilhação da noite dando lugar a uma coisa mais forte. Eles se olharam. — Se não estiver muito cansada.

— Não estou nada cansada — disse ela, com aquele jeito tímido e sonolento nos olhos.

Era bom fazer amor novamente como eles fizeram em todos aqueles anos do passado, com o sangue quente, as luzes acesas e as roupas espalhadas por toda parte, relaxados e excitados ao mesmo tempo, sem se preocupar nem um pouco com o futuro da raça humana.

vinte e seis

Kirk andava pelo quarto, vendo Megan fazer as malas.

— Não vá — disse ele. — Não me deixe. Por favor, não leve minha filha para longe de mim.

Agora que tinha visto o fim, Megan sentia-se estranhamente calma. Ela olhou a coleção de trajes de banho de Poppy. Não ia precisar daquilo tudo em Londres. Bastaria um. Ela atirou uma peça de babados cor-de-rosa na mala e deixou o resto.

— Você sabia como eu era — disse ele, o humor mudando de repente. — Olha como nos conhecemos. Nem houve namoro, houve? O que você espera de um cara que trepa no primeiro encontro?

E então havia todas as roupas dela. Seu guarda-roupa assumira um caráter decididamente tropical nos últimos meses. Ela não ia precisar de todas aquelas camisetas e shorts. Não em Londres.

— Não pode sustentar você e a menina — disse ele. — Com a mixaria que o NHS te paga? Até as imbecis mais pobres que vivem de pensão em Sunny View olham você de cima.

Vamos sobreviver, pensou ela. Eu sou formada e tenho minha família e vamos sobreviver. Embora eu não tenha muita certeza agora. Tudo ia ser diferente, morando sozinha.

Mas ela não sentia a necessidade de explicar nada disso a Kirk. Havia uma tristeza dolorosa em partir, mas era bom. Ela não sentia a necessidade de explicar mais nada.

— Você desistiria desta vida por aquela cidade decadente de onde veio? — disse ele, agora aos gritos. — Você desistiria do sol e das praias por aquelas ruas miseráveis, a chuva e o maldito metrô?

Havia tanto que ela podia deixar para trás. Depois de aceitar que não tinha mais que carregar aquele excesso de bagagem, a sensação era na verdade bem libertadora. Todas aquelas roupas de verão. Todos aqueles maiôs. E aquele homem.

— Não transamos há meses — disse ele, agora lamuriento. — Você e eu, Megan... Um casal com um relacionamento todo baseado no que fizemos na cama. E eu sinto muito, lamento... Mas eu sinto falta de contato humano. Você pode entender isso, não pode? Algumas pessoas podem viver sem isso. E algumas pessoas não. Ela era sueca, tinha uns 20 anos e abanou o rabinho para mim. O que eu devia fazer?

Megan fechou a mala. Ela não precisava de todas essas coisas. Elas podiam viajar leves. Era a melhor maneira. Ela se virou para olhar para ele, tentando explicar.

— Eu só acho que devíamos ter nos amado — disse ela. — Você é basicamente um cara legal e foi um bom amigo... Apesar da sua sueca. Mas foi esse o erro, e foi errado o tempo todo. Se duas pessoas vão ter um filho juntas, elas devem se amar.

Depois Megan desceu e pegou a filha com a babá.

— Está tudo bem? — disse Jack Jewell.

O que Cat podia dizer ao pai? Poderia revelar que as únicas calças em que agora podia se espremer mais pareciam uma lona de circo? Ou que ela estava tão constipada que sentia que tinha uma rolha na bunda? Ou que ela tinha algumas preocupações com corrimento vaginal? Não se pode dizer todas essas coisas ao próprio pai.

— Está tudo ótimo.

— Mesmo? Você parece cansada.

— O bebê tem uma aula de salsa toda vez que eu tento pegar no sono. — Ela sorriu. — Mas eu estou bem. O bebê está bem. Então está tudo ótimo.

Jack cambaleou pelo apartamento, carregado de sacolas contendo roupas novas de bebê. Eles as abriram na mesa de centro, rindo de todas aquelas peças estranhamente maduras, como uma jaquetinha de brim adornada com flores, um agasalho branco minúsculo da Nike, calças camufladas do tamanho de uma boneca, e Cat sentia seu coração transbordar, porque naquele momento parecia que era necessário mais gente. Cat e o pai não achavam que eram número suficiente de pessoas para desfrutar das roupas de bebê.

— Você está bem, querida? — disse Jack, o lindo rosto velho vincado de ansiedade.

Ela assentiu, aceitando o lenço dele. Seria o pai o último homem no mundo a portar um lenço? Olhe para ele, pensou ela, sorrindo para o blazer e a gravata, amando-o pela formalidade nas roupas que ele vestia para uma visita informal ao apartamento dela.

— Você está muito elegante, pai. Como sempre.

Ele passou a ponta dos dedos pela gravata de seda, descendo alguns centímetros.

— Hannah vem tentando me deixar um pouco mais relaxado. Me vestir mais... Bom, assim. — Ele indicou as roupas modernas de bebê diante deles. —Talvez o bebê possa me dar umas dicas de estilo.

— Gosto da sua aparência — disse Cat. — O único inglês que nunca teria um boné.

Jack piscou teatralmente.

— Não suporto essas coisas. Me faz parecer o avô do Eminem.

Cat riu. Sempre causara espanto nas filhas que Jack Jewell se vestisse como Eduardo VIII e no entanto sempre surgisse com a referência cultural adequada.

— Como está Hannah? Ainda está saindo com ela?

Ele pareceu constrangido.

— Ah, sim. Ainda saio com ela.

— Gosto de Hannah. — Cat manteve o tom neutro. — Ela é legal.

— Sim.... bem. Eu também gosto dela. Gosto muito dela. Ela é uma garota muito especial. Mulher, quer dizer.

Cat observou o pai cuidadosamente, enquanto a ficha caía devagar.

— Bom, isso é ótimo, pai.

Ele assentiu. Era quase como se ele estivesse criando coragem para pedir o consentimento de Cat. Faria ele a mesma coisa com Megan e Jessica? Ou era só com ela?

— Imagino como você se sentiria se, digamos, nós nos casássemos.

Cat não sabia o que dizer. Desde o fim do casamento dele, sempre houvera mulheres na vida do pai. Muitas. Ela sabia disso. Mas nos últimos 25 anos ela se acostumara com a idéia de que ele nunca se casaria novamente.

— Se você acha que vai lhe fazer feliz, pai — disse ela, escolhendo as palavras com cuidado. — Você não nos obrigou a ter uma madrasta quando estávamos crescendo, e sempre fomos gratas a você por isso. Mas agora estamos longe. Você merece ser feliz.

— Hannah me faz feliz.

— Mas... Não, não é da minha conta.

— O que é?

Ela se inclinou na direção dele e sentiu o bebê dentro dela se agitar.

— Não tem medo que termine novamente? Isso não o assusta? Sua primeira esposa o deixou, não foi? E se a nova fizer o mesmo?

Ele deu de ombros.

— É preciso correr o risco, não é? É preciso se arriscar sempre. Se você tiver medo de se magoar e ser humilhado, nunca amará ninguém.

Cat sorriu, dobrando as roupas que o filho iria usar. Ele vai parecer um homenzinho, pensou ela. Como um homenzinho antes sequer de poder andar.

— Você é mais corajoso do que eu — disse ela ao pai.

Jack Jewell pareceu chocado.

— Ninguém é mais corajoso do que você, Cat.

Ela riu, sacudindo a cabeça.

— É verdade — insistiu ele. — Eu me lembro de voltar de uma filmagem quando você tinha uns 12 anos. Um ano mais ou menos depois de sua mãe ir embora. Jessica e Megan estavam na rua. Uns meninos estavam implicando com elas. Caçoando da Jessie.

— Eu me lembro disso — disse Cat. — Jessica estava usando tutu. Usando todas as roupas de bailarina dela, e chorava. Ela pensou que as outras crianças fossem ficar impressionadas com o tutu.

— Você disparou para fora da casa de avental e luvas amarelas, e perseguiu aqueles garotos de uma ponta à outra da rua. Eu a achei a pessoa mais corajosa que já vira na vida. E não só por causa disso. Todo dia, quando as três estavam crescendo.

— Isso não é coragem, é tocar a vida. E eu gostava de cuidar das minhas irmãs. — Até que ponto ela poderia ser sincera com ele? — Fazia com que eu me sentisse mais forte.

Ele a viu dobrar as roupas de bebê que ele comprara para o neto que ainda não nascera.

— Lamento não ter sido mais fácil. Queria ter sido mais acomodado. Queria ter escolhido alguém que ficasse.

Ela riu, tentando levantar o ânimo. Ela não queria que ele continuasse vivendo com aquela velha tristeza.

— Mas se você tivesse se casado com outra, eu não existiria, não é? Nem Megan, nem Jessica.

— Não, você não existiria se eu tivesse me casado com outra. — Ele sorriu, levantando-se para ir embora. — E isso seria terrível.

Quando eles abriram a porta da frente, viram o carrinho novo em folha parado no corredor.

Era um carrinho Mamas and Papas série 3, de três rodas, azul-metálico. Cat pensou que parecia uma coisa que Paulo podia vender. Reluzente e de suspensão baixa, com a promessa de velocidade. Cat fingiu que estava esperando a entrega.

Depois ela deu um beijo de despedida no pai e empurrou o carrinho para dentro do apartamento, para a ponta da cama, onde podia vê-lo brilhando no escuro enquanto ficava deitada e acordada à noite afagando a barriga e esperando pelo filho.

Paulo tinha se esquecido de como era morar em um apartamento.

O baixo da música de alguém. O cheiro das refeições dos outros. Passos no teto. Risos no andar de baixo. Todas essas outras vidas vazando pela parede. Os vizinhos acima gostavam de Coldplay e cordeiro ao curry. Paulo passou a abominar Coldplay e cordeiro ao curry.

Jessica estava dando banho na Pequena Wei, as mangas enroladas até os cotovelos, formando uma montanha de bolhas para a criança brincar. A Pequena Wei balançava de uma ponta à outra da banheira, a barriga de bebê se projetando na frente, arrumando cuidadosamente a coleção de patos, sapos e Teletubbies de plástico na beira da banheira.

Paulo sorriu para as duas, embora não estivesse sorrindo por dentro, e lhes deu um beijo de despedida. A noite estava chegando e era hora de ele sair para trabalhar.

A porta de sua casa parecia de papelão. Uma proteção insignificante contra todo o lixo do mundo lá fora. Ele trancou a porta depois de sair e desceu a escada ouvindo os sons e os cheiros de todas aquelas vidas que pareciam se sobrepor à vida dele e de sua família. Ao pé da escada, havia um fogão a gás descartado brotando um tipo de fungo verde e uma montanha de correspondência endereçada aos inquilinos de muito tempo atrás.

Temos que sair daqui, disse ele a si mesmo enquanto abria o táxi. *Eu tenho que tirar a gente daqui.*

Não porque sou um magnata dos negócios que devia estar trabalhando por conta própria. Não porque sou bom demais para este lugar e estas pessoas com seu Coldplay e seu cordeiro ao curry.

Mas porque sou pai, pensou Paulo. Porque tenho uma família.

Ele gostava de trabalhar à noite. Gostava porque havia menos trânsito nas ruas e era possível dirigir, e continuar dirigindo, e não ficar preso na fumaça e na cidade abarrotada.

Paulo começou a ronda noturna pelo centro financeiro, atravessando Cheapside e Moorgate atrás de passageiros, pegando todos os tipos financeiros que iam para as estações de trem ou para os subúrbios, depois foi para o West End e continuaria assim até o meio da noite, quando haveria um período morto de algumas horas antes do amanhecer, momento em que os primeiros vôos começavam a pousar em Heathrow, vindo de Hong Kong e Barbados.

Nessa hora, quando a noite tinha parado mas o novo dia ainda estava para começar, Paulo seguia para o refúgio dos taxistas que se escondia sob a Westway, um lugar tão exclusivo, à sua maneira, quanto um clube de cavalheiros em St. James's. Havia lava a jato, uma garagem e uma cantina 24 horas que não deixava você passar pela porta sem uma identificação de taxista.

Sob a Westway, Paulo limpou a traseira do táxi. Vômito. Latas de cerveja. O estranho sapato de salto alto. Camisinhas, usadas ou ainda na embalagem. Pedaços marrons de espetinho e poças peroladas de sêmen. Celulares, guarda-chuvas e — uma vez — um vibrador Mr. Love Muscle. Ele nunca contou a Jessica sobre o que ficava no banco traseiro de seu táxi.

Quando o táxi estava limpo, Paulo comia um sanduíche de bacon e uma xícara de chá com os outros taxistas, sorrindo quando o chamavam de "cara da manteiga" — o que significava um taxista novo que estava tirando o pão e a manteiga de motoristas mais experientes — e ouvia a brincadeira deles.

"E aí eu peguei aquela puta em Park Lane e quando chegamos na casa dela ela estava sentada ali, de pernas abertas, e diz pra mim, você *pode se virar com isso aqui?* E eu digo: *Não conseguiu nada menor?*"

Havia ocasiões em que Paulo pensava que era uma ótima vida e que sempre bastaria para ele. Quando seu estômago estava cheio do chá doce e fumegante e de sanduíches de bacon com molho HP, e o táxi estava limpinho e o riso dos outro motoristas soava em seus ouvidos, Paulo entrava no táxi e sentia que a cidade pertencia a ele.

Londres era linda. Ele agora via isso.

Ver a lua nos grandes parques, ou o sol nascer sobre as docas, ou a primeira névoa da manhã no rio, ou testemunhar todas essas coisas quando não há mais ninguém ali para vê-las, ter tudo isso diante de si enquanto você está dirigindo sozinho pela cidade vazia era se sentir completamente vivo.

Era quando ele ficava feliz em dirigir novamente, feliz por estar em constante movimento, feliz por ter uma vida livre dos homens da receita federal ou dos fiscais e toda a burocracia entorpecedora do pequeno empresário. Paulo trabalhava a noite toda, e havia momentos em que se esquecia de tudo e se sentia completamente livre.

Isso durava até que ele ia até o aeroporto para a última corrida. Os turistas e executivos saíam cambaleando dos aviões, o rosto cinzento e de ressaca da bebida gratuita, a mente ainda em outro lugar, esvaziados por terem rodado meio mundo, e Paulo deixaria um deles no hotel ou em casa.

Depois, com a placa *Livre* amarela por fim apagada, ele voltava para o pequeno apartamento, onde Coldplay e cordeiro ao curry rastejavam pelas paredes finas como papel, e por um bom tempo ficava vendo a esposa e a filha dormindo, seus rostos as duas coisas de que mais gostava no mundo, desejando nunca ter de se afastar delas, os olhos dele se derramando, sentindo-se quase embriagado de cansaço e amor.

vinte e sete

Megan procurou o Dr. Lawford e foi como se tivessem se passado anos, e não meses. Quanto anos ele tinha? Uns cinqüenta? Ele parecia um velho, como se a doença daquele bairro tivesse começado a se infiltrar em seus ossos.

— Vá para o setor privado — disse ele a Megan, sentando-se em sua mesa durante um intervalo entre os pacientes. — Vá e não volte.

A princípio ela pensou que ele estivesse brincando. Mas depois viu que não.

Ele ainda tinha o mesmo cheiro — o cheiro de cigarro misturado com queijo e picles doce. Antigamente o cheiro a repugnava, e agora ela percebia que sentira falta dele. E sentira falta de Lawford, da generosidade e da sabedoria que ele escondia sob os ternos baratos e a névoa de fumaça de cigarro.

— Setor privado? — disse ela, confusa. — Por que eu faria isso?

— Porque nada mudou por aqui. — Ele tomou um gole de uma coisa marrom em uma caneca de plástico. — Pacientes demais. Não há médicos suficientes. Nem tempo suficiente. Os motivos para você ter fugido são os motivos para ir para o setor privado.

Megan sentiu o rosto arder.

— Foi o que eu fiz? Fugir?

— Não é uma crítica — disse Lawford. — Eu não a culpo. Essa abóbora teria te matado. — Abóbora, a gíria de médicos para *as luzes estão acesas mas não há ninguém em casa.* — Você tem uma filha em quem pensar. Mas os motivos para você ter ido embora são os motivos para você ficar longe daqui.

Nunca ocorrera a Megan que Lawford diria a ela para trabalhar no setor privado. *Médico particular* era um dos grandes sonhos dos pacientes que eles viam nesta clínica. Era como ganhar na loteria — algo que eles fariam um dia, para escapar das filas e das frustrações do superlotado NHS. Se os médicos tinham o sonho de abrir um consultório, eles nunca mencionaram a Megan. Teria sido uma espécie de blasfêmia.

— Você ainda estará curando pessoas — disse Lawford. — Quem sabe? Talvez realmente ajude mais pessoas. Que bem realmente fazemos por aqui? Distribuindo antibióticos como se fossem balas. Você nunca foi muito boa na medicina de linha de montagem, não é? Entra e sai, entra e sai. — Ele sorriu com a lembrança da jovem recém-formada que ela fora. — Você sempre insistia em tratá-los como seres humanos.

Lawford estava escrevendo alguma coisa em um receituário, como se um nome e número de telefone fossem só do que Megan precisava para o que a afligia.

— Sugiro que você tente a sorte com uma vaga de substituta para licença-maternidade. De prontidão para todas aquelas médicas elegantes de Wimpole Street e Harley Street que precisam de três meses para ter um filho.

Megan pegou a folha de papel.

— Você não quer que eu trabalhe aqui — disse ela, tentando sem sucesso manter um tom de voz sem mágoa.

— Quero que você seja feliz — disse ele, endurecendo a voz para ocultar a suavidade e o sentimento nas palavras; e ela pensou: ele gosta de mim. Depois ele olhou o relógio e bebeu todo o conteúdo da caneca com a coisa marrom. — Mas agora está na hora de voltar à luta.

Megan apertou a mão dele animadamente. Qualquer outra forma de contato físico — um abraço, um beijo — era impensável. Depois ele a conduziu com experiência para fora de seu consultório e chamou o nome do paciente seguinte. Ela queria agradecer a ele, dizer-lhe que não podia ter se qualificado sem ele, que ela devia tudo a ele. Mas Lawford já havia dado as costas e estava seguindo um velho que se arrastava para dentro da sala.

A clínica estava cheia e, em meio à multidão de rostos, alguém estava sorrindo para Megan. Uma mulher com uma criança nova tentando se libertar do aperto se levantou para recebê-la.

— Oi, doutora!

— Sra. Summer.

A mulher apertou com orgulho a barriga. Ela devia estar grávida de seis meses.

— Soube que a senhora foi embora — disse ela. — É bom vê-la novamente. — Afagando a barriga agora. — Pode me ajudar com este.

— Seria maravilhoso — disse Megan, antes de explicar que estava se mudando e que esta era só uma visita rápida. A Sra. Summer pareceu desanimada, mas sorriu corajosamente e desejou a Megan o melhor para o futuro, e Megan teve de sair.

Havia decência e bondade aqui, pensou ela. A Sra. Summer. Daisy. O boxeador. E o Dr. Lawford. Ela queria poder abandonar Sunny View com a consciência limpa, mas os fantasmas a puxaram e disseram que ela estava fugindo de tudo em que acreditara um dia.

Não posso salvar essas pessoas, pensou Megan. Olhe para mim. Já tenho problemas suficientes para cuidar da minha garotinha.

E enquanto saía, ela viu outro rosto que reconheceu, um homem subindo a escada da clínica enquanto ela descia. Warren Marley a viu olhando e ela viu o ódio e a violência nos olhos dele.

Megan correu para o trânsito, as buzinas todas berrando em volta dela, para onde Jessica estava estacionada do outro lado da rua em um Punto velho e batido. Ela entrou rapidamente, olhando para o banco traseiro, onde Poppy e a Pequena Wei cochilavam nas cadeirinhas. Enquanto o carro arrancava, ela viu Warren Marley parado nos degraus da clínica, o trânsito entre eles como um rio que ele não podia atravessar.

Megan afundou no banco do carona, sentindo a receita na mão, e não olhou para trás.

As irmãs estavam brigando.

Cat podia ouvi-las na sala, as vozes se elevando e baixando, falando ao mesmo tempo enquanto ela se curvava sobre a cama e fechava Poppy no Grobag.

A Pequena Wei estava ao lado de Poppy, já fechada, no limiar do sono, e suas três chupetas amarelas e luminosas — uma na boca, uma em cada mão — brilhavam no escuro.

Alguma coisa dentro de Cat ficou quente e cintilou enquanto ela olhava as duas sobrinhas dormindo na cama. Fazia com que ela sentisse que sua pequena família, há tanto tempo separada e diferente da família de todo mundo, finalmente estava se renovando.

Depois de voltar para Londres, Megan e Poppy se mudaram para a casa de Cat. Nada fora dito, mas estava claro para as duas irmãs. Cat não dera a elas um lugar para ficar. Ela lhes dera um lar.

Agora Cat colocava travesseiros de cada lado da cama, uma barreira segura de penas de ganso para evitar que alguém rolasse para o chão, embora Megan e Jessica lhe tivessem dito que não era necessário, os bebês não iam a lugar nenhum naqueles Grobags.

Cat murmurava delicadamente enquanto ajeitava os travesseiros, dizendo a elas que estava tudo bem, que era maravilhoso estar na cama, que estava na hora de uma boa soneca, tentando distrair as meninas das vozes zangadas das mães chegando pela porta entreaberta.

— Mas você *disse* que cuidaria dela para mim — estava dizendo Megan, e Cat pensou que ela parecia em cada centímetro a muito amada irmã mais nova, ultrajada com a injustiça do mundo. — Você *disse* que faria isso.

— Mas nosso *boiler* pifou de novo — dizia Jessica, e a voz dela parecia suspirar de irritação porque ela precisava explicar de novo o óbvio. — Nada funciona naquele apartamento. Não temos água quente, nem aquecimento, e amanhã vou ter que esperar pelo encanador, se ele decidir aparecer.

Nada muda, pensou Cat cansada. Quantas vezes ela ouvira as duas brigando quando eram crianças? Quantas vezes bancara a mediadora, a pacificadora, a irmã mais velha? Só que na época Megan e Jessica discutiam sobre quem tinha arrancado a perna da Barbie ou a cabeça do Ken, e agora elas tinham outras coisas por que brigar.

Porque tudo muda, pensou Cat, enquanto pegava uma chupeta caída da mão direita da Pequena Wei e delicadamente a colocava de volta, sabendo que ela ficaria louca se acordasse e visse que uma das chupetas estava faltando. Tudo muda. Olhe essas duas.

Elas agora estavam dormindo. Poppy ainda estava um pouco abaixo do peso para a idade dela, mas com um corpo comprido, muito mais da compleição de Cat, toda pernas e braços, do que para o corpo roliço de Megan, o corpo cheio de curvas da irmã mais nova. Como Cat, Poppy parecia ter a cabeça pequena que fazia muitas crianças da mesma idade parecerem o Incrível Hulk quando estavam ao lado dela.

Mas depois do susto do parto prematuro e das semanas da Unidade de Tratamento Intensivo, elas agora não se preocupavam com Poppy. E daí que ela fosse sempre magra? Todo o mundo ocidental queria perder peso, não é? Cat já podia dizer que Poppy ia ser alta, magra e linda. Como uma versão pequena de mim mesma, pensou ela.

E a Pequena Wei se adaptara à nova vida melhor do que qualquer um podia ter esperado. Ainda havia sinais das inseguranças do passado, como aquelas três chupetas durante a noite, e o modo como organizava os macacos de pelúcia, os sapos falantes e os brinquedos musicais com um amor obsessivo pela ordem que parecia despropositado em uma criança tão nova.

Mas a Pequena Wei era inteligente, esperta e feliz, passando séculos com os livros *Ratinha Ninoca* e vendo os DVDs *Baby Einstein*, começando a demonstrar algum afeto — embora seus beijos fossem estritamente reservados para Jessica —, e ela aprendera a chorar. Jessica e Paulo fizeram um ótimo trabalho com ela, pensou Cat. Eles ensinaram a Pequena Wei que ela estava em casa.

— O que é mais importante para você? — Megan estava exigente, começando a jogar sujo, o último refúgio da criança mais nova. — Um encanador ou sua sobrinha?

— Isso é *muito* injusto — disse Jessica, parecendo à beira das lágrimas. — Depois do tempo que eu passei sentada com ela quando ela estava na incubadora enquanto você se lamentava no seu quarto. Depois de todo o tempo em que eu cuidei dela quando você estava trabalhando.

As duas neném eram tão diferentes, pensou Cat. A Pequena Wei tinha olhos escuros que pareciam chocolate derretido e os olhos de Poppy eram azul-gelo, como os olhos do pai dela. A pele de Poppy era tão clara que parecia que nunca tinha visto a luz do sol, enquanto a Pequena Wei era da cor do mel. Até o sono era diferente — a Pequena Wei atirava os braços acima da cabeça, o rosto de perfil, um bebê halterofilista pronto para reivindicar seu lugar no mundo, enquanto Poppy se enroscava como uma vírgula pálida dentro do Grobag, chupando o polegar, como se ainda sentisse falta do corpo da mãe. Tão diferentes de todo jeito, pensou Cat, e no entanto ela não tinha dificuldades para acreditar que as duas meninas faziam parte da mesma família.

— Não pode começar a chorar só porque perdeu uma discussão — dizia Megan, com um tom de triunfo zombeteiro na voz.

— Você só pensa em si mesma — disse Jessica, a voz tremendo de emoção. — É bem típico.

Cat sentiu um golpe duplo vindo de dentro, uma combinação de pé ou punho do bebê que dizia, *não se esqueça de mim*. Afagando a barriga, Cat deixou as crianças adormecidas e se juntou às irmãs.

Eu nunca vou me esquecer de você.

Megan e Jessica se calaram quando viram Cat.

— Qual é o problema? — disse ela, sem saber se estava irritada ou divertida. Quando eu tiver 75 anos, pensou ela, estarei separando essas duas enquanto elas se atracam sobre quem roubou a bengala da outra, ou de quem era a vez de usar o andador.

Jessica e Megan evitaram os olhos dela.

— Vamos lá, terminem com isso.

— Não é nada — disse Megan, toda altivez e autoritarismo. *Eu não sou mais a bebê Megan.*

Jessica virou os olhos marejados para a irmã mais velha.

— Megan tem uma entrevista de emprego amanhã — disse ela. — Na Harley Street.

— Wimpole Street — disse Megan, os olhos faiscando de raiva de Jessica, em quem nunca se podia confiar que manteria a boca fechada. — Uma vaga de substituta para licença-maternidade.

— Mais entrevistas? — disse Cat. Ela sabia que a irmã já devia ter feito umas dez. Todos lhe diziam que ela estava competindo com médicos que eram mais velhos e mais experientes.

— Um dia eu meto o pé na porta, eles vão ver — disse Megan com amargura. — Mas o encanador da Jessie vai aparecer. Então ela não pode pegar Poppy.

Cat podia ver a frustração ardendo na irmã mais nova. Todos aqueles anos passando fácil pelas provas, todos aqueles anos sendo a estrela de toda turma em que ingressava, e agora o mundo real não estava impressionado. Justamente quando ela mais precisava dele.

E Jessie tinha os seus próprios problemas. Embora ela tentasse esconder de Paulo, seu novo apartamentinho estava desabando. Assim como também tinha de se preocupar com dinheiro pela primeira vez na vida, ela estava morando em um lugar que parecia odiá-la. Ela arregaçou as mangas e lidou com a privada que transbordava, a máquina de lavar que vazava e os caprichos do fogão pré-histórico. Mas a falta de água quente e aquecimento era demais.

— Eu fico com Poppy amanhã — disse Cat, sem sequer precisar pensar no assunto.

— Mas amanhã você tem consulta — disse Jessica.

— O que é? — disse Megan. — Verificação de retenção de fluido?

Cat assentiu.

— Vou remarcar. Para depois de amanhã. Tanto faz. Está tudo bem, eu não me importo de ficar em casa. Mal consigo calçar os sapatos mesmo. Meus pés estão como se eu tivesse acabado de sair de um vôo longo.

— Você devia ir às suas consultas — disse Megan.

— Eu vou — disse Cat. — Quando você conseguir seu emprego e o boiler da Jessie voltar a funcionar.

O telefone tocou. Cat atravessou a sala devagar para atender, como se as pernas não pudessem mais carregar o peso dela e do bebê. Mas quando chegou ao telefone, a voz de Rory estava falando na secretária eletrônica. Envergonhada, hesitante. Nenhum vestígio do humor e do calor que costumava haver, pensou Cat. Mas quem era culpado disso?

Ela não fez nenhum tentativa de atender.

"Sei que você não quer que eu fique ligando... Mas eu só queria que você soubesse que seu pai me convidou gentilmente para o casamento dele... E eu vou... A não ser que você me peça para não ir... Então, hã, acho que é isso... Bom... Espero que esteja tudo bem."

Quando ele desligou, Cat olhou para as irmãs, que a encaravam. O rosto de Jessica era todo dor e Megan sacudia a cabeça intencionalmente.

— Que foi? — disse Cat.

— Ele é um homem maravilhoso — disse Jessica.

— Não tente fazer tudo isso sozinha — disse Megan.

Cat riu.

— Olha só quem está falando.

— É isso mesmo — disse Megan num tom de desafio. — Eu sei do que estou falando. É difícil passar por isso sozinha. — Ela olhou para Jessica, acalmando-se. — Sei que não estou sozinha. Não quando vocês estão aqui. Mas ainda assim... Não tem pai nenhum aqui, tem? Não há um parceiro.

— O que mais você podia fazer? — disse Cat. — Você não podia deixar que ele passasse por cima de você. Você não é assim, Megan.

— Mas não se trata mais de mim. É Poppy. E eu digo a mim mesma, preciso ser feliz, então minha filha pode ser feliz. E eu fico dizendo a mim mesma isso, mas não sei se é verdade. Talvez eu devesse ter insistido, pelo menos por mais um tempo. Por minha filha. Por nós duas. Não existe apoio quando você está por conta própria.

— Você fez o que era certo — disse Cat. — Deixá-lo. Voltar.

Mas Megan não era mais jovem o bastante para ter tanta certeza de tudo.

— Não sei se fiz o que era certo, Cat. Esperamos que esses homens preencham todos os requisitos. Romântico, sexual, emocional. Talvez a gente espere demais. Talvez pensemos demais em nós mesmas. Talvez devêssemos pensar em nossos filhos.

— Quer que Poppy cresça com um pai assim? — disse Cat com raiva. — *Onde está o papai? Ah, o papai está papando uma turista sueca.*

— Mas Rory é um cara legal — disse Jessica.

— O mundo está cheio de caras legais — disse Cat.

— Então por que não consegue um?

Cat sacudiu a cabeça, com incredulidade, desabando no sofá.

— Vocês duas me dando conselhos... Nem acredito nisso.

— Eu só acho que devíamos ser gentis uma com a outra — disse Jessica. — Enquanto ainda há tempo.

— Quando você voltar a trabalhar, não vai poder deixar uma criança com seu orgulho — disse Megan. — Você deixa com a sua família, ou deixa com estranhos. Só estou dizendo... Se puder evitar isso, não fique sozinha. Não faça isso sozinha porque você tem medo de ser abandonada novamente.

Cat se empertigou com aquilo.

— Quer dizer... Como eu fui abandonada antes?

— Não — disse Megan delicadamente. — Como *nós* fomos abandonadas antes. E por que eu não devia lhe dar conselhos? Não somos mais crianças — disse ela, e havia uma certa tristeza doce em suas palavras. — Olhe para nós. Somos todas adultas.

Do outro cômodo veio a sirene de um bebê chorando. A Pequena Wei, pega em um pesadelo ou possivelmente porque deixara cair uma das chupetas.

— Eu vejo — disse Cat, lutando para se levantar. — Depois vou preparar alguma coisa para comer. Acho que tem uma massa na geladeira.

Megan e Jessica trocaram um olhar. O olhar dizia: *Olha o que ela fez por nós*. Sem falar no assunto, as duas se lembraram da visão de uma menina cansada de 12 anos limpando a bagunça que elas faziam e de uma dívida que elas nunca poderiam pagar.

Então Jessica foi aquietar a filha e Megan fez com que Cat se deitasse no sofá, colocando almofadas sob a cabeça e os pés inchados da irmã.

— Mantenha os pés no nível do coração — disse Megan a ela. — Isso vai reduzir o inchaço.

Quando Jessica voltou, Megan pegou os pedidos para a comida tailandesa e por acaso foi uma refeição de sua infância, consumida diante da televisão, pontuada pelo riso das irmãs, sem nenhum adulto para dizer a elas que tinham de comer na mesa.

Sem dizer nada, e por um bom tempo depois que as crianças estavam dormindo, Megan e Jessica levaram chá para Cat, fizeram-na se acalmar e, de todas as pequenas formas, tentaram mostrar a ela que, pelo menos a partir daquele momento, a irmã mais velha não tinha de se preocupar em ser forte.

vinte e oito

As filhas estavam esperando por ele, emolduradas em sorrisos, usando seus vestidos especiais, o confete nas mãos.

Elas o atiraram em Jack Jewell quando ele saiu da pequena igreja de Marylebone com a linda noiva ruiva ao lado, e Paulo percebeu que as irmãs atiravam o confete com estilos particulares.

Cat era metódica, mirava cuidadosamente, usando sua altura e alcance, e lançava um punhado de confete na cabeça ou no peito quase o tempo todo.

Jessica tinha uma forma bonitinha de lançar com a mão por baixo, rindo enquanto atirava o confete por baixo da guarda deles, sempre chegando perto demais.

E Megan era simplesmente desordenada, jogando o confete na noiva e no noivo e em qualquer pessoa que estivesse perto deles e estimulando as crianças, Poppy e a Pequena Wei, a pegar o confete caído e jogar novamente, até que o confete se misturava com as folhas e todo tipo de coisas e elas tiveram que parar.

Quando o riso arrefeceu, o carro estava esperando e todos os beijos foram dados, as três filhas de Jack Jewell abraçaram o pai e se prepararam para deixar que ele partisse.

Ele olhou para elas com lágrimas nos olhos e Cat esperou que ele lhes dissesse o último pensamento, algumas palavras finais, um resumo de tudo pelo que passaram juntos e o que isso podia significar. Ela pensou no que ele disse por um longo tempo.

— Todas vocês agora têm suas famílias — disse ele.

E enquanto elas acenavam e olhavam as luzes traseiras do carro desaparecerem, Cat sabia que estivera errada sobre o que queria quando era a criança de avental e luvas amarelas, limpando a sujeira das irmãs mais novas.

Cat sempre pensara que queria sua liberdade, mas agora via que o que realmente queria era que elas fossem uma família de verdade.

E agora, enquanto estava parada ali com as irmãs, vendo o pai partir para a nova vida, ela viu que elas tiveram uma família de verdade o tempo todo. Talvez não fosse uma família perfeita, com todos os membros felizes e presentes, nem o tipo de família que se coloca em comerciais para vender cereais matinais.

Mas mesmo assim uma família de verdade, que se amava e se apoiava, que até se gostava, capaz de se ajudar em qualquer coisa, até nas mudanças que vinham com o passar dos anos.

Elas estavam caminhando para o norte, em direção ao Regent Park, quando Megan recebeu uma ligação da mãe. A pequena caravana de casamento parou enquanto olhava a cara de Megan, sabendo que alguma coisa tinha acontecido.

Jessica estava levando a Pequena Wei, Cat levava Poppy pela mão e Megan segurava os sapatos, os pés machucados dos saltos altos e novos a que não estava acostumada. Paulo e Rory seguiam atrás delas como dois carregadores nativos, empurrando os carrinhos de bebê. O sol de final de tarde se refletia nas fatias embrulhadas em papel-alumínio do bolo de casamento.

— A mamãe foi presa — disse ela, desligando o celular.

Parecia que enquanto o pai estava se casando com Hannah naquela igrejinha de Marylebone, a mãe estava sendo presa a um quilômetro e meio de distância em seu apartamento em St. John's Wood, durante sua visita semanal a Dave Sujo.

— Ela está em uma cela na delegacia da Bow Street — disse Megan. — Alguém vai ter que ir até lá.

Jessica virou-se para Cat.

— Você *sabia* que isso ia acontecer. Você *sabia* que o Dave Sujo ia metê-la em problemas.

Cat deu de ombros. Nada podia estragar seu humor. Na quadragésima semana, ela sentia a alegria melancólica que se tem no final de um belo evento comemorativo.

Ela ansiava por conhecer o filho, mas não podia se lembrar de uma época em sua vida em que se sentisse mais feliz. Ela tocou a barriga — *um, dois, três, não se preocupe, bebê* — e refletiu como amava ter seu filho dentro dela. Era uma pena que a experiência tivesse um fim.

— Ao que parece, a polícia seguiu esse Dave Sujo até a casa da mamãe — disse Megan. — Ela o estava ajudando a despejar a droga na privada quando eles arrombaram a porta.

— Ela vai para a *prisão?* — disse Jessica.

Cat sentiu a barriga apertar. E no entanto era outro alarme falso, ou talvez fosse mais exato chamar de simulação. Ela se acostumara às contrações de Braxton-Hicks nas últimas semanas. Muito em breve chegaria a hora da verdade. Na semana seguinte Cat tinha uma consulta marcada no hospital para ter a cérvice decorada com gel de prostaglandina, o hormônio produzido naturalmente durante o parto, com a intenção de mandar uma mensagem clara a seu filho e a seu corpo — *hora do lançamento.*

A enfermeira lhe dissera alegremente que o sêmen era rico em prostaglandina, se ela gostaria de pensar na opção de fazer amor para estimular o parto. Cat teve que dizer à enfermeira que não havia muito sêmen na vida dela ultimamente.

— Ela disse que Dave Sujo disse a ela que, se ele caísse, ela caía também — disse Megan.

Cat arfou enquanto sentia outra contração, desta vez mais forte e mais longa.

— Você está bem? — disse Megan.

— Ele ainda não está pronto. — Cat sorriu.

— Eu não devia lhe perturbar com isso — disse Jessica. — Mas, francamente, como você entregou a própria mãe a alguém chamado Dave Sujo?

— Foi surpreendentemente fácil — disse Cat, enquanto Poppy abraçava suas pernas.

Megan sorriu para as duas. Elas haviam se tornado muito próximas recentemente, com Cat cuidando da sobrinha enquanto Megan começara a trabalhar como substituta em um belo consultório em Wimpole Street, no lugar de uma médica no início dos 30 anos que estava tendo o terceiro filho. O dinheiro era incrível, mas o melhor de tudo era conseguir passar trinta minutos com cada paciente. Ela se sentia mais idealista do que nunca, mas o foco de seu idealismo tinha mudado. Ela não podia cuidar do mundo, mas podia cuidar de sua família.

Cat dera a Megan e Poppy um lar, Megan estava ganhando o bastante para sustentá-las e Cat cuidava de Poppy de uma forma que nenhuma estranha poderia cuidar.

Talvez isso mudasse um dia, e certamente era mais fácil porque nenhuma delas tinha um homem na vida. Mas Megan sabia que elas tinham sorte em ter uma à outra, e ela se perguntou como sequer chegara a pensar em se afastar da família.

Era verdade que todas tinham a própria vida. Os cuidados que Jessica dedicava em tempo integral a Poppy inevitavelmente chegaram ao fim quando ela adotou a Pequena Wei. Sem dúvida Cat ficaria mais ocupada depois que desse à luz o próprio filho. Megan sabia que não podia ser daquele jeito para sempre. Outros arranjos teriam de ser feitos. Mas ela agora entendia que nunca estaria sozinha enquanto as irmãs estivessem vivas. E tampouco sua filha.

— É só que... Ela é a nossa mãe — disse Jessica. — Apesar de tudo, Cat.... Ela ainda é a nossa mãe.

Cat não disse nada. Não queria discutir com Jessica. Mas, no fundo, ela pensou: não leva quarenta semanas para fazer de você uma mãe. Leva toda uma vida.

Elas subiram a Portland Place até chegarem ao táxi preto e reluzente de Paulo, brilhando como a noite. Ficou decidido que Paulo levaria Jessica e a Pequena Wei para a delegacia na Bow Street. Elas os observaram partir e Poppy acenou até que o táxi estivesse fora de vista.

— Tenha coração, Cat — disse Megan. — Olivia é uma mulher doente.

Cat percebeu que não queria ser insensível. Porque isso significaria que ela era igual à mãe. Exatamente igual à mãe.

Ofendida, Cat pegou Poppy no colo, beijou seu rosto e olhou para a irmã.

— Ter coração? Olha, se houver alguma coisa erraαa com meu coração, a culpa é daquela velha...

Então Megan viu Warren Marley virando a esquina, e ela não entendeu como ele a seguira, mas de alguma forma isso não a surpreendeu. Talvez porque ela estivesse tão perto do lugar em que ele trabalhava — que dificuldade teria de encontrá-la? — e depois ela não pensou em mais nada, porque viu o lampejo de uma lâmina na mão dele e de repente percebeu como aquelas ruas largas e brancas estavam desertas, o bairro de embaixadas e escritórios, todos trancados e vazios, todo mundo fora para o fim de semana.

Elas estavam verdadeiramente sós.

Warren Marley veio na direção deles, duas mulheres, uma criança e um homem com um carrinho de bebê. A cara de Marley se retorceu de ódio e ele estava dizendo alguma coisa, murmurando suas obscenidades, depois se sentindo mais corajoso, ficando furioso, agora gritando as mesmas palavras na cidade vazia, a faca — era um cortador de carpete, como viu Megan — em seu punho.

Ele empurrou brutalmente Cat e Poppy para o lado e golpeou o rosto de Megan. Ela recuou, o coração aos saltos, sentiu a calçada acabar sob seus pés e tropeçou na rua, quase caindo, enquanto ele se aproximava dela novamente.

E então Rory estava ali, saído do nada, o carrinho se fora, lançando-se num chute em giro técnico na cabeça de Marley.

O projétil do sapato de Rory entrou em contato energicamente com a lateral da cabeça do outro homem e Marley se estatelou, mas não largou a lâmina.

Rory preparou outro chute, mas cambaleou da calçada para a rua e errou completamente o alvo, o impulso fazendo com que girasse, curvando-se. Marley, agora de joelhos, golpeou-o com o cortador de carpete, um cabo com uma lâmina na ponta, e Rory berrou de agonia enquanto a lâmina era enterrada em uma de suas nádegas.

Depois Marley estava de pé novamente, afastando-se de Rory, vindo na direção de Megan, agora mais devagar, arrastando uma perna, enquanto Rory ficava abaixado agarrando o traseiro, o sangue já escorrendo por seus dedos e os fundilhos das calças.

Cat se atirou nas costas de Marley, mas ele se curvou para a frente, atirando-a por sobre um ombro e, enquanto ela caía, ele lhe deu um tapa com as costas da mão, fazendo-a voar, e continuou seguindo até Megan, Rory caído, Cat caída, a lâmina do cortador de carpete em punho diante dele.

Então Megan viu a cara apavorada da filha enquanto a criança se apertava em uma grade e sentiu o sangue começar a ferver.

Marley partiu para ela com um golpe impetuoso de moinho. Megan o viu chegando e ergueu o braço, bloqueando-o com força no antebraço, e ao mesmo tempo lançou a palma da mão para cima, com a maior força e rapidez que pôde, na ponta carnuda do nariz dele.

O nariz se quebrou com um esmagar satisfatório.

Ela o viu largar o cortador de carpete e cambalear para trás, as mãos cobrindo o rosto, o sangue já escorrendo, gritando de dor e surpresa. Ele desabou nas grades onde Poppy estava parada e a criança correu para os braços da mãe enquanto Marley escondia o rosto nas mãos, gemendo de dor e vergonha.

Megan pegou a filha no colo e parou ao lado dele.

— Agora fique longe de nós — disse ela. — Fique longe de nós para sempre.

Ela chutou o cortador de carpete para um bueiro e levou Poppy para onde Cat estava ajoelhada ao lado de Rory, as duas se pondo em posição de oração, tentando estancar o sangramento que saía da ferida na nádega dele.

— Por favor, não morra — disse Cat.

Foi quando ela sentiu. A contração que ia e vinha, como uma dor menstrual realmente forte, e depois a sensação surpreendentemente indolor de uma pequena represa se rompendo dentro dela. Cat percebeu que provavelmente entrara em trabalho de parto desde o primeiro hino da tarde.

— Megan — disse Rory, estremecendo de agonia, mas sorrindo de orgulho. — Até que enfim você se lembrou... *ai!*... um pouco do caratê que aprendeu. Por que foi isso, não acha?

Cat encarou Megan com descrença, apertando-se agora, lutando para respirar. E, com a filha nos braços, a irmã olhou para ela.

— Agora é minha vez de cuidar de você — disse Megan a Cat.

No banco traseiro do carro do pai, Megan fez o parto de um menino de 4 quilos.

De algum modo o leito do hospital parecia grande o suficiente para os três.

Cat com o bebê Otis nos braços e Rory deitado ao lado deles, apoiando delicadamente a cabeça do filho na palma da mão, o cabelo do bebê delicado como as penas das asas de um passarinho.

Era uma época de milagres. Quando Cat tocou a pele do rosto do filho, Otis virou a carinha recém-nascida para a sensação, procurando por leite, conforto e vida.

Seus olhos cegos, a boquinha sem dentes, os dedos das mãos e dos pés mínimos, o sono satisfeito, a respiração ritmada — tudo era motivo de admiração para os pais estupefatos.

E para Cat o orgulho era maior do que a exaustão, a alegria era maior do que a dor, e o amor, aquele amor inacreditável que de algum modo fora libertado de dentro dela, inundava todos os medos e dúvidas que ela tivera sobre o futuro.

As pessoas vieram. Jack Jewell com Hannah, a nova esposa. O filho de Rory, Jake. Eles trouxeram flores, muffins e roupas que pareciam tão grandes que certamente Otis nunca as usaria. E quando Megan olhou para eles, as duas irmãs se abraçaram e riram muito, e choraram muito, e disseram-se "Eu te amo" pela primeira vez na vida, e concordaram que o bebê Otis um dia arrasaria muitos corações.

Depois Jessica, Paulo e a Pequena Wei voltaram da delegacia de Bow Street. Jessica pegou Otis nos braços, delirou com sua beleza e o embalou para niná-lo, como se ela agora fosse uma especialista, o que realmente era.

Jessica disse que a polícia fora muito compreensiva, a mãe foi liberada com uma advertência, e até Dave Sujo parecia poder escapar das acusações, sob as circunstâncias, já que as drogas claramente estavam sendo usadas para fins médicos.

De vez em quando Cat olhava a porta do quarto, mas havia uma pessoa que não viria ver o bebê.

Sua mãe não viera ao hospital para ver o único neto e por um momento Cat sentiu como se seu coração ainda tivesse 11 anos e nunca fosse deixar de doer. Mas foi só por um momento. Ela levaria o bebê até a avó. Ela sabia disso agora.

Ela diria, *olha, sua filha teve o filho dela*, e se a mãe não pudesse ver o milagre e a alegria nisso, então Cat não sentiria mais ódio pela mãe, só sentiria pena.

Cat olhou do bebê em seus braços, enrolado e perfeito como um filhotinho de gato, para o homem a seu lado, aquele homem que evitava desesperadamente se sentar sobre a lesão ridícula em suas nádegas, aquela ferida que ele sofrera tentando salvá-la, e Cat entendeu por que estava viva.

Paulo se sentou na beira da cama com a Pequena Wei e Poppy e as duas meninas pequenas olharam solenemente para a estranha criatura que era muito menor do que elas. Depois ele sentiu o tapinha gentil no ombro.

— Jessica está esperando por você — disse Megan, pegando Poppy no colo. — No corredor.

Paulo olhou para ela por um momento e assentiu. Ele pegou a Pequena Wei pela mão e a levou para fora do quarto. Jessica estava parada junto à porta.

— Adivinha só? — disse ela.

Paulo olhou a esposa, ainda com as roupas do casamento, o confete grudado no chapéu de aba larga, recém-saída da delegacia da Bow Street, e ele não tinha idéia do que ela estava falando. E já não haviam tido excitação suficiente por um dia?

— Vem cá, idiota — disse ela, e pegou a mão dele, colocando-a na barriga dela. Depois ela olhou para ele com olhos que ele conhecia melhor do que os próprios.

Ele sentiu o queixo cair. Podia mesmo acontecer. O queixo podia cair de verdade.

— Não? — disse ele.

— Ah, sim — disse Jessica. — Ah, sim. Definitivamente, sim. Megan vai lhe contar. Ela vai. Minha irmã vai lhe dizer. Tem uma coisa que esses médicos não podem explicar. E é a sua sorte.

Paulo continuou olhando a esposa, seu lindo rosto de repente encoberto de lágrimas inesperadas. Ele não sabia o que dizer. Não conseguia expressar como se sentia.

Então ela pegou a filha no colo e, com os olhos castanhos brilhando, a criança virou o rosto para a origem daquela sensação, a sensação antiga como o mundo, a sensação de ser abraçada.

Este livro foi composto na tipologia
GoudyOldStyle, em corpo 11,5/15,5, e impresso
em papel off-white 80g/m² no Sistema Cameron
da Divisão Gráfica da Distribuidora Record.